#서술형
#해결전략
#문제해결력
#요즘수학공부법

수학도
독해가
힘이다

Chunjae
Makes
Chunjae

기획총괄	박금옥
편집개발	윤경옥, 박초아, 조선현, 김연정, 김수정, 김유림
디자인총괄	김희정
표지디자인	윤순미, 김지현
내지디자인	박희춘, 이혜미
제작	황성진, 조규영

발행일	2020년 10월 1일 초판 2022년 11월 1일 2쇄
발행인	(주)천재교육
주소	서울시 금천구 가산로9길 54
신고번호	제2001-000018호
고객센터	1577-0902

수학도 독해가 힘이다

초등 수학 5·1

4차 산업혁명 시대!
AI가 인간의 일자리를 대체하는 시대가
코앞에 다가와 있습니다.

인간의 강력한 라이벌이 되어버린 **AI를 이길 수 있는**
인간의 가장 중요한 **능력 중 하나는**
바로 **'독해력'**입니다.

수학 문제를 푸는 데에도 이러한 **'독해력'이 필요**합니다.
일단 **문장을 읽고 이해한 후 수학적으로 바꾸어 생각**하여
무엇을 구해야 할지 알아내는 것이 수학 독해의 핵심입니다.

〈수학도 **독해가 힘이다**〉는 읽고 이해하는
수학 독해력 훈련의 기본서입니다.

Contents

수학도 **독해가 힘이다**

이 책의 **특징**

1 문제 해결력 기르기

❸ 해결 전략을 익혀서 선행 문제 → 실행 문제를 완성!

선행 문제 해결 전략

• 하나의 식으로 나타내기

계산 순서와 기호를 생각하여 하나의 식으로 나타내자.

예 **10과 15의 합에서 17을 뺀 수**

→ $10+15$ → -17

→ $10+15-17=25-17$

$=8$

예 **29에서 10을 뺀 후 5를 더한 수**

→ $29-10$ → $+5$

→ $29-10+5=19+5$

❷ 선행 문제를 풀면 실행 문제를 풀기 쉬워져!

선행 문제 1

하나의 식으로 나타내어 계산해 보세요.

(1) 23과 16의 합에서 8을 뺀 수

→ $23+\square-\square=39-\square$

$=\square$

실행 문제를 풀기 위한 워밍업

(2) 30에서 13을 뺀 후 20을 더한 수

→ $30-\square+\square=\square+20$

$=\square$

❶ 실행 문제를 푸는 것이 목표!

실행 문제 1

체리가 40개 있었는데 어머니께서 체리를 35개 더 사 오셨습니다./

그중에서 13개를 먹었을 때/

먹고 남은 체리는 몇 개인가요?

전략 더 사 온 체리의 수는 덧셈으로 계산하고, 먹은 체리의 수는 뺄셈으로 계산하자.

❶ 하나의 식으로 나타

풀이 단계별 전략 제시

체리가 40개 있었음.	35개를 더 사옴.	13개를 먹음.
↓	↓	↓

❹ 쌍둥이 문제로 실행 문제를 완벽히 익히자!

쌍둥이 문제 1-1

귤이 32개 있었는데 7개를 먹었습니다./

언니가 15개를 더 사 왔을 때/

지금 있는 귤은 몇 개인가요?

실행 문제 따라 풀기

실행 문제 해결 방법을 보면서 따라 풀기

❶

❷

답 ____________

실전

수학 사고력 키우기

단계별로 풀면서 **사고력 UP!** 따라 풀기를 하면서 **서술형 완성!**

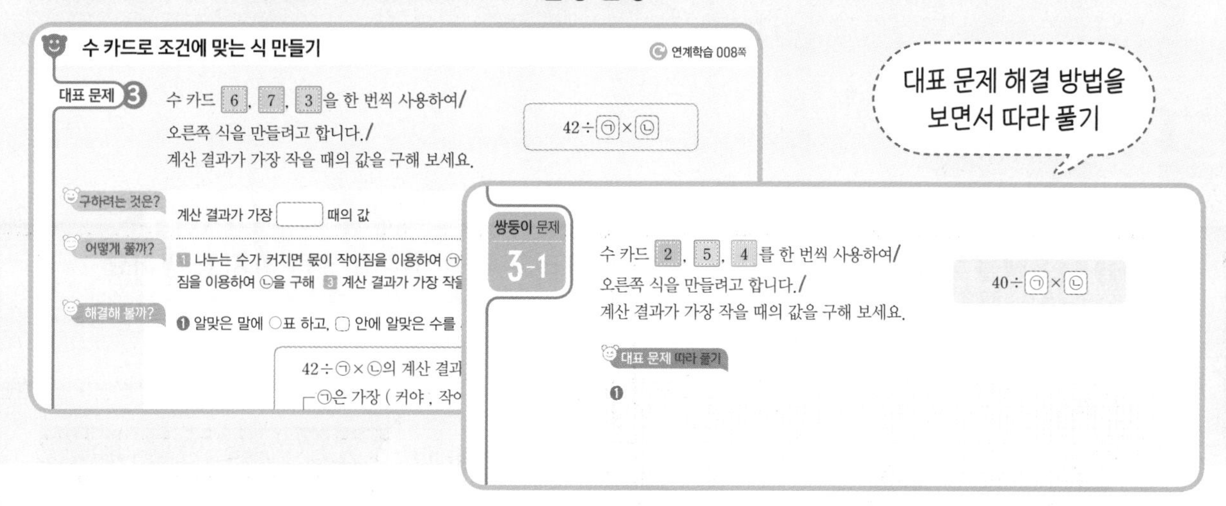

대표 문제 해결 방법을 보면서 따라 풀기

완성

수학 독해력 완성하기

차근차근 단계를 밟아 가며 **문제 해결력 완성!**

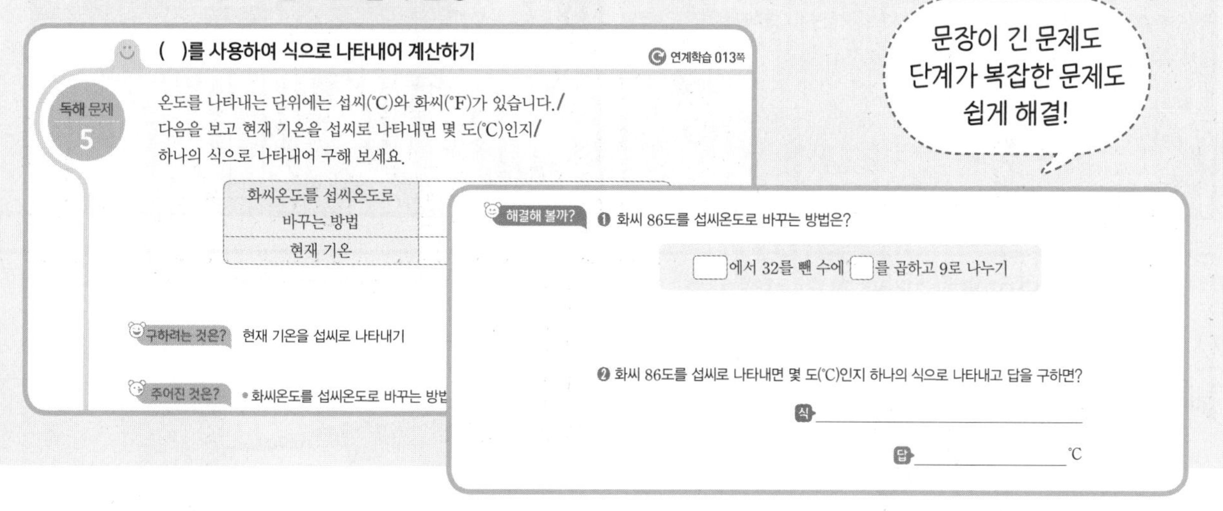

문장이 긴 문제도 단계가 복잡한 문제도 쉽게 해결!

특별 코너

창의·융합·코딩 체험하기

요즘 수학 문제인 **창의 • 융합 • 코딩** 문제 수록

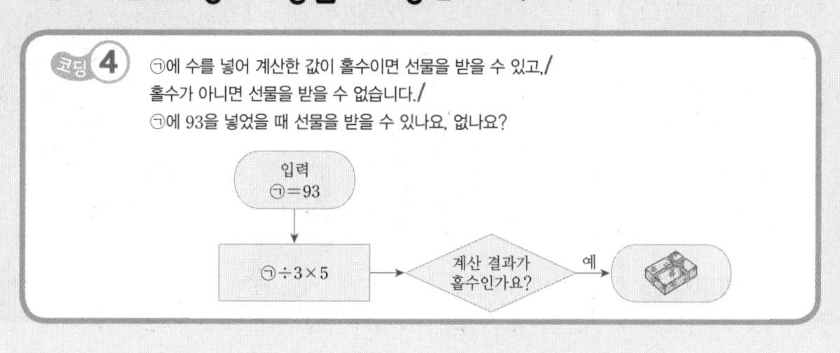

4차 산업 혁명 시대에 알맞은 최신 트렌드 유형

1 자연수의 혼합 계산

FUN한 이야기

매쓰 FUN 생활 속 **수학 이야기**

다은이는 동화책을 12권, 위인전을 10권 가지고 있어요./

그중에서 태형이가 15권을 빌렸다면/ 다은이에게 남은 책은 몇 권인가요?

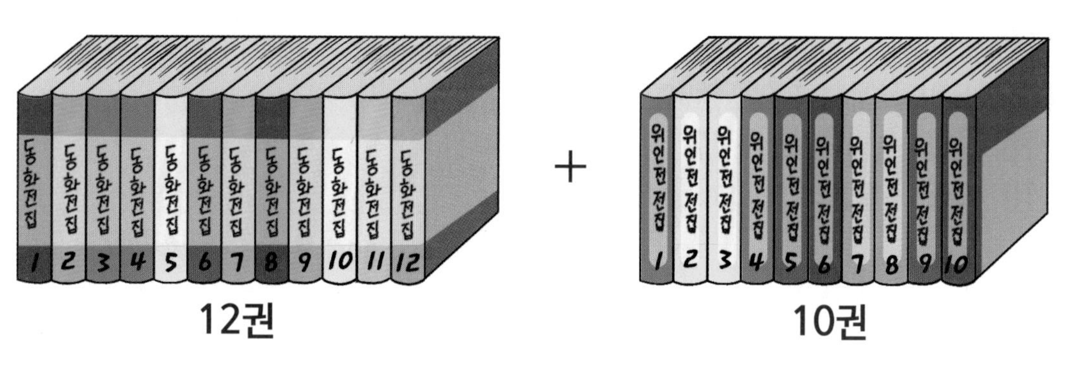

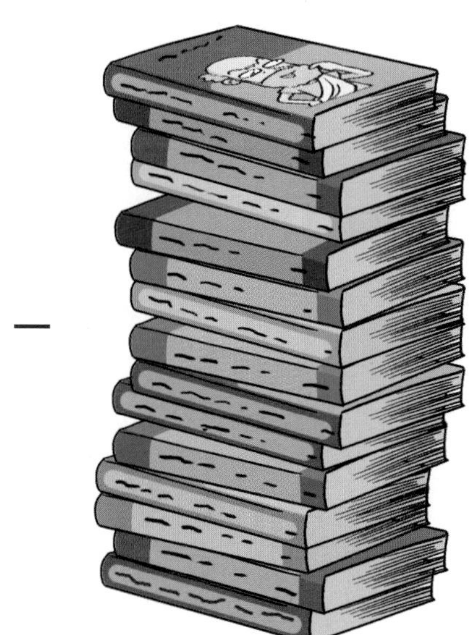

15권

다은이에게 남은 책의 수는
다은이가 가지고 있던 동화책과 위인전 수의 합에서
태형이가 빌린 책의 수를 빼서 구하자.

식 ______________________

답 ______________ 권

문제 해결력 기르기

1 식으로 나타내어 계산하기

선행 문제 해결 전략

• 하나의 식으로 나타내기

계산 순서와 기호를 생각하여 하나의 식으로 나타내자.

예 **10과 15의 합에서 17을 뺀 수**

→ **10+15**, → **−17**

→ **10+15−17**=25−17
=8

예 **29에서 10을 뺀 후 5를 더한 수**

→ **29−10**, → **+5**

→ **29−10+5**=19+5
=24

선행 문제 1

하나의 식으로 나타내어 계산해 보세요.

(1) 23과 16의 합에서 8을 뺀 수

→ 23+☐−☐=39−☐
=☐

(2) 30에서 13을 뺀 후 20을 더한 수

→ 30−☐+☐=☐+20
=☐

실행 문제 1

체리가 40개 있었는데 어머니께서 체리를 35개 더 사 오셨습니다./
그중에서 13개를 먹었을 때/
먹고 남은 체리는 몇 개인가요?

전략 더 사 온 체리의 수는 덧셈으로 계산하고, 먹은 체리의 수는 뺄셈으로 계산하자.

❶ 하나의 식으로 나타내기:

체리가 40개 있었음.	35개를 더 사옴.	13개를 먹음.
↓	↓	↓
40 +	☐ −	☐

전략 앞에서부터 차례대로 계산하자.

❷ (남은 체리의 수)=40+☐−☐
=75−☐=☐(개)

답 ________

쌍둥이 문제 1-1

귤이 32개 있었는데 7개를 먹었습니다./
언니가 15개를 더 사 왔을 때/
지금 있는 귤은 몇 개인가요?

실행 문제 따라 풀기

❶

❷

답 ________

② ( )를 사용하여 식으로 나타내어 계산하기

선행 문제 해결 전략

• ( )를 사용하여 하나의 식으로 나타내기

먼저 계산해야 하는 식은 ( )를 사용해서 나타내자.

예 45에서 23과 7의 합을 뺀 수

23+7

➔ $45-(23+7)=45-30$
$=15$

예 24를 6과 4의 곱으로 나눈 수

6×4

➔ $24\div(6\times4)=24\div24$
$=1$

선행 문제 2

( )를 사용하여 하나의 식으로 나타내어 보세요.

(1) 53에서 20과 9의 합을 뺀 수

풀이 20과 □의 합을 먼저 계산한다.

먼저 계산하는 식을 ( )로 묶기:

➔ 53 − 20 + 9

(2) 30을 5와 6의 곱으로 나눈 수

풀이 5와 □의 곱을 먼저 계산한다.

먼저 계산하는 식을 ( )로 묶기:

➔ 30 ÷ 5 × 6

실행 문제 2

사탕은 27개, 껌은 15개, 젤리는 9개 있습니다./
사탕의 수는 껌과 젤리 수의 합보다/
몇 개 더 많은가요?

전략 사탕의 수에서 껌과 젤리 수의 합을 빼자.

❶ ( )를 사용하여 하나의 식으로 나타내기:

사탕의 수		(껌과 젤리 수의 합)
□	−	(15+□)

전략 ( ) 안을 먼저 계산하자.

❷ ❶에서 나타낸 식 계산하기:

□−(15+□)=□−24
=□(개)

답 ____________

쌍둥이 문제 2-1

땅콩을 지수는 31개, 수희는 10개, 철규는 13개 먹었습니다./
지수가 먹은 땅콩 수는 수희와 철규가 먹은 땅콩 수의 합보다/
몇 개 더 많은가요?

실행 문제 따라 풀기

❶

❷

답 ____________

문제 해결력 기르기

③ 수 카드로 조건에 맞는 식 만들기

선행 문제 해결 전략

• 몫을 크게 하려면 나누는 수가 작아야 한다.

예 $20 \div 5 = 4$
$20 \div 2 = 10$
작아지면 → 커짐

나누어지는 수가 같을 때
나누는 수가 작아지면 몫이 커져~

• 곱을 크게 하려면 곱하는 수가 커야 한다.

예 $5 \times 2 = 10$
$5 \times 4 = 20$
커지면 → 커짐

곱해지는 수가 같을 때
곱하는 수가 커지면 곱이 커져~

선행 문제 3

3장의 수 카드 중 한 장을 사용하여 오른쪽 식을 완성하려고 합니다. 계산 결과가 가장 클 때의 ㉠의 값을 구해 보세요.

(1) [7], [2], [4] ➔ 112÷㉠

풀이 몫이 가장 크려면 나누는 수인 ㉠이 가장 (커야 , 작아야) 한다.
➔ ㉠=□

(2) [7], [2], [4] ➔ 13×㉠

풀이 곱이 가장 크려면 곱하는 수인 ㉠이 가장 (커야 , 작아야) 한다.
➔ ㉠=□

실행 문제 3

수 카드 [7], [8], [2] 중 2장을 한 번씩 사용하여/ 식 56÷㉠×㉡을 완성하려고 합니다./ 계산 결과가 가장 클 때의 값을 구해 보세요.

전략 나누는 수가 작을수록, 곱하는 수가 클수록 계산 결과가 커진다.

❶ 56÷㉠×㉡의 계산 결과가 가장 크려면
㉠은 가장 (커야 , 작아야) 한다.
➔ ㉠=□
㉡은 가장 (커야 , 작아야) 한다.
➔ ㉡=□

❷ 계산 결과가 가장 클 때의 값
➔ 56÷□×□=□

답 ______

쌍둥이 문제 3-1

수 카드 [3], [2], [6] 중 2장을 한 번씩 사용하여/ 식 12×㉠÷㉡을 완성하려고 합니다./ 계산 결과가 가장 클 때의 값을 구해 보세요.

실행 문제 따라 풀기

❶

❷

답 ______

4 모르는 수(기호) 구하기

선행 문제 해결 전략

예 $40\div(7+\square)=5$에서 $\square$의 값 구하기

7+□를 하나의 수로 생각하여 □의 값을 구하자.

① $7+\square$의 값 구하기

하나의 수로 생각한다.

$40\div(7+\square)=5$

$7+\square=40\div5$

$7+\square=8$

㉠÷㉡=㉢ → ㉡=㉠÷㉢

② $\square$의 값 구하기

$7+\square=8$

→ $\square=8-7$, $\square=1$

선행 문제 4

( ) 안의 값을 구해 보세요.

(1) $72\div(5+▲)=9$

풀이 $5+▲=\square\div9$

$5+▲=\square$

(2) $8\times(12-●)=80$

풀이 $12-●=80\div\square$

$12-●=\square$

실행 문제 4

■에 알맞은 수를 구해 보세요.

$96\div(6+■)=6$

전략 6+■를 하나의 수로 생각하자.

❶ $96\div(6+■)=6$

$6+■=\square\div6$

$6+■=\square$

전략 덧셈과 뺄셈의 관계를 이용하여 ■의 값을 구하자.

❷ $6+■=\square$

$■=\square-6$

$■=\square$

답 ____________

쌍둥이 문제 4-1

■에 알맞은 수를 구해 보세요.

$12\times(■+2)=84$

실행 문제 따라 풀기

❶

❷

답 ____________

문제 해결력 기르기

5 재료를 사고 남은 돈 구하기

선행 문제 해결 전략

예 1200원짜리 빵 1개와 1300원짜리 쿠키 1개를 사고 3000원을 냈을 때 남은 돈 구하기

남은 돈을 구하려면 낸 돈에서 물건값의 합을 빼자.

① 낸 돈: 3000원

② 물건값의 합을 식으로 나타내기:

1200+1300

③ 남은 돈 구하기:

(남은 돈)=(낸 돈)−(물건값의 합)

=**3000−(1200+1300)**

=3000−2500=500(원)

선행 문제 5

산 물건값의 합을 구하는 식을 ▢ 안에 써넣어 물건을 사고 남은 돈을 구하는 식을 완성해 보세요.

(1) 4500원짜리 멜론 1개와 1500원짜리 오렌지 1개를 사고 10000원을 냈습니다.

➔ 10000−(▢)

(2) 2000원짜리 양말 1켤레와 5500원짜리 모자 1개를 사고 8000원을 냈습니다.

➔ 8000−(▢)

실행 문제 5

딸기 셰이크 4인분을 만들려고 합니다./
10000원으로 필요한 재료를 사고/
남은 돈은 얼마인가요?

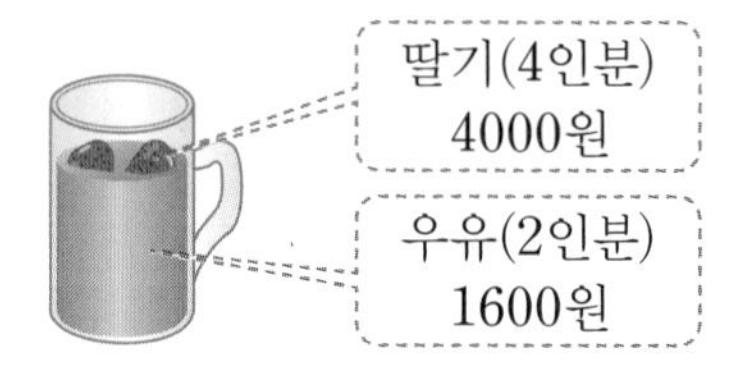

전략 (딸기 4인분의 값)+(우유 2인분의 값)×2

❶ 4인분 재료 값의 합을 구하는 식:

▢+1600×▢

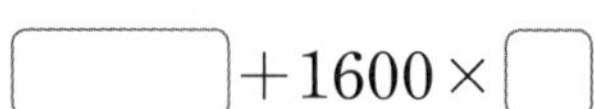

전략 10000원에서 4인분 재료 값의 합을 빼자.

❷ (4인분 재료를 사고 남은 돈)

=10000−(▢+1600×▢)

=10000−(▢+3200)

=10000−▢=▢(원)

답 ______

쌍둥이 문제 5-1

감자볶음 3인분을 만들려고 합니다./
5000원으로 필요한 재료를 사고/
남은 돈은 얼마인가요?

실행 문제 따라 풀기

❶

❷

답 ______

6 식이 성립하도록 ( )로 묶기

선행 문제 해결 전략

예 $24 \div 2 \times 4 + 3 = 6$이 성립하도록 ( )로 묶기

① **( )가 없을 때의 계산 결과** 구하기

$24 \div 2 \times 4 + 3 = 51$

② ①에서 구한 계산 결과와 주어진 식의 **계산 결과를 비교하여 해결 전략 세우기**

①의 계산 결과가 6으로 작아지려면 $\underline{24 \div 2 \times 4} + 3$에서 밑줄 친 부분의 값이 작아져야 한다.

③ **해결 전략에 맞춰 ( )로 묶고,** 계산 결과 확인하기

$24 \div (2 \times 4) + 3 = 6$ → 계산 결과가 맞음.

선행 문제 6

[보기]의 식을 보고 알맞은 말에 ○표 하세요.

(1) [보기]

$50 - 16 \div 2 \times 4$

계산 결과가 커지려면

→ $50 - \underline{16 \div 2 \times 4}$에서 밑줄 친 부분의 값이 (커져야 , 작아져야) 한다.

(2) [보기]

$30 - 3 \times 4 + 2$

계산 결과가 작아지려면

→ $30 - \underline{3 \times 4 + 2}$에서 밑줄 친 부분의 값이 (커져야 , 작아져야) 한다.

실행 문제 6

[보기]의 식이 성립하도록 ( )로 묶어 보세요.

[보기]

$3 + 2 \times 5 - 4 = 21$

❶ ( )가 없을 때의 식: $3+2\times5-4=$ ☐

전략 계산 결과는 ( )가 없을 때보다 커져야 한다.

❷ ❶의 계산 결과가 21로 커지려면 $\underline{3+2\times5}-4$에서 밑줄 친 부분의 값이 (커져야 , 작아져야) 한다.

전략 ❷에서 밑줄 친 부분의 값이 커지도록 ( )로 묶어 보고 계산 결과를 확인하자.

❸ [보기]의 식이 성립하도록 ( )로 묶고, 계산 결과 확인하기

→ $3 + 2 \times 5 - 4 =$ ☐

답 $3 + 2 \times 5 - 4 = 21$

쌍둥이 문제 6-1

다음 식이 성립하도록 ( )로 묶어 보세요.

$14 + 28 - 14 \div 7 = 16$

실행 문제 따라 풀기

❶

❷

❸

답 $14 + 28 - 14 \div 7 = 16$

수학 사고력 키우기

식으로 나타내어 계산하기

연계학습 006쪽

대표 문제 1

어머니께서 만두를 한 판에 18개씩 4판 쪄서/
접시 9개에 남김없이 똑같이 나누어 담았습니다./
접시 한 개에 담은 만두는 몇 개인가요?

구하려는 것은?

접시 ☐ 개에 담은 만두 수

주어진 것은?

- 찐 만두: 한 판에 ☐개씩 4판
- 찐 만두를 남김없이 똑같이 나누어 담은 접시 수: ☐개

해결해 볼까?

❶ 접시 한 개에 담은 만두의 수를 구하는 식을 하나의 식으로 나타내면?

전략 찐 만두 수는 곱셈으로 계산하고, 접시에 담은 만두 수는 나눗셈으로 계산하자.

식 ____________________

❷ 접시 한 개에 담은 만두는 몇 개?

전략 앞에서부터 차례대로 계산하자.

답 ____________________

쌍둥이 문제 1-1

민수네 반 학생은 24명입니다./
4명씩 한 모둠을 만든 후 한 모둠에 구슬을 8개씩 주려고 합니다./
필요한 구슬은 몇 개인가요?

대표 문제 따라 풀기

❶

❷

답 ____________________

(   )를 사용하여 식으로 나타내어 계산하기

연계학습 007쪽

대표 문제 2

오븐 한 개에 머핀을 5개씩 2줄로 넣을 수 있습니다./
머핀 20개를 한 번에 구울 때/
필요한 오븐은 몇 개인가요?

구하려는 것은?

머핀 [   ]개를 한 번에 구울 때 필요한 오븐 수

주어진 것은?

- 오븐 한 개에 넣을 수 있는 머핀: 5개씩 [   ]줄
- 한 번에 구우려는 머핀 수: [   ]개

해결해 볼까?

❶ 머핀 20개를 한 번에 구울 때 필요한 오븐의 수를 구하는 식을 (   )를 사용하여 하나의 식으로 나타내면?

전략 오븐 한 개에 한 번에 구울 수 있는 머핀의 수를 (   )를 사용하여 나타내자.

식 ______________________

❷ 필요한 오븐은 몇 개?

전략 (   ) 안을 먼저 계산하자.

답 ______________

쌍둥이 문제 2-1

로봇 한 대가 한 시간에 인형을 3개 만들 수 있습니다./
똑같은 로봇 5대가 쉬지 않고 인형 45개를 만드는 데/
걸리는 시간은 몇 시간인가요?

대표 문제 따라 풀기

❶

❷

답 ______________

수학 사고력 키우기

수 카드로 조건에 맞는 식 만들기

연계학습 008쪽

대표 문제 3

수 카드 6, 7, 3 을 한 번씩 사용하여/
오른쪽 식을 만들려고 합니다./
계산 결과가 가장 작을 때의 값을 구해 보세요.

42÷㉠×㉡

구하려는 것은?

계산 결과가 가장 ☐ 때의 값

어떻게 풀까?

1 나누는 수가 커지면 몫이 작아짐을 이용하여 ㉠을 구하고, 2 곱하는 수가 작아지면 곱이 작아짐을 이용하여 ㉡을 구해 3 계산 결과가 가장 작을 때의 값을 구하자.

해결해 볼까?

❶ 알맞은 말에 ○표 하고, ☐ 안에 알맞은 수를 써넣으면?

42÷㉠×㉡의 계산 결과가 가장 작으려면
㉠은 가장 (커야 , 작아야) 한다. ➔ ㉠=☐
㉡은 가장 (커야 , 작아야) 한다. ➔ ㉡=☐

❷ 계산 결과가 가장 작을 때의 값은?

답 ____________

쌍둥이 문제 3-1

수 카드 2, 5, 4 를 한 번씩 사용하여/
오른쪽 식을 만들려고 합니다./
계산 결과가 가장 작을 때의 값을 구해 보세요.

40÷㉠×㉡

대표 문제 따라 풀기

❶

❷

답 ____________

모르는 수(기호) 구하기

연계학습 009쪽

대표 문제 4 ■에 알맞은 수를 구해 보세요.

$$4+45\div(3+■)=13$$

구하려는 것은? ■에 알맞은 수

어떻게 풀까? 1 45÷(3+■)의 값을 구한 후, 2 3+■의 값을 구하여 3 ■에 알맞은 수를 구하자.

해결해 볼까?

❶ 45÷(3+■)의 값을 구하면?

전략 45÷(3+■)를 하나의 수로 생각하자.

답 ______

❷ 3+■의 값을 구하면?

전략 3+■를 하나의 수로 생각하자.

답 ______

❸ ■에 알맞은 수는?

답 ______

쌍둥이 문제 4-1

▲에 알맞은 수를 구해 보세요.

$$15-30\div(▲+6)=12$$

대표 문제 따라 풀기

❶

❷

❸

답 ______

수학 사고력 키우기

재료를 사고 남은 돈 구하기

연계학습 010쪽

대표 문제 5

스파게티 2인분을 만들려고 합니다./
5000원으로 필요한 재료를 사고/
남은 돈은 얼마인지 구해 보세요.

양파(1인분)
400원

버섯(2인분)
1400원

면(4인분)
2400원

구하려는 것은?

재료를 사고 ☐ 돈

주어진 것은?

- 만들려는 스파게티의 양: ☐인분
- 양파 1인분의 값: ☐원, 버섯 2인분의 값: ☐원, 면 4인분의 값: 2400원

해결해 볼까?

❶ 2인분 재료 값의 합을 식으로 나타내면?

식 ☐ $\times$ ☐ $+1400+$ ☐ $\div$ ☐

❷ 2인분 재료를 사고 남은 돈은 얼마인지 (   )를 사용하여 하나의 식으로 나타내고 답을 구하면?

전략 재료 값의 합을 ( )로 묶어 보자.

식 ____________________ 답 ____________

쌍둥이 문제 5-1

카레 3인분을 만들려고 합니다./
10000원으로 필요한 재료를 사고/
남은 돈은 얼마인지 구해 보세요.

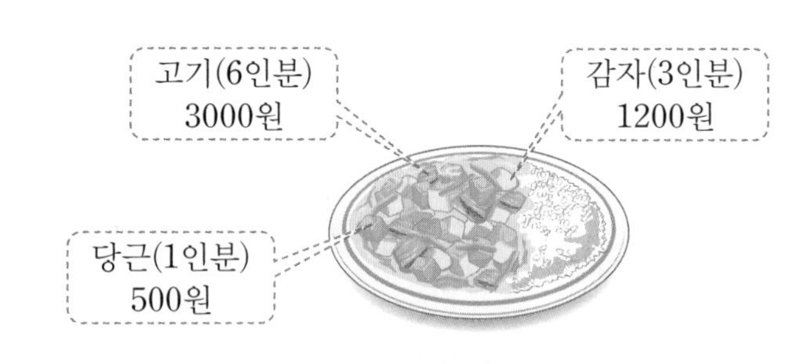

❶

❷

답 ____________

식이 성립하도록 ( )로 묶기

연계학습 011쪽

대표 문제 6 [보기]의 식이 성립하도록 ( )로 묶어 보세요.

[보기]
$$9 \times 3 + 15 - 4 = 126$$

구하려는 것은? 식이 성립하도록 ( )로 묶기

어떻게 풀까? 1 ( )가 없을 때의 계산 결과와 비교하여 2 ( )로 묶을 곳을 생각해 보자.

해결해 볼까?

❶ ( )가 없을 때의 식을 계산한 값은?

❷ ❶의 계산 결과보다 커져야 하나, 작아져야 하나?

❸ [보기]의 식이 성립하도록 ( )로 묶으면?

전략 9와 곱하는 수가 커지도록 ( )로 묶어 계산해 보자.

답 $9 \times 3 + 15 - 4 = 126$

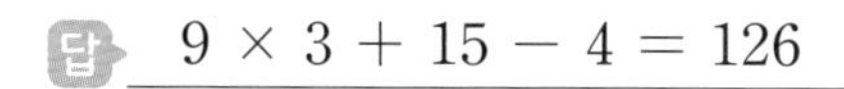

쌍둥이 문제 6-1

다음 식이 성립하도록 ( )로 묶어 보세요.

$$60 \div 6 - 5 + 4 = 12$$

대표 문제 따라 풀기

❶

❷

❸

답 $60 \div 6 - 5 + 4 = 12$

수학 독해력 완성하기

더 내야 하는 금액 구하기

독해 문제 1

식당에 있는 음식의 가격을 나타낸 것입니다./
유라는 볶음밥을 먹었고,/
기주는 자장면과 만두를 먹었습니다./
유라는 기주보다 얼마를 더 내야 하는지 하나의 식으로 나타내어 구해 보세요.

메뉴	자장면	볶음밥	짬뽕	만두
가격(원)	4500	7500	5500	2500

해결해 볼까?

❶ 기주가 내야 하는 금액을 식으로 나타내면?

식 ______

❷ 유라는 기주보다 얼마를 더 내야 하는지 하나의 식으로 나타내고 답을 구하면?

전략 기주가 내야 하는 금액을 ()를 사용하여 식으로 나타내자.

식 ______ 답 ______

식에 알맞은 문제 만들고 답 구하기

독해 문제 2

오른쪽 식에 알맞은 문제를 만들고/
답을 구해 보세요.

$50 \div (5 \times 2)$

해결해 볼까?

❶ 식에 알맞은 문제를 만들면?

문제 ______

______

❷ $50 \div (5 \times 2)$를 계산하여 ❶의 문제의 답을 구하면?

답 

몸무게 구하기

독해 문제 3

지구에서 잰 무게는 달에서 잰 무게의 약 6배입니다./
세 사람이 모두 달에서 몸무게를 잰다면/
준수와 형의 몸무게를 합한 무게가/
어머니의 몸무게보다 약 몇 kg 더 무거운지 하나의 식으로 나타내어 구해 보세요.

사람	지구에서 잰 몸무게(kg)	달에서 잰 몸무게(kg)
준수	48	
형	54	
어머니		10

해결해 볼까?

❶ 달에서 잰 준수와 형의 몸무게의 합을 구하는 식을 ( )를 사용하여 하나의 식으로 나타내면?

식 ______________________

❷ 달에서 몸무게를 잰다면 준수와 형의 몸무게를 합한 무게가 어머니의 몸무게보다 약 몇 kg 더 무거운지 하나의 식으로 나타내고 답을 구하면?

식 ______________________ 답 약 

약속에 따라 식을 세워 계산하기

독해 문제 4

기호 ♣에 대하여 [보기]와 같이 약속할 때/
11♣10을 계산해 보세요.

[보기]
가♣나=가+나×가−나

해결해 볼까?

❶ [보기]에 따라 11♣10을 계산하는 식을 쓰면?

11♣10= ______________________

❷ 11♣10을 계산하면?

답 

수학 독해력 완성하기

(   )를 사용하여 식으로 나타내어 계산하기

연계학습 013쪽

독해 문제 5

온도를 나타내는 단위에는 섭씨(℃)와 화씨(℉)가 있습니다./
다음을 보고 현재 기온을 섭씨로 나타내면 몇 도(℃)인지/
하나의 식으로 나타내어 구해 보세요.

화씨온도를 섭씨온도로 바꾸는 방법	화씨온도에서 32를 뺀 수에 5를 곱하고 9로 나누기
현재 기온	화씨 86도

구하려는 것은? 현재 기온을 섭씨로 나타내기

주어진 것은?
- 화씨온도를 섭씨온도로 바꾸는 방법:
  화씨온도에서 32를 뺀 수에 ☐를 곱하고 ☐로 나누기
- 현재 기온: 화씨 ☐도

어떻게 풀까?
1 화씨 86도를 섭씨온도로 바꾸는 방법을 알아보고,
2 1의 방법대로 하나의 식으로 나타내고 계산해 보자.

해결해 볼까?

❶ 화씨 86도를 섭씨온도로 바꾸는 방법은?

☐에서 32를 뺀 수에 ☐를 곱하고 9로 나누기

❷ 화씨 86도를 섭씨로 나타내면 몇 도(℃)인지 하나의 식으로 나타내고 답을 구하면?

식 ______________________

답 ______________ ℃

모르는 수(기호) 구하기

연계학습 015쪽

독해 문제 6

+, −, ×, ÷ 중 ◯ 안에 알맞은 기호를 구해 보세요.

$$42 \div (3 \bigcirc 2) - 2 = 5$$

구하려는 것은? ◯ 안에 알맞은 기호

주어진 것은? ◯ 안에 알맞은 기호: +, −, ×,  중 하나

어떻게 풀까?
1 계산할 수 있는 부분을 찾아 계산하여
2 ◯ 안에 알맞은 기호를 구하자.

해결해 볼까?

❶ $42 \div (3 \bigcirc 2)$의 값을 구하면?

전략 > $42 \div (3 \bigcirc 2)$를 하나의 수로 생각하자.

답 ______________

❷ $3 \bigcirc 2$의 값을 구하면?

전략 > $3 \bigcirc 2$를 하나의 수로 생각하자.

❸ +, −, ×, ÷ 중 ◯ 안에 알맞은 기호는?

창의·융합·코딩 체험하기

[융합 ①~②] 계산기의 [+] 버튼이 고장나서 [+]를 누르면 [보기]와 같이 [−]로 계산됩니다./
계산기로 누른 식이 다음과 같을 때 나오는 값을 구해 보세요.

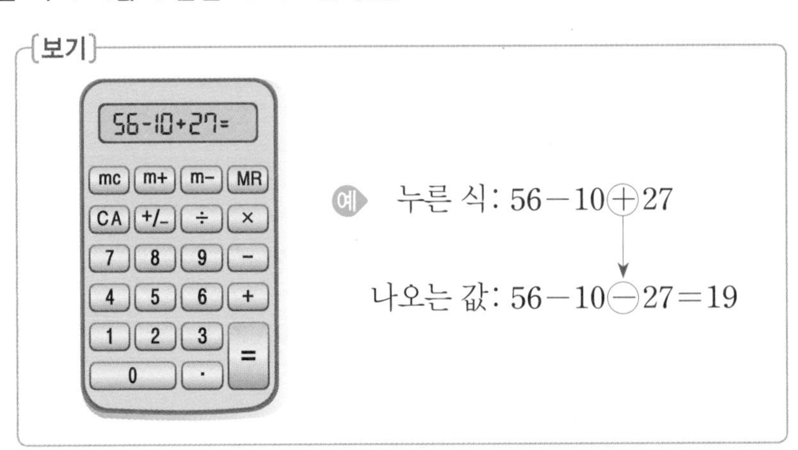

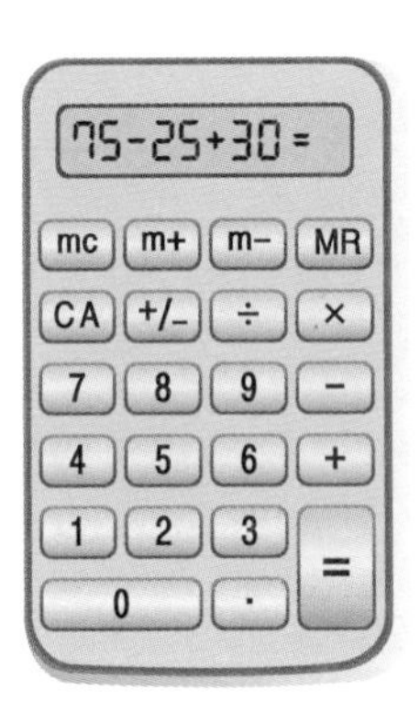

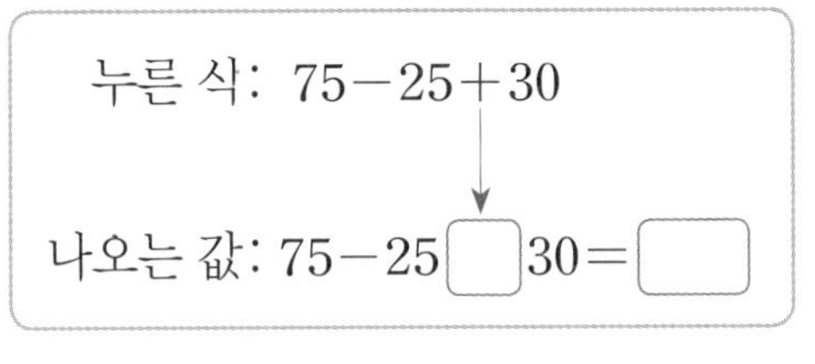

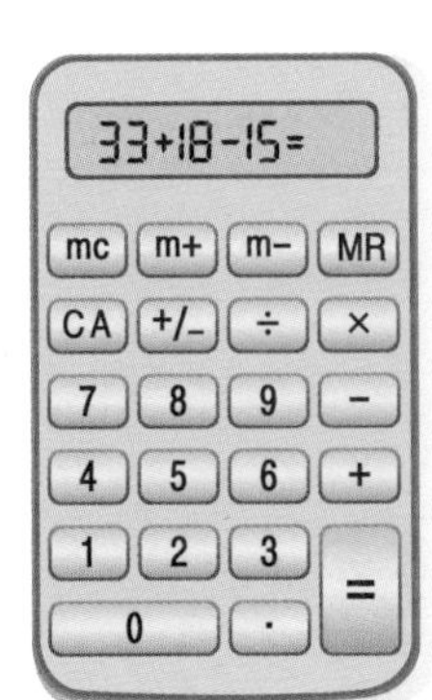

누른 식: 33+18−15

나오는 값: 33☐18−15=☐

창의 3 ♥부터 화살표 방향을 따라 계산하면 11이 나옵니다./
처음 수인 ♥를 구해 보세요.

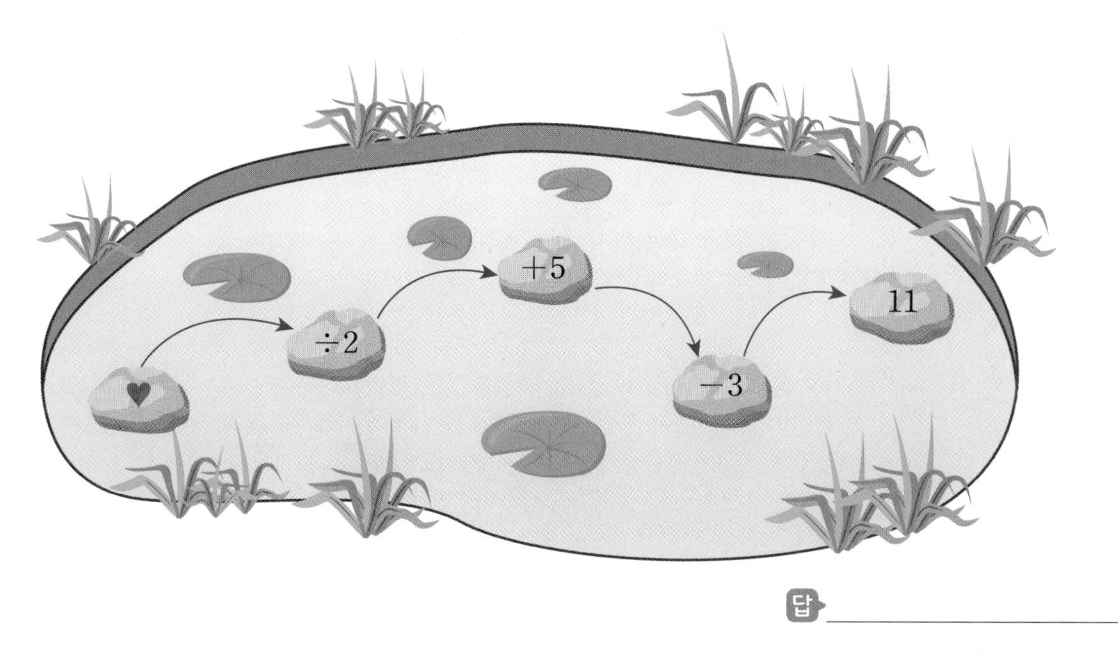

답 ______________________

코딩 4 ㉠에 수를 넣어 계산한 값이 홀수이면 선물을 받을 수 있고,/
홀수가 아니면 선물을 받을 수 없습니다./
㉠에 93을 넣었을 때 선물을 받을 수 있나요, 없나요?

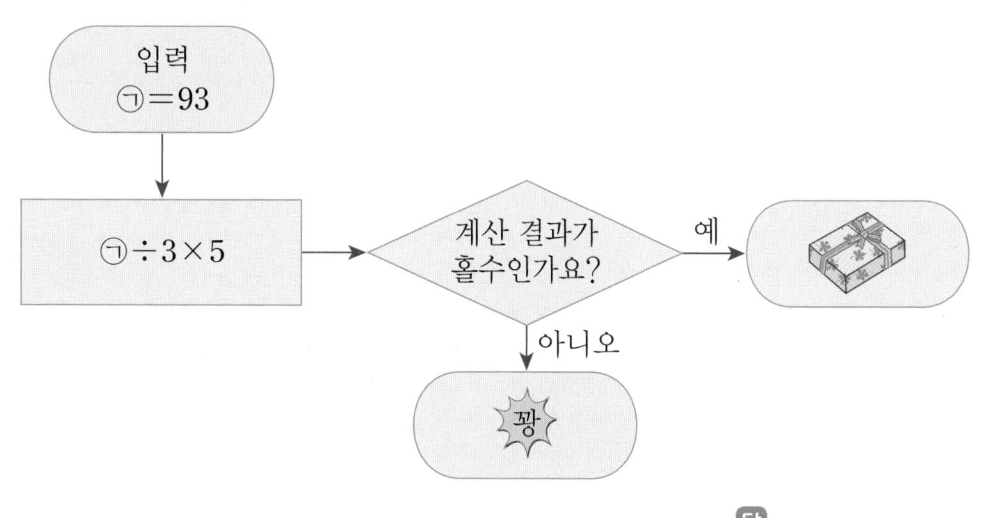

답 ______________________

창의·융합·코딩 체험하기

[창의 5 ~ 6] 여우가 출발점에서 출발하여 도착점에 있는 종을 울리는 게임입니다.
여우는 앞으로만 갈 수 있고 주어진 아이템을 모두 가져야 종을 울릴 수 있습니다.
아이템의 능력치를 보고 여우가 종을 울릴 때 능력치는 얼마인지 구해 보세요.
(단, 출발점에서 여우의 능력치는 0입니다.)

아이템	(사과)	(막대사탕)	(버섯)	(별)	(풍선)
능력치	$+54$	$+60$	$\div 2$	$\times 3$	$\times 2$

창의 5

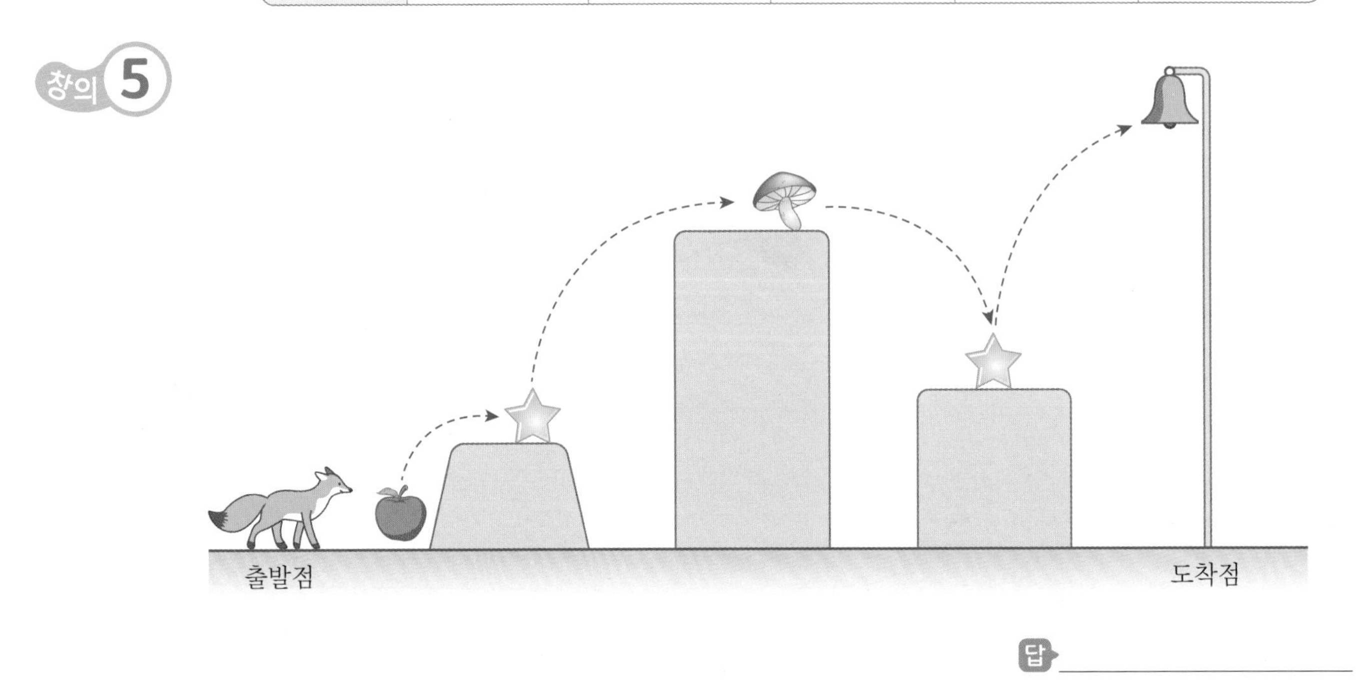

답

창의 6

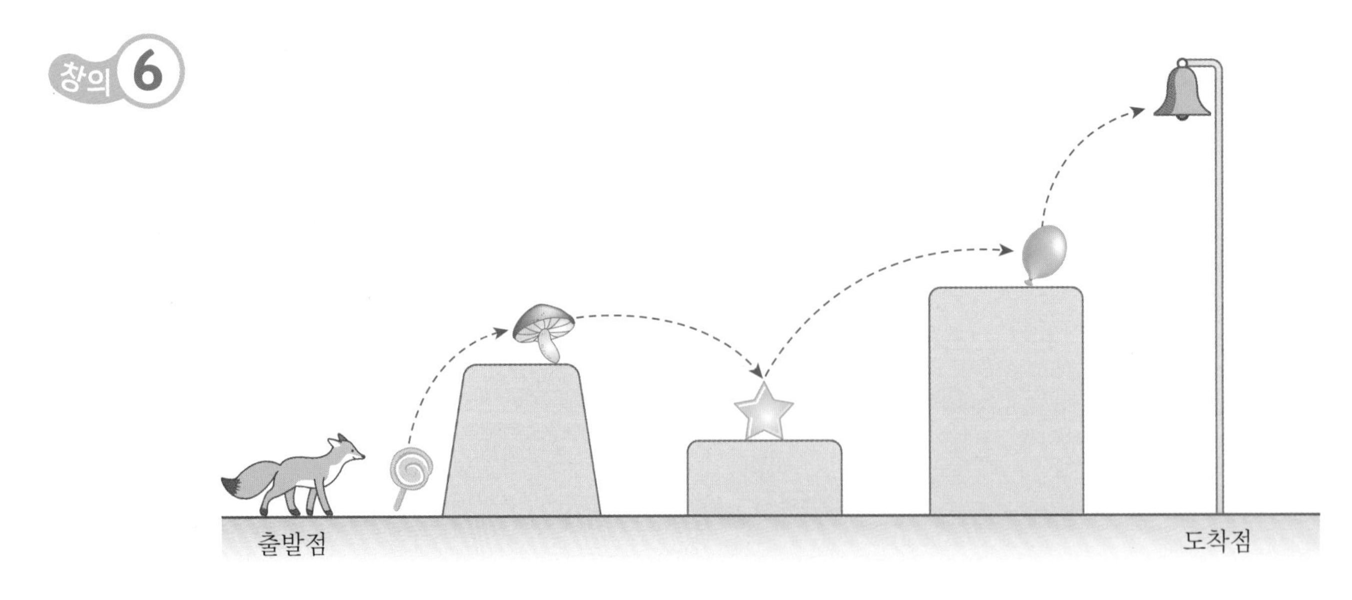

답 

융합 **7** 4장의 알파벳 카드 J, Q, K, A 는 다음과 같은 수를 나타냅니다./
식이 완성되도록 □ 안에 알맞은 알파벳을 써넣으세요.

J	Q	K	A
↓	↓	↓	↓
11	12	13	1

□ $-$ J $+$ A $=2$

코딩 **8** 컴퓨터의 키보드 자판 Q, W, E, R, T, Y, U를 누르면 다음과 같이 입력이 됩니다./
[보기]를 보고 2TQ4E2WU를 눌렀을 때의 값을 계산해 보세요.

자판	Q	W	E	R	T	Y	U
입력	(	)	$+$	$-$	$\times$	$\div$	$=$

[보기]

Q9R1WY4U

Q	9	R	1	W	Y	4	U
(	9	$-$	1	)	$\div$	4	$=$

→ 2

2TQ4E2WU

2	T	Q	4	E	2	W	U

→ ○

1 자연수의 혼합 계산

실전 마무리 하기

맞힌 문제 수

개 /10개

두 식을 하나의 식으로 나타내기

1 두 식을 ( )를 사용하여 하나의 식으로 나타내어 보세요.

$6 \times 5 = 30$, $120 \div 30 = 4$

풀이

식

계산 결과 비교하기

2 계산 결과가 더 큰 것의 기호를 써 보세요.

㉠ $34 - 17 + 10$ ㉡ $34 - (17 + 10)$

풀이

답

식으로 나타내어 계산하기 006쪽

3 민아는 빨간색 구슬 24개, 파란색 구슬 35개를 가지고 있습니다. 그중에서 18개를 친구에게 주었다면 민아가 지금 가지고 있는 구슬은 몇 개인지 하나의 식으로 나타내어 구해 보세요.

풀이

답

( )를 사용하여 식으로 나타내어 계산하기 013쪽

4 한 사람이 한 시간에 종이학을 12개 접을 수 있습니다. 5명이 쉬지 않고 종이학을 120개 접으려면 몇 시간이 걸리는지 ( )를 사용하여 하나의 식으로 나타내어 구해 보세요.

답 ______________

더 내야 하는 금액 구하기 018쪽

5 식당에 있는 음식의 가격을 나타낸 것입니다. 영규는 제육볶음을 먹었고, 선주는 김밥과 라면을 먹었습니다. 영규는 선주보다 얼마를 더 내야 하는지 하나의 식으로 나타내어 구해 보세요.

메뉴	비빔밥	제육볶음	김밥	라면
가격(원)	6000	7000	2500	3500

답 ______________

수 카드로 조건에 맞는 식 만들기 014쪽

6 수 카드 [7], [2], [4]를 한 번씩 사용하여 오른쪽 식을 만들려고 합니다. 계산 결과가 가장 작을 때의 값을 구해 보세요.

$28 \div$ ㉠ $\times$ ㉡

풀이

답 ______________

모르는 수(기호) 구하기 015쪽

7 □ 안에 알맞은 수를 구해 보세요.

$$25+5\times(3-\square)=35$$

몸무게 구하기 019쪽

8 지구에서 잰 무게는 달에서 잰 무게의 약 6배입니다. 세 사람이 모두 달에서 몸무게를 잰다면 아버지의 몸무게는 윤주와 동생의 몸무게를 합한 무게보다 약 몇 kg 더 무거운지 하나의 식으로 나타내어 구해 보세요.

사람	지구에서 잰 몸무게(kg)	달에서 잰 몸무게(kg)
아버지		15
윤주	42	
동생	36	

답 약

재료를 사고 남은 돈 구하기 016쪽

9 샐러드 6인분을 만들려고 합니다. 10000원으로 필요한 재료를 사고 남은 돈은 얼마인지 하나의 식으로 나타내어 구해 보세요.

풀이

답 ____________

식이 성립하도록 (　)로 묶기 017쪽

10 다음 식이 성립하도록 (　)로 묶어 보세요.

$$20 - 5 \times 3 + 14 = 59$$

답 $20 - 5 \times 3 + 14 = 59$

2 약수와 배수

FUN한 기억 노트

약수에 대해 써 볼까?

약수는 어떤 수를 [   ] 하는 수야.

공약수에 대해 써 보자.

공약수는
두 수의 [   ] 약수야.

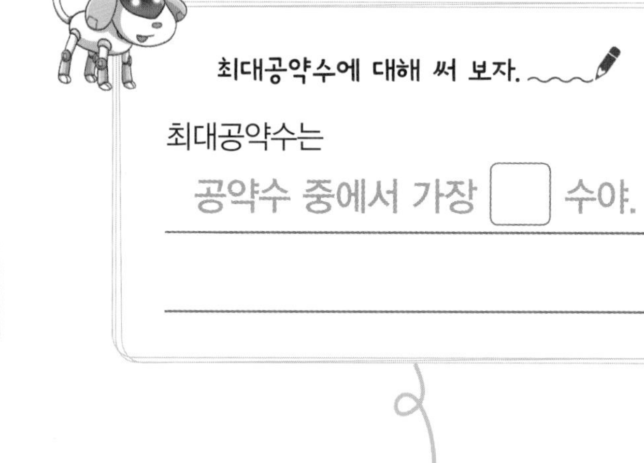

최대공약수에 대해 써 보자.

최대공약수는
공약수 중에서 가장 [ ] 수야.

2와 4의 공약수 찾기

2의 약수 : 1, ______

4의 약수 : 1, ______

2와 4의 공약수 : 1, ______

2와 4의 최대공약수 찾기

2와 4의 최대공약수 : ______

매쓰 FUN 쓸 줄 알아야 **진짜 실력!**

배수에 대해 써 볼까?

배수는 어떤 수를 1배, [ ], 3배⋯⋯ 한 수야.

공배수에 대해 써 보자.

공배수는 두 수의 [ ] 배수야.

최소공배수에 대해 써 보자.

최소공배수는 공배수 중에서 가장 [ ] 수야.

2와 3의 공배수 찾기

2의 배수 : 2, ______, ______ ⋯⋯

3의 배수 : 3, ______, ______ ⋯⋯

2와 3의 공배수 : ______, ______ ⋯⋯

2와 3의 최소공배수 찾기

2와 3의 최소공배수 : ______

STEP 1

문제 해결력 기르기

① 약수의 활용

선행 문제 해결 전략

나누어떨어지게 하는 수는 **약수**이다.

예 (15를 **나누어떨어지게** 하는 수)
=(15의 **약수**)

$15 \div 1 = 15$
$15 \div 3 = 5$
$15 \div 5 = 3$
$15 \div 15 = 1$

→ 15의 약수: 1, 3, 5, 15

나누어떨어지게 하는 수(=약수)를 찾으려면 나눗셈식을 이용하면 돼~

선행 문제 1

□ 안에 알맞게 써넣으세요.

(1) 30을 나누어떨어지게 하는 수

→ 30의 □

(2) 48을 나누어떨어지게 하는 수

→ □의 약수

실행 문제 1

20을 나누어떨어지게 하는 수는/ 모두 몇 개인가요?

전략 (나누어떨어지게 하는 수)=(약수)

❶ (20을 나누어떨어지게 하는 수)
=(□의 약수)

❷ 20의 약수: 1, 2, □, 5, □, □
→ □개

답

쌍둥이 문제 1-1

18을 나누어떨어지게 하는 수는/ 모두 몇 개인가요?

실행 문제 따라 풀기

❶

❷

답

2 배수의 활용

선행 문제 해결 전략

• 출발 시각을 구할 때 배수 활용하기

예 버스가 10시부터 **5분 간격**으로 출발할 때 출발하는 시각 구하기

① **5의 배수: 5, 10, 15, 20**……

② 버스가 출발하는 시각:

10시
10시 **5**분 ← 5분 후
10시 **10**분 ← 5분 후
10시 **15**분 ← 5분 후
10시 **20**분 ← 5분 후

└ 5의 배수

■분 간격으로 출발하는 경우에는 **■의 배수**를 구해.

선행 문제 2

버스가 출발하는 시각을 구해 보세요.

> 정류장에서 버스가 9시부터 7분 간격으로 출발합니다.

풀이 7의 배수: 7, 14, ☐, ☐……

→ 버스가 출발하는 시각: 9시,
9시 7분,
9시 14분,
9시 ☐분,
9시 ☐분
⋮

실행 문제 2

터미널에서 도서관으로 가는 버스가
오전 10시부터 14분 간격으로 출발합니다./
오전 10시부터 오전 11시까지
버스는 모두 몇 번 출발하나요?

전략 14분 간격으로 출발하므로 14의 배수를 구하자.

❶ ☐의 배수를 구해야 한다.

→ 14, 28, ☐, ☐, ☐……

❷ 오전 10시부터 오전 11시까지 버스가 출발하는 시각:

오전 10시, 10시 14분, 10시 ☐분,
10시 ☐분, 10시 ☐분

❸ 버스는 모두 ☐번 출발한다.

답 ______

쌍둥이 문제 2-1

정류장에서 수영장으로 가는 버스가
오전 7시부터 11분 간격으로 출발합니다./
오전 7시부터 오전 8시까지
버스는 모두 몇 번 출발하나요?

실행 문제 따라 풀기

❶

❷

❸

답 ______

③ 조건에 맞는 공배수 구하기

선행 문제 해결 전략

• 공배수와 최소공배수의 관계

(두 수의 공배수)

||

(두 수의 최소공배수의 배수)

예 4와 10의 공배수 구하기

4와 10의 공배수를 구할 때는 4와 10의 최소공배수를 먼저 구해~

2) 4 10
    2 5

➜ 4와 10의 최소공배수: $2\times2\times5=20$

➜ 4와 10의 공배수: 20, 40……

↳ 최소공배수인 20의 배수

선행 문제 3

두 수의 공배수를 구해 보세요.

(1) (5, 4)

풀이 5와 4의 공배수는 최소공배수의 (약수 , 배수)이다.

5와 4의 최소공배수: ☐

➜ 5와 4의 공배수: ☐, ☐, ☐……

(2) (6, 8)

풀이 6과 8의 공배수는 최소공배수의 ☐이다.

6과 8의 최소공배수: ☐

➜ 6과 8의 공배수: ☐, ☐, ☐……

실행 문제 3

8과 10의 공배수 중에서/
100보다 작은 수를 모두 구해 보세요.

전략 최소공배수를 구하면 공배수를 구하기 쉽다.

❶ 8과 10의 최소공배수: ☐

전략 (두 수의 공배수)=(두 수의 최소공배수의 배수)

❷ 8과 10의 공배수: 40, ☐, ☐……

❸ 8과 10의 공배수 중에서 100보다 작은 수:
☐, ☐

답 ____________________

쌍둥이 문제 3-1

4와 6의 공배수 중에서/
50보다 작은 수를 모두 구해 보세요.

실행 문제 따라 풀기

❶

❷

❸

답 ____________________

4 최대공약수와 최소공배수의 활용

선행 문제 해결 전략

• 최대공약수를 이용하는 문제

최대한 많은, 가장 크게
↓
최대공약수

• 최소공배수를 이용하는 문제

동시에 출발, 가장 작은
↓
최소공배수

선행 문제 4

문제를 풀려면 최대공약수와 최소공배수 중 어느 것을 이용해야 하는지 ○표 하세요.

(1) 과자 30개와 떡 15개를 최대한 많은 사람에게 남김없이 똑같이 나누어 주려고 합니다. 최대 몇 명에게 나누어 줄 수 있나요?

➔ 30과 15의 (최대공약수 , 최소공배수)

(2) 진주는 4분마다, 동주는 5분마다 운동장을 한 바퀴 돕니다. 두 사람이 같은 방향으로 동시에 출발할 때 출발점에서 몇 분 후에 다시 만나나요?

➔ 4와 5의 (최대공약수 , 최소공배수)

실행 문제 4

야구공 30개와 탁구공 20개를/ 최대한 많은 친구에게 남김없이 똑같이 나누어 주려고 합니다./
한 명에게 야구공과 탁구공을 각각 몇 개씩 나누어 줄 수 있나요?

전략 > 최대한 많은 친구에게 남김없이 똑같이 나누어 주어야 한다.

❶ 최대한 많이 나누어 줄 친구 수를 구하려면 30과 20의 (최대공약수 , 최소공배수)를 구해야 한다.

❷ 최대한 많이 나누어 줄 수 있는 친구 수: □명

❸ 한 명에게 나누어 줄 수 있는
- 야구공은 30÷□=□(개)
- 탁구공은 20÷□=□(개)

답 야구공: ______
탁구공: ______

쌍둥이 문제 4-1

사탕 40개와 껌 12개를/ 최대한 많은 사람에게 남김없이 똑같이 나누어 주려고 합니다./
한 명에게 사탕과 껌을 각각 몇 개씩 나누어 줄 수 있나요?

실행 문제 따라 풀기

❶

❷

❸

답 사탕: ______
껌: ______

5 공배수를 이용하여 어떤 수 구하기

선행 문제 해결 전략

• **나머지가 없을 때** 어떤 수 구하기

• 어떤 수는 **4로 나누면 나누어떨어진다.**
• 어떤 수는 **7로 나누면 나누어떨어진다.**

어떤 수는 4의 배수이면서 7의 배수
➜ **(어떤 수)=(4와 7의 공배수)**

• **나머지가 있을 때** 어떤 수 구하기

• 어떤 수는 **4로 나누면 1이 남는다.**
• 어떤 수는 **7로 나누면 1이 남는다.**

어떤 수는
4의 배수이면서 7의 배수인 수보다 1 큰 수 (→ 나머지)
➜ **(어떤 수)=(4와 7의 공배수)+1**

선행 문제 5

어떤 수를 구하려고 합니다. □ 안에 알맞게 써넣으세요.

(1)
• 어떤 수는 5로 나누면 나누어떨어집니다.
• 어떤 수는 2로 나누면 나누어떨어집니다.

➜ (어떤 수)=(5와 □의 □)

(2)
• 어떤 수는 6으로 나누면 2가 남습니다.
• 어떤 수는 3으로 나누면 2가 남습니다.

➜ (어떤 수)=(□과 3의 공배수)+□

실행 문제 5

어떤 수 중 가장 작은 수를 구해 보세요.

• 어떤 수는 8로 나누면 3이 남습니다.
• 어떤 수는 9로 나누면 3이 남습니다.

❶ (어떤 수)=(8과 9의 □)+□

전략 > 어떤 수 중 가장 작은 수를 구해야 하므로 8과 9의 공배수 중 가장 작은 수를 구하자.

❷ 8과 9의 공배수 중 가장 작은 수: □

전략 > (최소공배수)+(나머지)

❸ 어떤 수 중 가장 작은 수: □+3=□

답 ______

쌍둥이 문제 5-1

어떤 수 중 가장 작은 수를 구해 보세요.

• 어떤 수는 12로 나누면 5가 남습니다.
• 어떤 수는 6으로 나누면 5가 남습니다.

실행 문제 따라 풀기

❶

❷

❸

답 ______

공약수를 이용하여 나누는 수 구하기

선행 문제 해결 전략

• 어떤 수가 될 수 있는 수 구하기

예 28과 40을 어떤 수로 나누면 나머지가 4이다.

① 28−4(나머지)=**24**를 어떤 수로 나누면 나누어 떨어진다. ➔ **어떤 수는 24의 약수**

② 40−4(나머지)=**36**을 어떤 수로 나누면 나누어 떨어진다. ➔ **어떤 수는 36의 약수**

➔ **어떤 수는 24와 36의 공약수**

나눗셈에서 나누는 수는 나머지보다 크므로 어떤 수는 4보다 커야 해!

주의 나눗셈에서 나누는 수는 나머지보다 커야 한다.

선행 문제 6

어떤 수가 될 수 있는 수를 구해 보세요.

> 32를 어떤 수로 나누면 나머지가 5이고
> 50을 어떤 수로 나누어도 나머지가 5입니다.

풀이 ① 어떤 수는 32−5=☐의 약수이다.

② 어떤 수는 50−5=☐의 약수이다.

➔ 어떤 수는 ☐와/과 ☐의 공약수가 될 수 있다.

실행 문제 6

31을 어떤 수로 나누면 나머지가 3이고/
43을 어떤 수로 나누어도 나머지가 3입니다./
어떤 수를 구해 보세요.

❶ 어떤 수는 ┌ 31−3=☐의 약수
　　　　　　└ 43−3=☐의 약수

❷ 어떤 수는 ☐와/과 ☐의 공약수가 될 수 있다.

❸ 28과 40의 공약수: 1, ☐, ☐

전략 나누는 수인 어떤 수는 나머지보다 커야 한다.

❹ 어떤 수: ☐

답 ____________

쌍둥이 문제 6-1

26을 어떤 수로 나누면 나머지가 2이고/
32를 어떤 수로 나누어도 나머지가 2입니다./
어떤 수가 될 수 있는 수를 모두 구해 보세요.

실행 문제 따라 풀기

❶

❷

❸

❹

답 ____________

수학 사고력 키우기

약수의 활용

연계학습 032쪽

대표 문제 1

떡 35개를 몇 개의 접시에 남김없이 똑같이 나누어 담으려고 합니다./
접시에 나누어 담을 수 있는 방법은 모두 몇 가지인가요?/
(단, 떡 35개를 접시 한 개에 모두 담지 않습니다.)

구하려는 것은? 떡을 접시에 남김없이 똑같이 나누어 담을 수 있는 방법 수

주어진 것은? 접시에 남김없이 똑같이 나누어 담으려는 떡: ☐개

해결해 볼까?

❶ 떡 35개를 접시에 남김없이 똑같이 나누어 담으려면?

35의 (약수 , 배수)를 구해야 한다.

❷ 35의 약수를 모두 구하면?

답 ________________

❸ 접시에 떡을 나누어 담을 수 있는 방법을 모두 쓰면?

전략 35의 약수 중 될 수 있는 수를 구하자.

떡 1개씩 접시 ☐개, 떡 5개씩 접시 ☐개, 떡 7개씩 접시 ☐개

❹ 접시에 나누어 담을 수 있는 방법은 모두 몇 가지?

답 ________________

쌍둥이 문제 1-1

만두 49개를 몇 개의 접시에 남김없이 똑같이 나누어 담으려고 합니다./
접시에 나누어 담을 수 있는 방법은 모두 몇 가지인가요?/
(단, 만두 49개를 접시 한 개에 모두 담지 않습니다.)

대표 문제 따라 풀기

❶

❷

❸

❹

답 ________________

배수의 활용

연계학습 033쪽

대표 문제 2

터미널에서 박물관으로 가는 버스가 8분 간격으로 출발합니다./
오전 11시에 첫 번째 버스가 출발했다면/
4번째 버스가 출발하는 시각은 오전 몇 시 몇 분인지 구해 보세요.

구하려는 것은?

☐번째 버스가 출발하는 시각

주어진 것은?

- 버스가 출발하는 시각의 간격: ☐분
- 첫 번째 버스가 출발한 시각: 오전 ☐시

해결해 볼까?

❶ 8의 배수를 작은 수부터 차례로 쓰면?

전략 8분 간격으로 출발하므로 8의 배수를 구하자.

답 ☐, ☐, ☐……

❷ 버스가 출발하는 시각은?

전략 첫 번째 버스가 출발한 후부터 버스는 분이 8의 배수일 때 출발한다.

답 오전 11시, 11시 ☐분, 11시 ☐분, 11시 ☐분……

❸ 4번째 버스가 출발하는 시각은 오전 몇 시 몇 분?

답 오전 ________

쌍둥이 문제 2-1

터미널에서 바닷가로 가는 버스가 12분 간격으로 출발합니다./
오후 1시에 첫 번째 버스가 출발했다면/
5번째 버스가 출발하는 시각은 오후 몇 시 몇 분인지 구해 보세요.

대표 문제 따라 풀기

❶

❷

❸

답 오후 ________

STEP 2

수학 사고력 키우기

조건에 맞는 공배수 구하기

연계학습 034쪽

대표 문제 3

50부터 100까지의 수 중에서/
15의 배수이면서 9의 배수인 수를 구해 보세요.

구하려는 것은?

50부터 100까지의 수 중에서 15의 배수이면서 ☐의 배수인 수

어떻게 풀까?

1 15의 배수이면서 9의 배수인 수를 구한 후,
2 1의 수 중 50과 같거나 크고 100과 같거나 작은 수를 찾아보자.

해결해 볼까?

❶ ☐ 안에 알맞은 말을 써넣으면?

15의 배수이면서 9의 배수인 수 ➔ 15와 9의 ☐

❷ 15와 9의 공배수를 작은 수부터 차례로 쓰면?

전략 15와 9의 최소공배수의 배수를 구하자.

답 ☐, ☐, ☐……

❸ 50부터 100까지의 수 중에서 15의 배수이면서 9의 배수인 수는?

답 ____________

쌍둥이 문제 3-1

60부터 90까지의 수 중에서/
18의 배수이면서 12의 배수인 수를 구해 보세요.

대표 문제 따라 풀기

❶

❷

❸

답 ____________

최대공약수와 최소공배수의 활용

연계학습 035쪽

대표 문제 4

이수와 혜리는 공원을 일정한 빠르기로 걷고 있습니다./
이수는 12분마다, 혜리는 8분마다 공원을 한 바퀴 돕니다./
두 사람이 출발점에서 같은 방향으로 동시에 출발할 때,/
출발 후 1시간 동안 출발점에서 몇 번 다시 만나나요?

구하려는 것은? 출발 후 ☐시간 동안 출발점에서 다시 만나는 횟수

주어진 것은? 공원을 한 바퀴 도는 데 걸리는 시간: 이수는 ☐분, 혜리는 ☐분

해결해 볼까?

❶ 두 사람이 출발점에서 처음으로 다시 만나는 때는 출발한 지 몇 분 후?

전략 12와 8의 최소공배수를 구하자.

답 ____________

❷ 두 사람이 출발 후 1시간 동안 출발점에서 다시 만나는 때는 출발한 지 몇 분 후?

전략 24의 배수를 구하자.

답 ☐분 후, ☐분 후

❸ 출발 후 1시간 동안 출발점에서 다시 만나는 때는 몇 번?

답 ____________

쌍둥이 문제 4-1

진아와 동주는 호수를 일정한 빠르기로 걷고 있습니다./
진아는 8분마다, 동주는 7분마다 호수를 한 바퀴 돕니다./
두 사람이 출발점에서 같은 방향으로 동시에 출발할 때,/
출발 후 1시간 동안 출발점에서 몇 번 다시 만나나요?

대표 문제 따라 풀기

❶

❷

❸

답 ____________

공배수를 이용하여 어떤 수 구하기

연계학습 036쪽

대표 문제 5 어떤 수를 6으로 나누어도 나머지가 2이고,/ 4로 나누어도 나머지가 2입니다./ 어떤 수 중 가장 작은 수를 구해 보세요.

구하려는 것은? 어떤 수 중 가장 ☐ 수

주어진 것은?
- 어떤 수를 6으로 나누었을 때 나머지: ☐
- 어떤 수를 4로 나누었을 때 나머지: ☐

해결해 볼까?

❶ ☐ 안에 알맞게 써넣으면?

(어떤 수)=(☐과 4의 ☐)+☐

❷ 6과 4의 공배수 중 가장 작은 수는?

전략 어떤 수 중 가장 작은 수를 구해야 하므로 6과 4의 공배수 중 가장 작은 수를 구해 보자.

답 ____________

❸ 어떤 수 중 가장 작은 수는?

전략 (최소공배수)+(나머지)

답 ____________

쌍둥이 문제 5-1

어떤 수를 14로 나누어도 나머지가 9이고,/ 21로 나누어도 나머지가 9입니다./ 어떤 수 중 가장 작은 수를 구해 보세요.

대표 문제 따라 풀기

❶

❷

❸

답 ____________

공약수를 이용하여 나누는 수 구하기

연계학습 037쪽

대표 문제 6 38을 어떤 수로 나누면 나머지가 3이고,/ 23을 어떤 수로 나누면 나머지가 2입니다./ 어떤 수를 구해 보세요.

구하려는 것은? 어떤 수

주어진 것은?
- 38을 어떤 수로 나누었을 때 나머지: ☐
- 23을 어떤 수로 나누었을 때 나머지: ☐

해결해 볼까?

❶ ☐ 안에 알맞은 수를 써넣으면?

어떤 수는 ┌ $38-3=$☐의 약수
　　　　　└ $23-$☐$=$☐의 약수

❷ 위 ❶에서 구한 두 수의 공약수를 모두 쓰면?

전략 공약수를 구해야 하므로 최대공약수를 구하자.

답 ____________

❸ 어떤 수는?

전략 나누는 수인 어떤 수는 나머지보다 커야 한다.

답 ____________

쌍둥이 문제 6-1

46을 어떤 수로 나누면 나머지가 4이고,/ 33을 어떤 수로 나누면 나머지가 5입니다./ 어떤 수가 될 수 있는 수를 모두 구해 보세요.

대표 문제 따라 풀기

❶

❷

❸

답 ____________

STEP 3

수학 독해력 완성하기

조건을 모두 만족하는 수 구하기

독해 문제 1

조건 을 모두 만족하는 수를 구해 보세요.

조건1 30의 약수입니다.
조건2 5보다 크고 20보다 작습니다.
조건3 홀수입니다.

해결해 볼까?

❶ 30의 약수를 모두 쓰면?

답 ______

❷ 위 ❶에서 구한 수 중 조건2를 만족하는 수를 모두 쓰면?

답 ______

❸ 조건 을 모두 만족하는 수는?

답 ______

직사각형을 잘라서 정사각형 만들기

독해 문제 2

가로가 30 cm, 세로가 24 cm인 직사각형 모양의 종이를/
남는 부분 없이 크기가 같은 정사각형 모양으로 자르려고 합니다./
가장 큰 정사각형 모양으로 자르면 생기는 정사각형 모양의 종이는 모두 몇 장인가요?

해결해 볼까?

❶ 가장 큰 정사각형 모양으로 자르면 한 변의 길이는 몇 cm?

답 ______

❷ 가장 큰 정사각형 모양으로 자르면 가로와 세로에 생기는 정사각형은 각각 몇 장?

답 가로: ______, 세로: ______

❸ 가장 큰 정사각형 모양으로 자르면 생기는 정사각형 모양의 종이는 모두 몇 장?

답 ______

같은 자리에 검은 바둑돌을 놓는 횟수 구하기

독해 문제 3

가희와 재준이가 각각 아래의 규칙에 따라 바둑돌을 40개씩 놓으려고 합니다./
같은 자리에 검은 바둑돌을 놓는 경우는 모두 몇 번인가요?

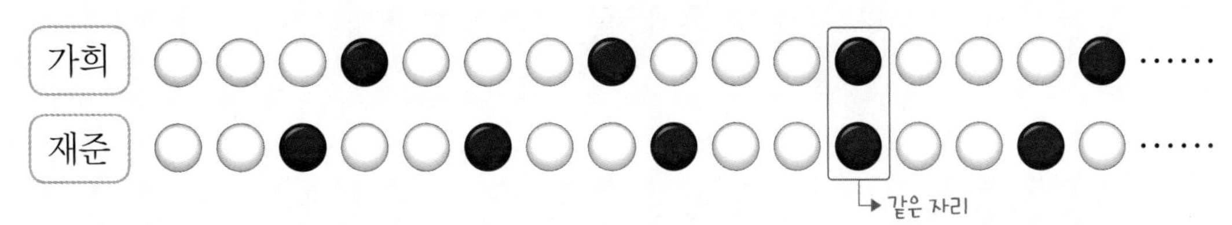

해결해 볼까?

❶ 검은 바둑돌을 놓는 자리는 각각 어떤 수의 배수 자리?

가희: □의 배수 자리　　재준: □의 배수 자리

❷ 위 ❶에서 구한 두 수의 최소공배수는?

답 ______________

❸ 두 사람이 바둑돌을 40개씩 놓을 때 같은 자리에 검은 바둑돌을 놓는 경우는 모두 몇 번?

답 ______________

최대공약수와 최소공배수를 이용하여 어떤 수 구하기

독해 문제 4

15와 어떤 수의 최대공약수는 5이고, 최소공배수는 30입니다./
어떤 수를 구해 보세요.

해결해 볼까?

❶ [보기]와 같이 나타내었을 때 □ 안에 알맞은 수를 써넣으면?

[보기]
5) 15 (어떤 수)
　　□　　▲

➔ 최소공배수: 5 × □ × ▲ = □

❷ ▲의 값은?

답 ______________

❸ 어떤 수는?

답 ______________

STEP 3

수학 독해력 완성하기

최대공약수와 최소공배수의 활용

연계학습 041쪽

독해 문제 5

한주는 2일마다, 주리는 3일마다 수영장에 갑니다./
두 사람이 5월 1일에 수영장에 함께 간다면/
5월 한 달 동안 수영장에 함께 가는 날은 모두 며칠인가요?

구하려는 것은? 두 사람이 5월 한 달 동안 수영장에 함께 가는 날수

주어진 것은?

- 한주는 ☐일마다, 주리는 ☐일마다 수영장에 감.
- 두 사람이 수영장에 5월에 처음 함께 간 날: 5월 ☐일

어떻게 풀까?

1. 최소공배수를 이용하여 두 사람이 수영장에 며칠마다 함께 가는지 구하고,
2. 5월은 며칠까지 있는지 생각한 후,
3. 5월 한 달 동안 두 사람이 수영장에 함께 가는 날을 구하여
4. 모두 며칠인지 구하자.

해결해 볼까?

❶ 두 사람은 수영장에 며칠마다 함께 가는지 구하면?

답 ______________

❷ 5월은 며칠까지 있는지 구하면?

답 ______________

❸ 5월 한 달 동안 두 사람이 수영장에 함께 가는 날짜를 모두 구하면?

답 1일, ______________

❹ 두 사람이 5월 한 달 동안 수영장에 함께 가는 날은 모두 며칠?

답 ______________

공배수를 이용하여 어떤 수 구하기

연계학습 042쪽

독해 문제 6

어떤 수를 9로 나누어도 나머지가 4이고, 12로 나누어도 나머지가 4입니다./
어떤 수 중 100보다 작은 수를 모두 구해 보세요.

구하려는 것은? 어떤 수 중 100보다 작은 수

주어진 것은?
- 어떤 수를 9로 나누었을 때 나머지: □
- 어떤 수를 12로 나누었을 때 나머지: □

어떻게 풀까?
1. 나누는 수의 공배수 중
2. 100보다 작은 수를 모두 찾아
3. 나머지를 더한 수가 100보다 작은 수를 구하자.

해결해 볼까?

❶ □ 안에 알맞게 써넣으면?

(어떤 수)=(□와 12의 □)+□

❷ 9와 12의 공배수 중 100보다 작은 수를 모두 쓰면?

답 ____________

❸ 어떤 수 중 100보다 작은 수를 모두 구하면?

전략 (어떤 수)=(최소공배수의 배수)+4

창의·융합·코딩 체험하기

동주는 15의 약수가 쓰인 밭의 과일을 따려고 합니다./
딸 수 있는 과일을 모두 찾아 ○표 하세요.

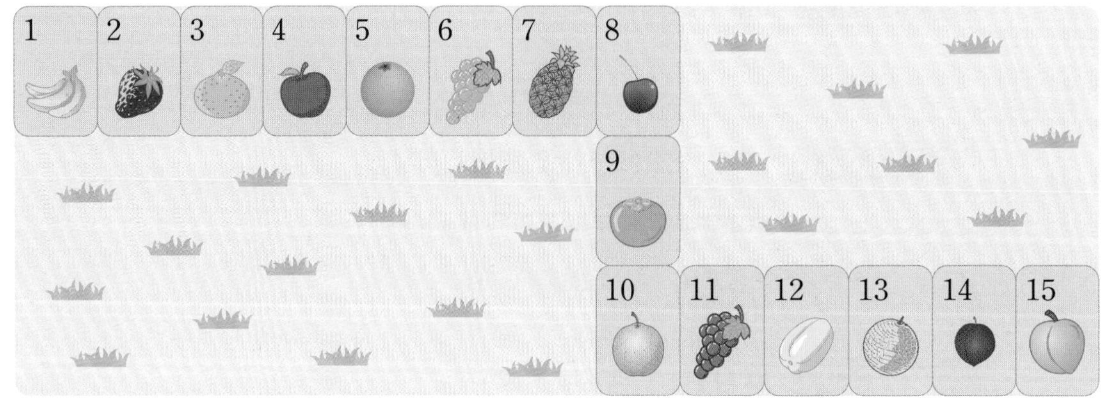

36의 약수를 모두 찾아 색칠했을 때/
나타나는 글자는 무엇인가요?

22	3	11	30	21	17
29	1	14	28	7	31
5	4	26	20	35	24
16	18	34	8	32	13
25	9	36	6	2	12
19	10	23	15	33	27

 ____________

[코딩 3~4] '시작'에 수를 넣었을 때/
출력되어 나오는 값을 구해 보세요.

코딩 3

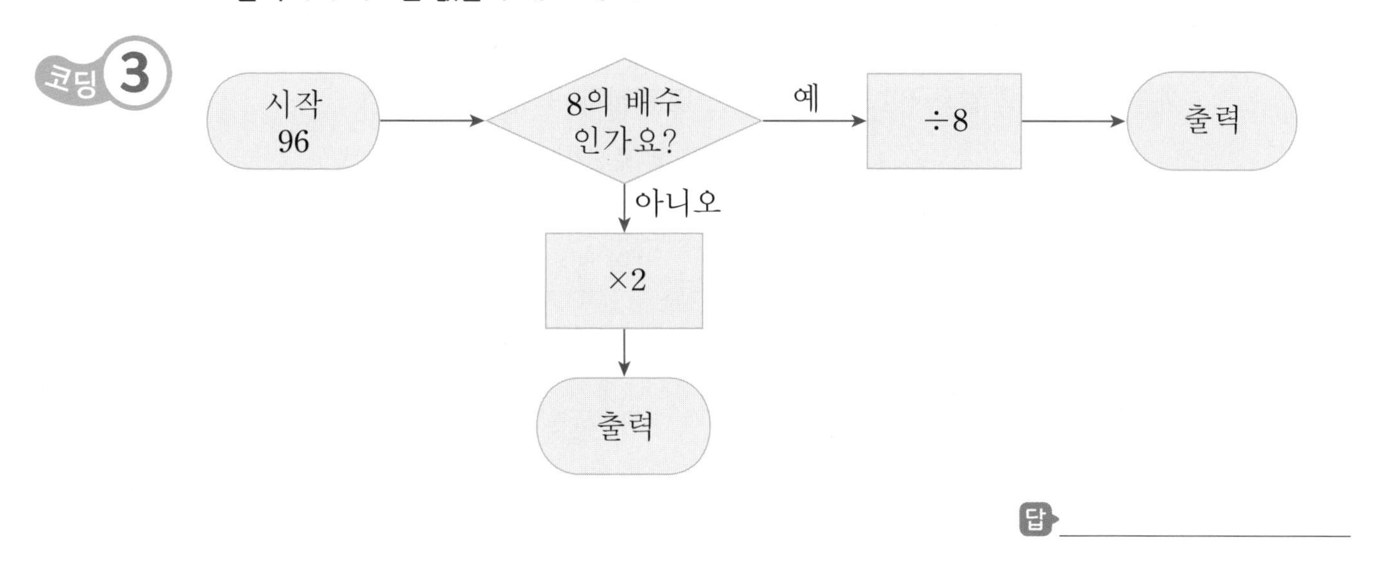

답

코딩 4

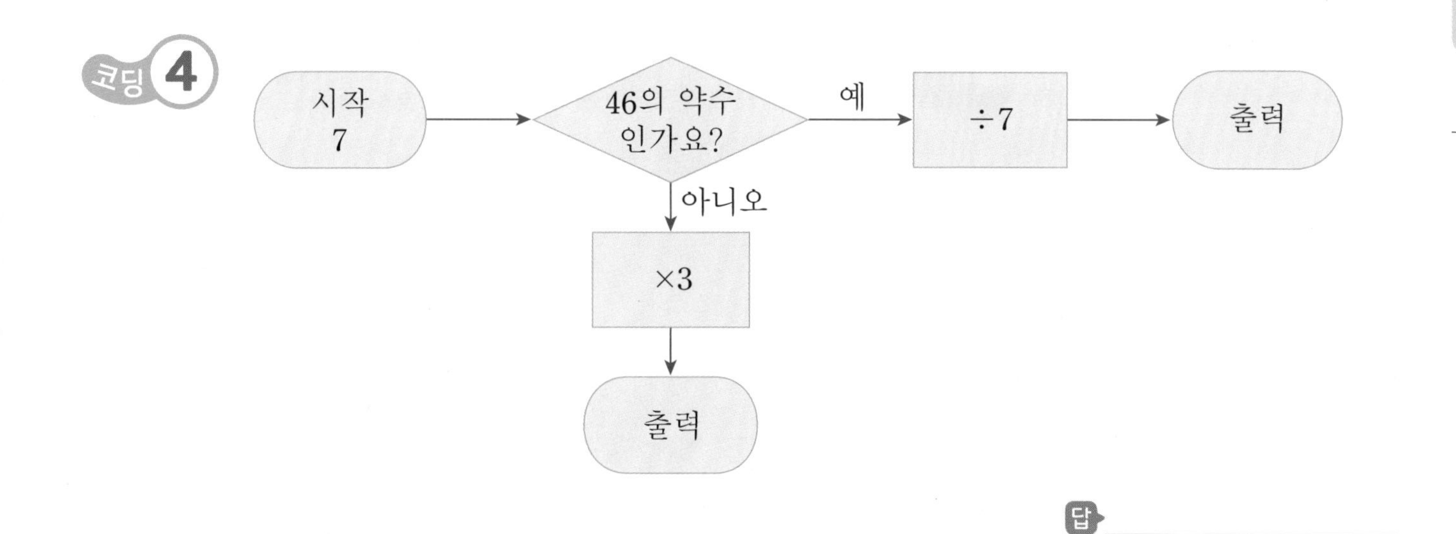

답

4 STEP

창의·융합·코딩 체험하기

창의 5 개구리와 토끼가 돌을 밟으면 돌에 발자국이 찍힙니다./
개구리의 발자국이 찍힌 돌에는 ○표,/
토끼의 발자국이 찍힌 돌에는 △표를 하고,/
개구리와 토끼의 발자국이 모두 찍힌 돌은 몇 개인지 구해 보세요.

개구리와 토끼가 밟는 돌

개구리	2의 배수가 쓰인 돌
토끼	4의 배수가 쓰인 돌

답 

금고는 돈, 귀중한 서류, 귀중품 등을 보관하는 상자입니다./
다음 금고의 비밀번호는 두 수의 최대공약수를 이용하여 구할 수 있습니다./
금고의 비밀번호를 구해 보세요.

답 ______________

1부터 5까지의 수가 쓰여 있는 문이 모두 닫혀 있습니다./
다영이는 1이 쓰여 있는 문부터 5가 쓰여 있는 문까지 차례로 지나가면서/
2의 배수가 쓰인 문을 모두 열었습니다./
다영이가 문을 모두 지나간 후 닫혀 있는 문은 모두 몇 개인가요?

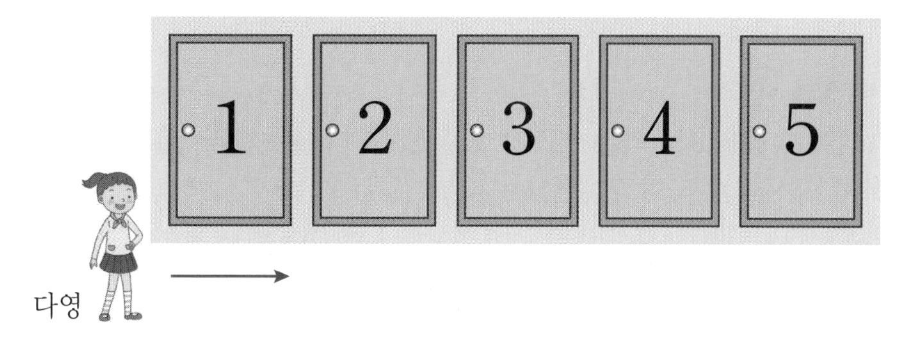

답 ______________

종합평가

실전 마무리 하기

맞힌 문제 수 개 / 10개

약수의 활용 032쪽

1 24를 나누어떨어지게 하는 수를 모두 써 보세요.

풀이

답

공배수 구하기

2 두 수의 최소공배수가 11일 때 두 수의 공배수를 작은 수부터 차례로 3개 써 보세요.

풀이

답

배수의 활용 033쪽

3 터미널에서 공원으로 가는 버스가 오후 3시부터 9분 간격으로 출발합니다. 오후 3시부터 오후 4시까지 버스는 모두 몇 번 출발하나요?

풀이

답 

조건에 맞는 공배수 구하기 034쪽

4 10과 15의 공배수 중에서 100보다 작은 수를 모두 구해 보세요.

풀이

답 ______________

조건을 모두 만족하는 수 구하기 044쪽

5 조건 을 모두 만족하는 수를 구해 보세요.

조건1 28의 약수입니다.
조건2 5보다 크고 15보다 작습니다.
조건3 짝수입니다.

풀이

답 ______________

최대공약수와 최소공배수의 활용 035쪽

6 바나나 20개와 귤 32개를 최대한 많은 친구에게 남김없이 똑같이 나누어 주려고 합니다. 한 명에게 바나나와 귤을 각각 몇 개씩 나누어 줄 수 있나요?

풀이

답 바나나: ______________, 귤: ______________

같은 자리에 검은 바둑돌을 놓는 횟수 구하기 045쪽

7 민주와 정아가 각각 아래의 규칙에 따라 바둑돌을 50개씩 놓으려고 합니다. 같은 자리에 검은 바둑돌을 놓는 경우는 모두 몇 번인가요?

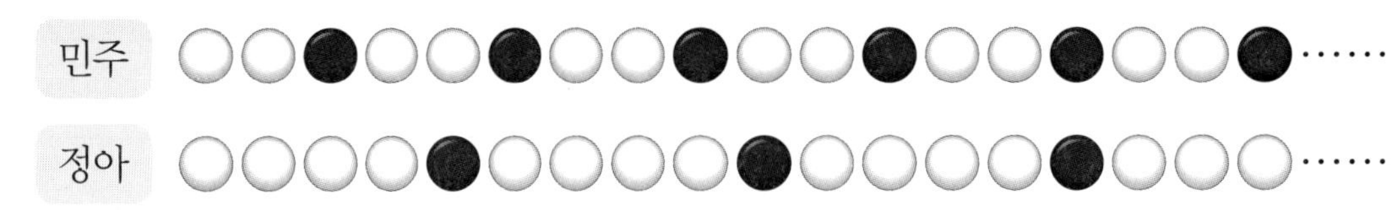

풀이

답 ______

최대공약수와 최소공배수를 이용하여 어떤 수 구하기 045쪽

8 어떤 수와 9의 최대공약수는 3이고, 최소공배수는 63입니다. 어떤 수를 구해 보세요.

풀이

답 ______

공배수를 이용하여 어떤 수 구하기 042쪽

9 어떤 수를 16으로 나누어도 나머지가 7이고, 20으로 나누어도 나머지가 7입니다. 어떤 수 중 가장 작은 수를 구해 보세요.

답 ______________________

공약수를 이용하여 나누는 수 구하기 037쪽

10 34와 54를 어떤 수로 나누면 두 수 모두 나머지가 4입니다. 어떤 수가 될 수 있는 수를 모두 구해 보세요.

답 ______________________

3 규칙과 대응

FUN 한 이야기

매쓰 FUN 생활 속 수학 이야기

나는 12살, 할머니는 64살이에요./

내가 18살이 될 때,/ 할머니는 몇 살이 되나요?/

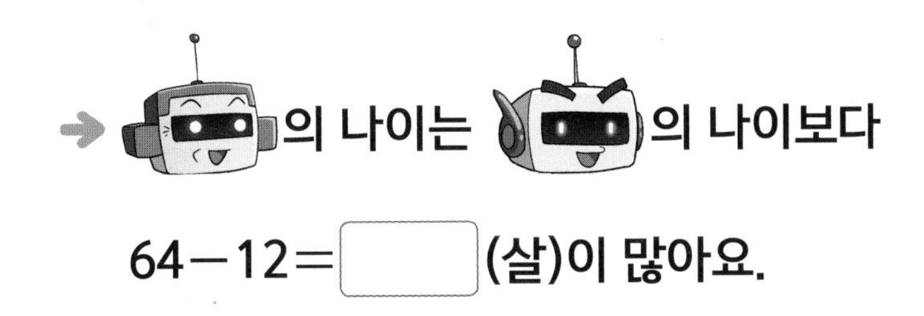

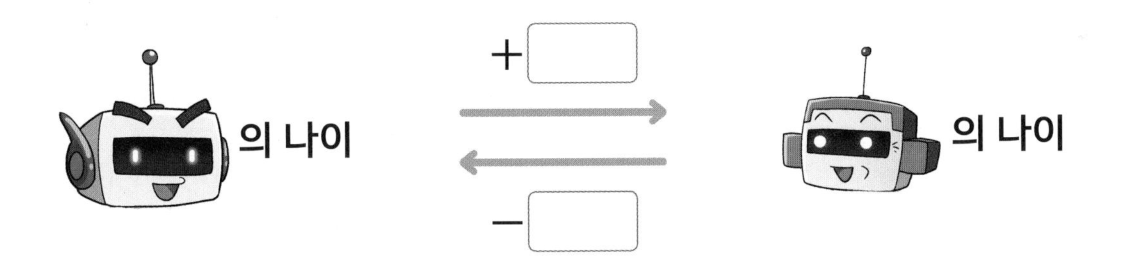

내 나이와 할머니의 나이 사이의 대응 관계를 식으로 나타내고

내가 18살이 될 때, 할머니는 몇 살이 되는지 구해 봐~

식 (할머니의 나이)=(내 나이)+☐

답 ______ 살

STEP 1 문제 해결력 기르기

① 기호를 사용하여 대응 관계를 식으로 나타내기

선행 문제 해결 전략

예 □와 △ 사이의 대응 관계를 식으로 나타내기

두 수가 약수와 배수의 관계이면
두 수 사이의 관계를 ×, ÷를
이용한 식으로 나타내자.

□	1	2	3	4
△	2	4	6	8

÷2, ×2

→ □×2=△
△÷2=□

선행 문제 1

●와 ◆ 사이의 대응 관계를 식으로 나타내어 보세요.

(1)

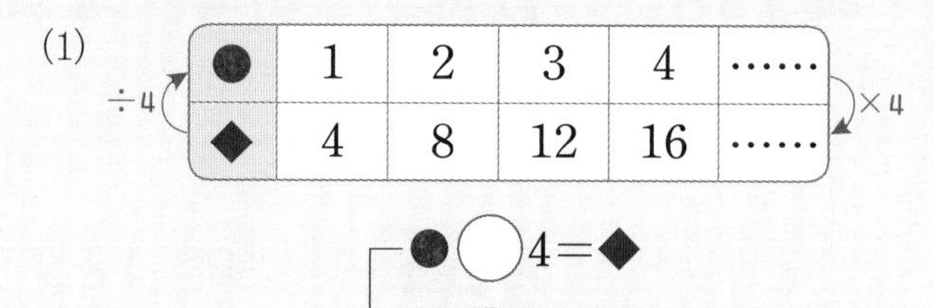

●	1	2	3	4	……
◆	4	8	12	16	……

÷4, ×4

●◯4=◆
◆◯4=●

(2)

●	1	2	3	4	……
◆	6	12	18	24	……

÷6, ×6

●◯6=◆
◆◯6=●

실행 문제 1

책꽂이 한 칸에 책이 8권씩 꽂혀 있습니다./
책꽂이의 칸 수를 ■, 책 수를 ▲라고 할 때,/
두 양 사이의 대응 관계를 식으로 나타내어 보세요.

전략 책꽂이가 한 칸씩 늘어날 때 책은 몇 권씩 늘어나는지 알아보자.

❶

	책꽂이의 칸 수(칸)	1	2	3	4	……
■←						
▲←	책 수(권)	8				……

❷ ■와 ▲ 사이의 대응 관계를 식으로 나타내기:
□×8=□

식 ____________

쌍둥이 문제 1-1

수도에서 물이 1분에 10 L씩 나옵니다./
수도에서 물이 나오는 시간을 △(분), 나오는 물의 양을 ☆ (L)라고 할 때,/
두 양 사이의 대응 관계를 식으로 나타내어 보세요.

실행 문제 따라 풀기

❶

❷

식 ____________

2 규칙적인 배열에서 대응 관계를 찾아 필요한 개수 구하기

선행 문제 해결 전략

예 사각형의 수와 삼각형의 수 사이의 대응 관계를 식으로 나타내기

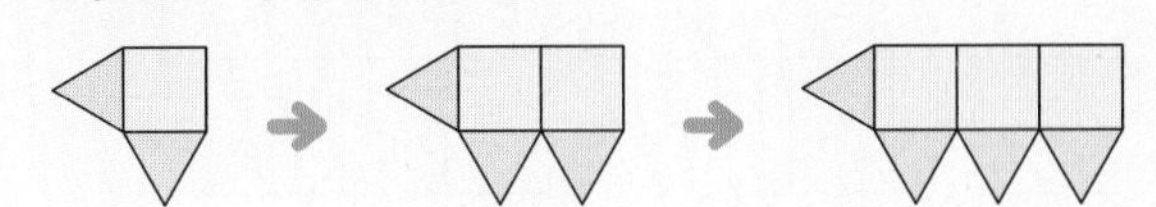

사각형의 수와 삼각형의 수가
어떻게 변하는지 표를 만들어 대응 관계를 알아보자.

사각형의 수(개)	1	2	3
삼각형의 수(개)	2	3	4

−1, +1

→ (사각형의 수)+1=(삼각형의 수)
(삼각형의 수)−1=(사각형의 수)

선행 문제 2

빨간색 사각형과 파란색 사각형으로 규칙적인 배열을 만들고 있습니다. 빨간색 사각형의 수와 파란색 사각형의 수 사이의 대응 관계를 식으로 나타내어 보세요.

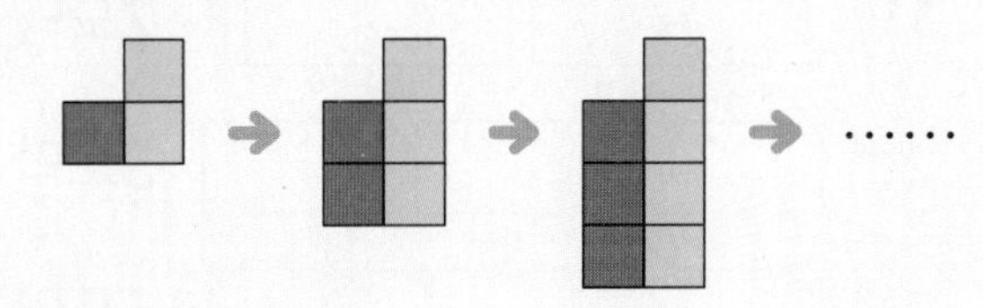

풀이

빨간색 사각형의 수(개)	1	2	3	……
파란색 사각형의 수(개)	2	3	4	……

+□

파란색 사각형의 수는 빨간색 사각형의 수보다 □개 많다.

→ (빨간색 사각형의 수)+□=(파란색 사각형의 수)

실행 문제 2

노란색 사각판과 초록색 사각판으로 규칙적인 배열을 만들고 있습니다./
초록색 사각판이 30개일 때, 노란색 사각판은 몇 개 필요한가요?

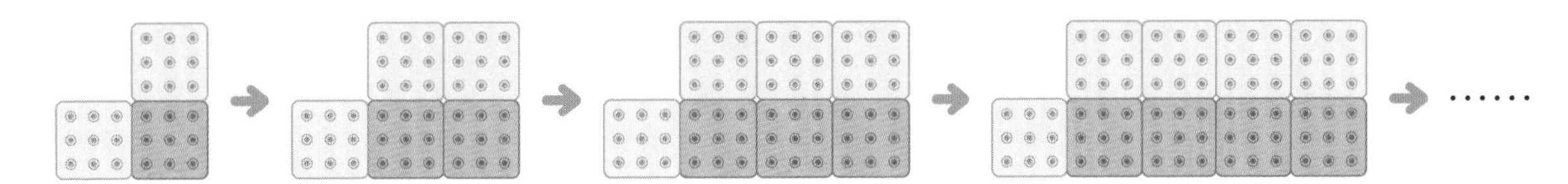

전략 노란색 사각판의 수와 초록색 사각판의 수 사이의 대응 관계를 알아보자.

❶

노란색 사각판의 수(개)	2	3	4	5	6	……
초록색 사각판의 수(개)	1					……

+□

→ (□색 사각판의 수)+1=(□색 사각판의 수)

전략 ❶에서 구한 대응 관계 식을 이용하자.

❷ 초록색 사각판이 30개일 때, 노란색 사각판은 30+□=□(개)이다.

답

3 규칙과 대응

③ 대응 관계를 이용하여 물건의 수 구하기

선행 문제 해결 전략

예 자른 횟수와 도막의 수 사이의 대응 관계를 식으로 나타내기

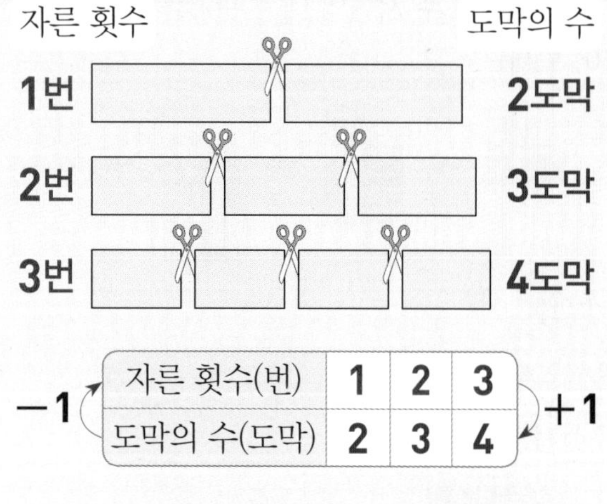

자른 횟수(번)	1	2	3
도막의 수(도막)	2	3	4

−1, +1

➜ (자른 횟수)+1=(도막의 수)
(도막의 수)−1=(자른 횟수)

선행 문제 3

도화지의 수와 누름 못의 수 사이의 대응 관계를 식으로 나타내어 보세요.

풀이

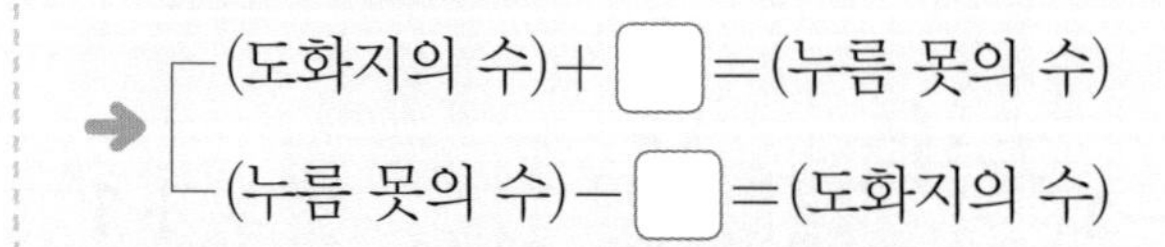

도화지의 수(장)	1	2	3	……
누름 못의 수(개)	2	3	4	……

+☐

➜ (도화지의 수)+☐=(누름 못의 수)
(누름 못의 수)−☐=(도화지의 수)

실행 문제 3

누름 못을 사용하여 다음과 같이 도화지를 붙이고 있습니다./
도화지 7장을 붙이려면 누름 못은 몇 개 필요한가요?

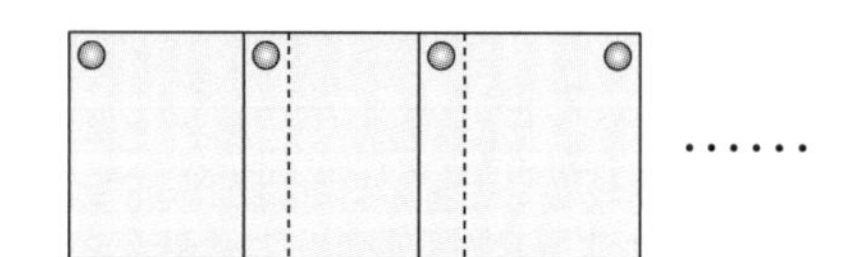

전략 도화지의 수와 누름 못의 수 사이의 대응 관계를 알아보자.

❶

도화지의 수(장)	1	2	3	……
누름 못의 수(개)	2			……

➜ (☐의 수)+1=(☐의 수)

전략 ❶에서 구한 대응 관계 식을 이용하자.

❷ 도화지 7장을 붙이려면
필요한 누름 못은 7+☐=☐(개)이다.

답 ________

쌍둥이 문제 3-1

서로 다른 색깔의 줄을 묶어서 매듭을 만들었습니다./
줄의 수와 매듭의 수 사이의 대응 관계를 이용하여/
줄 8개를 묶으면 매듭은 몇 개가 되는지 구해 보세요.

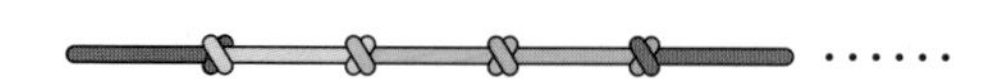

실행 문제 따라 풀기

❶

❷

답 ________

4 대응 관계를 이용하여 나이 구하기

선행 문제 해결 전략

예 연도와 나이 사이의 대응 관계를 식으로 나타내기

연도(년)	2021	2022	2023
	−2010 ↓	−2010 ↓	−2010 ↓
나이(살)	11	12	13

연도가 1년 늘어날 때
나이도 1살이 늘어나니까
연도와 나이의 차는 항상 일정해.

➔ (연도)−2010=(나이)
(나이)+2010=(연도)

선행 문제 4

연도와 지호의 나이 사이의 대응 관계를 나타낸 표입니다. 대응 관계를 식으로 나타내어 보세요.

연도(년)	2021	2022	2023	……
지호의 나이(살)	12	13	14	……

−2009

풀이 지호의 나이는 연도보다 [ ] 작다.

➔ (연도) ◯ 2009=(지호의 나이)

연도는 지호의 나이보다 [ ] 크다.

➔ (지호의 나이) ◯ 2009=(연도)

실행 문제 4

연도와 형의 나이 사이의 대응 관계를 나타낸 표입니다./
2030년에 형의 나이는 몇 살인가요?

연도(년)	2021	2022	2023	……
형의 나이(살)	15	16	17	……

전략 연도와 형의 나이 사이의 대응 관계를 식으로 나타내자.

❶ 형의 나이는 연도보다 [ ] 작다.

➔ (연도)−[ ]=(형의 나이)

전략 ❶에서 구한 대응 관계 식을 이용하자.

❷ 2030년의 형의 나이:

2030−[ ]=[ ](살)

답 ____________

쌍둥이 문제 4-1

연도와 정수의 나이 사이의 대응 관계를 나타낸 표입니다./
연도와 정수의 나이 사이의 대응 관계를 이용하여/
정수가 20살일 때는 몇 년인지 구해 보세요.

연도(년)	2021	2022	2023	……
정수의 나이(살)	13	14	15	……

실행 문제 따라 풀기

❶

❷

답 ____________

5 대응 관계를 이용하여 말한 수와 답한 수 구하기

선행 문제 해결 전략

예 지우가 말한 수와 민재가 답한 수 사이의 대응 관계를 식으로 나타내기

수가 **커지면** +, ×를, 수가 **작아지면** −, ÷를 이용하여 식을 세우자.

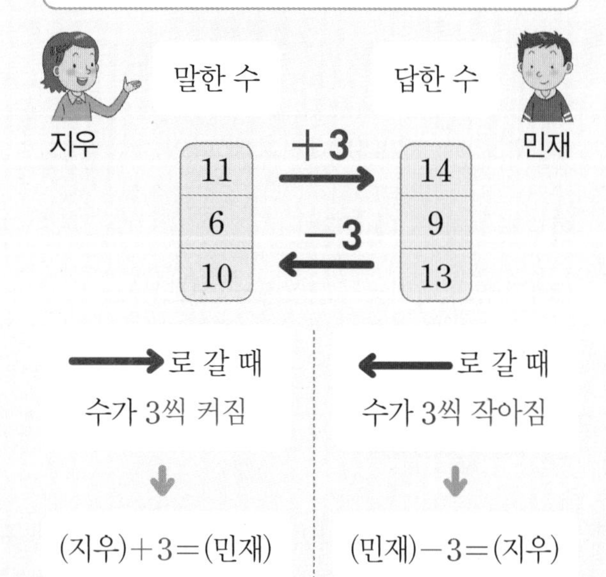

→로 갈 때 수가 3씩 커짐 ↓ (지우)+3=(민재)

←로 갈 때 수가 3씩 작아짐 ↓ (민재)−3=(지우)

선행 문제 5

은서가 수를 말하면 유찬이가 답을 하고 있습니다. 은서가 말한 수와 유찬이가 답한 수 사이의 대응 관계를 식으로 나타내어 보세요.

→ (은서가 말한 수)◯2=(유찬이가 답한 수)
(유찬이가 답한 수)◯2=(은서가 말한 수)

실행 문제 5

서윤이가 수를 말하면 윤우가 답을 하고 있습니다./ 서윤이가 9라 하면 윤우가 답하는 수를 구해 보세요.

서윤이가 말한 수	18	7	11
윤우가 답한 수	13	2	6

전략 서윤이가 말한 수와 윤우가 답한 수 사이의 대응 관계를 식으로 나타내자.

❶ 윤우가 답한 수는 서윤이가 말한 수보다 ☐ 작다.
→ (서윤이가 말한 수)−☐ =(윤우가 답한 수)

❷ 서윤이가 9를 말할 때
(윤우가 답하는 수)=9−☐=☐

답 ____________

쌍둥이 문제 5-1

준희가 수를 말하면 우석이가 답을 하고 있습니다./ 준희가 말한 수와 우석이가 답한 수 사이의 대응 관계를 이용하여/ 우석이가 15라고 답했을 때 준희가 말한 수를 구해 보세요.

준희가 말한 수	24	36	66
우석이가 답한 수	4	6	11

실행 문제 따라 풀기

❶

❷

답 ____________

6 규칙적인 배열에서 대응 관계를 찾아 계산하기

선행 문제 해결 전략

예 삼각형의 수와 면봉의 수 사이의 대응 관계를 식으로 나타내기

변하는 부분과 변하지 않는 부분을 찾아보자.

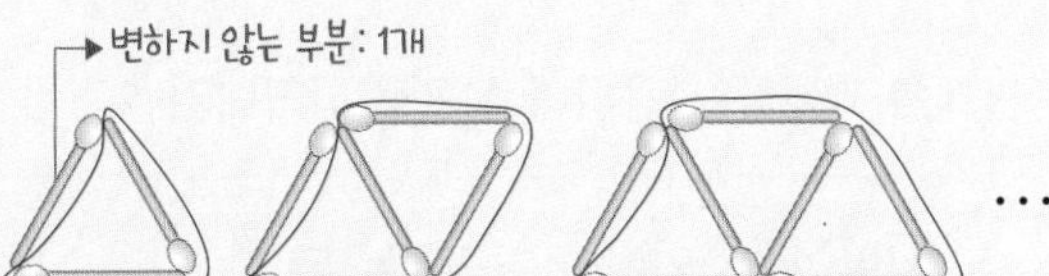

삼각형의 수(개)	면봉의 수(개)
1	1×2+1=3
2	2×2+1=5
3	3×2+1=7

변하는 부분 / 변하지 않는 부분

→ (삼각형의 수)×2+1=(면봉의 수)

선행 문제 6

다음과 같이 면봉으로 사각형을 만들고 있습니다. 변하는 부분과 변하지 않는 부분을 알아보세요.

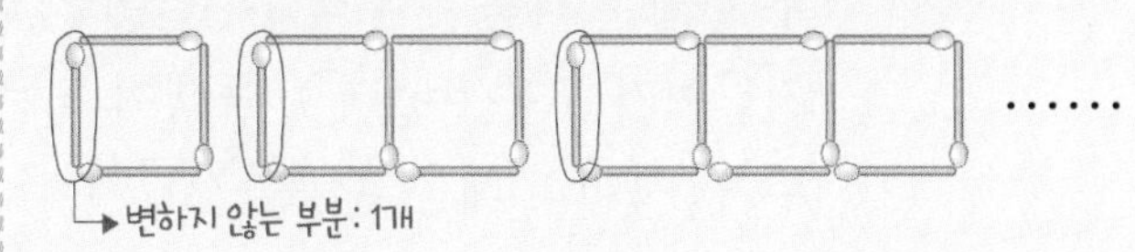

사각형의 수(개)	변하지 않는 부분의 수(개)	변하는 부분의 수(개)
1	1	1×□
2	1	2×□
3	1	3×□
⋮	⋮	⋮

실행 문제 6

다음과 같이 면봉으로 삼각형을 만들고 있습니다./ 삼각형 7개를 만들려면 필요한 면봉은 몇 개인가요?

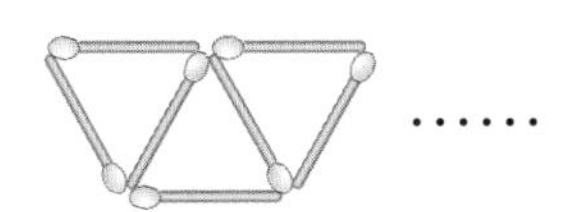

전략 삼각형의 수와 면봉의 수 사이의 대응 관계를 식으로 나타내자.

❶

삼각형의 수(개)	1	2	3	……
면봉의 수(개)	3			……

→ (삼각형의 수)×□+□=(면봉의 수)

❷ (삼각형 7개를 만들 때 필요한 면봉의 수)
=7×□+□=□(개)

답 ____________

쌍둥이 문제 6-1

다음과 같이 면봉으로 사각형을 만들고 있습니다./ 사각형의 수와 면봉의 수 사이의 대응 관계를 이용하여/ 사각형 10개를 만들 때 필요한 면봉은 몇 개인지 구해 보세요.

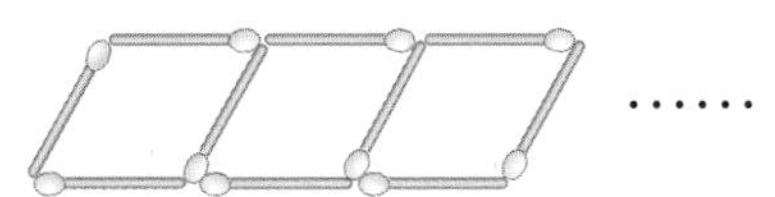

실행 문제 따라 풀기

❶

❷

답 ____________

STEP 2

수학 사고력 키우기

기호를 사용하여 대응 관계를 식으로 나타내기

연계학습 058쪽

대표 문제 1

지안이와 동생이 저금을 하려고 합니다./ 지안이는 3000원을 먼저 저금했고,/ 두 사람은 다음 주부터 1주일에 각각 2000원씩 저금을 하기로 했습니다./ 지안이가 모은 돈을 ○, 동생이 모은 돈을 △라고 할 때,/ 두 양 사이의 대응 관계를 2가지 식으로 나타내어 보세요.

구하려는 것은? 지안이가 모은 돈과 동생이 모은 돈 사이의 대응 관계를 기호를 사용하여 식으로 나타내기

주어진 것은?
- 지안이가 먼저 저금한 돈: ☐원
- 두 사람이 1주일마다 저금하는 돈: ☐원

해결해 볼까?

❶ 표를 완성하면?

	지안이가 모은 돈(원) → ○	동생이 모은 돈(원) → △
저금을 시작했을 때	3000	0
1주일 후	5000	2000
2주일 후		
3주일 후		
⋮	⋮	⋮

❷ ○와 △ 사이의 대응 관계를 2가지 식으로 나타내면?

식 1 ______________ 식 2 ______________

쌍둥이 문제 1-1

인혜와 시우가 100원짜리 동전을 모으려고 합니다./ 인혜는 10개를 먼저 모았고,/ 두 사람은 다음 주부터 1주일에 각각 30개씩 모으기로 했습니다./ 인혜가 모은 동전의 수를 □, 시우가 모은 동전의 수를 ☆이라고 할 때,/ 두 양 사이의 대응 관계를 2가지 식으로 나타내어 보세요.

식 1 ______________

식 2 ______________

규칙적인 배열에서 대응 관계를 찾아 필요한 개수 구하기

연계학습 059쪽

대표 문제 2

바둑돌로 규칙적인 배열을 만들고 있습니다./
검은 바둑돌이 15개일 때, 흰 바둑돌은 몇 개 필요한지 구해 보세요.

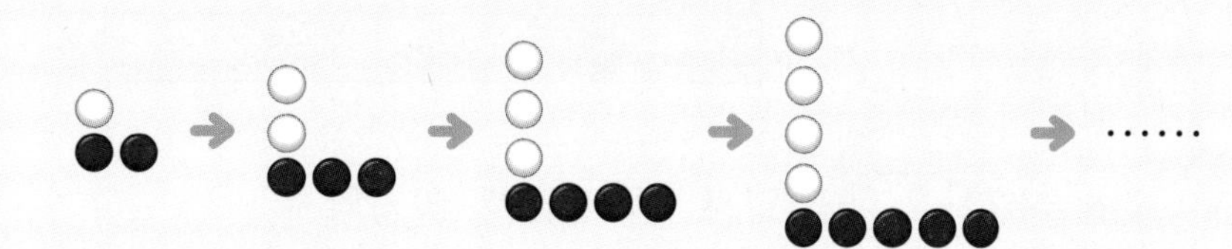

구하려는 것은? 검은 바둑돌이 15개일 때, 필요한 흰 바둑돌의 수

해결해 볼까?

❶ 흰 바둑돌의 수와 검은 바둑돌의 수 사이의 대응 관계를 표와 식으로 각각 나타내면?

전략 흰 바둑돌이 1개씩 늘어날 때 검은 바둑돌은 몇 개씩 늘어나는지 알아보자.

흰 바둑돌의 수(개)	1	2	3	4	5	……
검은 바둑돌의 수(개)	2					……

 식 ______

❷ 검은 바둑돌이 15개일 때, 필요한 흰 바둑돌은 몇 개?

전략 ❶에서 구한 대응 관계 식을 이용하자.

 답 ______

쌍둥이 문제 2-1

바둑돌로 규칙적인 배열을 만들고 있습니다./
흰 바둑돌의 수와 검은 바둑돌의 수 사이의 대응 관계를 이용하여/
흰 바둑돌이 13개일 때, 검은 바둑돌은 몇 개 필요한지 구해 보세요.

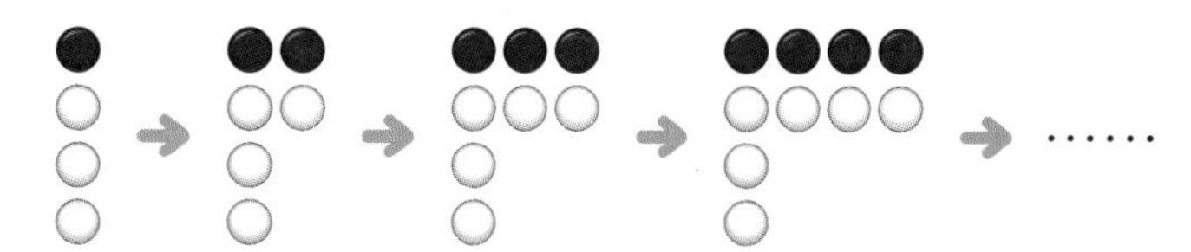

대표 문제 따라 풀기

❶

❷

답 ______

대응 관계를 이용하여 물건의 수 구하기

연계학습 060쪽

대표 문제 3 다음과 같이 색 테이프를 겹치게 이어 붙였습니다./
겹친 부분이 10군데일 때, 이어 붙인 색 테이프는 몇 장인가요?

……

구하려는 것은? 겹친 부분이 ☐군데일 때, 이어 붙인 색 테이프의 수

어떻게 풀까?
1 색 테이프의 수와 겹친 부분의 수 사이의 대응 관계를 식으로 나타내고
2 겹친 부분이 10군데일 때, 이어 붙인 색 테이프의 수를 구하자.

해결해 볼까?

❶ 색 테이프의 수와 겹친 부분의 수 사이의 대응 관계를 표와 식으로 각각 나타내면?

전략 색 테이프가 1장씩 늘어날 때 겹친 부분은 몇 군데씩 늘어나는지 알아보자.

색 테이프의 수(장)	2	3	4	5	6	……
겹친 부분의 수(군데)	1					……

식 ______

❷ 겹친 부분이 10군데일 때, 이어 붙인 색 테이프는 몇 장?

답 ______

쌍둥이 문제 3-1

다음과 같이 끈을 자르려고 합니다./
끈을 자른 횟수와 도막의 수 사이의 대응 관계를 이용하여/
끈을 11도막으로 자르려면 몇 번 잘라야 하는지 구해 보세요.

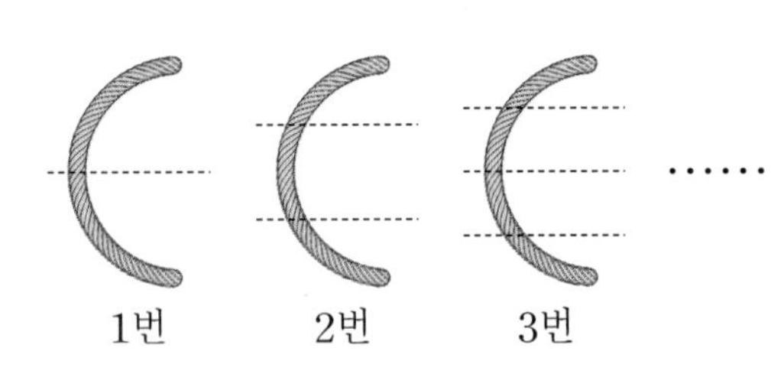

대표 문제 따라 풀기

❶

❷

답 ______

대응 관계를 이용하여 나이 구하기

연계학습 061쪽

대표 문제 4 소희는 12살, 언니는 17살입니다./
소희가 20살이 될 때, 언니는 몇 살이 되나요?

구하려는 것은? 소희가 ☐살이 될 때, 언니의 나이

주어진 것은?
- 소희의 나이 : ☐살
- 언니의 나이 : ☐살

해결해 볼까?

❶ 소희의 나이와 언니의 나이 사이의 대응 관계를 식으로 나타내면?

전략 나이는 한 살씩 늘어나므로 소희의 나이와 언니의 나이의 차는 일정하다.

식 ______________________

❷ 소희가 20살이 될 때, 언니는 몇 살?

답 ______________________

쌍둥이 문제 4-1

진호는 12살, 동생은 6살입니다./
진호의 나이와 동생의 나이 사이의 대응 관계를 이용하여/
진호가 18살이 될 때, 동생은 몇 살이 되는지 구해 보세요.

대표 문제 따라 풀기

❶

❷

대응 관계를 이용하여 말한 수와 답한 수 구하기

연계학습 062쪽

대표 문제 5

선주가 18을 말하면 정훈이가 6을 답하고,/
선주가 9를 말하면 정훈이가 3을 답하고,/
선주가 27을 말하면 정훈이가 9를 답합니다./
선주가 24를 말할 때 정훈이가 답하는 수는 얼마인가요?

구하려는 것은?

선주가 ☐ 을/를 말할 때 정훈이가 답하는 수

주어진 것은?

선주가 말한 수	정훈이가 답한 수
18 →	6
9 →	☐
27 →	☐
24 →	?

해결해 볼까?

❶ 선주가 말한 수와 정훈이가 답한 수 사이의 대응 관계를 식으로 나타내면?

전략 선주가 말한 수와 정훈이가 답한 수는 약수와 배수의 관계이다.

식 ______________________

❷ 선주가 24를 말할 때 정훈이가 답하는 수는?

답 ______________

쌍둥이 문제 5-1

현호가 12를 말하면 민서가 19를 답하고,/
현호가 4를 말하면 민서가 11을 답하고,/
현호가 23을 말하면 민서가 30을 답합니다./
현호가 말한 수와 민서가 답한 수 사이의 대응 관계를 이용하여/
민서가 28을 답했을 때 현호가 말한 수를 구해 보세요.

대표 문제 따라 풀기

❶

❷

답 ______________

규칙적인 배열에서 대응 관계를 찾아 계산하기

연계학습 063쪽

대표 문제 6

배열 순서에 따라 수 카드를 놓고 육각형으로 규칙적인 배열을 만들고 있습니다./
수 카드의 수가 12일 때, 육각형은 몇 개 필요한가요?

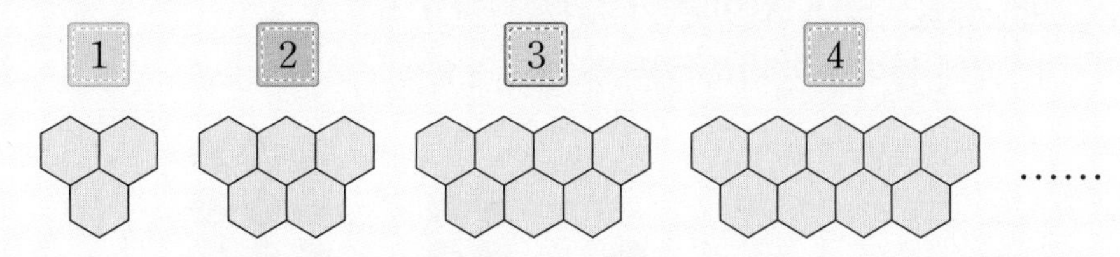

어떻게 풀까?

1 수 카드의 수와 육각형의 수 사이의 대응 관계를 식으로 나타내고
2 수 카드의 수가 12일 때, 필요한 육각형의 수를 구하자.

해결해 볼까?

❶ 수 카드의 수와 육각형의 수 사이의 대응 관계를 표와 식으로 각각 나타내면?

전략 도형의 배열에서 변하는 부분과 변하지 않는 부분을 알아보자.

수 카드의 수	1	2	3	4	5	6	……
육각형의 수(개)	3						……

식 ______________________

❷ 수 카드의 수가 12일 때, 필요한 육각형은 몇 개?

답 ______________

쌍둥이 문제 6-1

배열 순서에 따라 수 카드를 놓고 사각형으로 규칙적인 배열을 만들고 있습니다./
수 카드의 수와 사각형의 수 사이의 대응 관계를 이용하여/
수 카드의 수가 15일 때, 사각형은 몇 개 필요한지 구해 보세요.

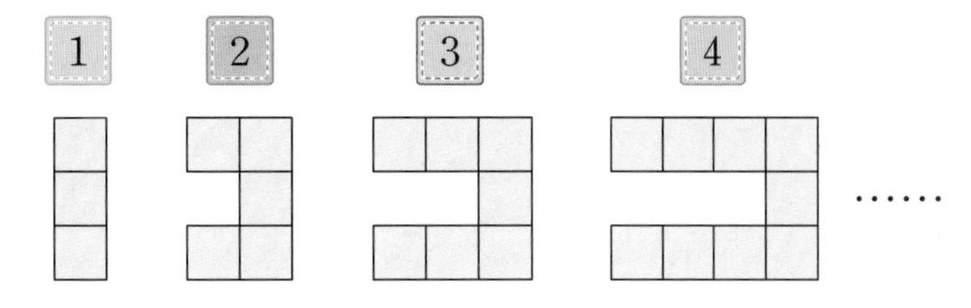

대표 문제 따라 풀기

❶

❷

답 ______________

STEP 3

수학 독해력 완성하기

대응 관계를 이용하여 바둑돌의 수 구하기

독해 문제 1

바둑돌을 다음과 같이 늘어놓았습니다./
12째에 늘어놓은 바둑돌은 몇 개인가요?

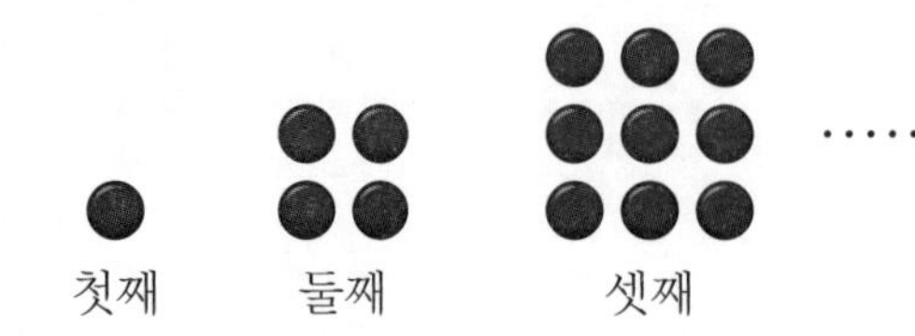

해결해 볼까?

❶ 표를 완성하면?

순서(째)	1	2	3	4	5	……
바둑돌의 수(개)	1					……

❷ 순서와 바둑돌의 수 사이의 대응 관계를 식으로 나타내면?

식 ______________________

❸ 12째에 늘어놓은 바둑돌은 몇 개?

답 ______________

대응 관계를 이용하여 탑의 층수 구하기

독해 문제 2

이쑤시개를 이용하여 다음과 같은 방법으로 탑을 쌓고 있습니다./
이쑤시개 14개로는 몇 층까지 쌓을 수 있나요?

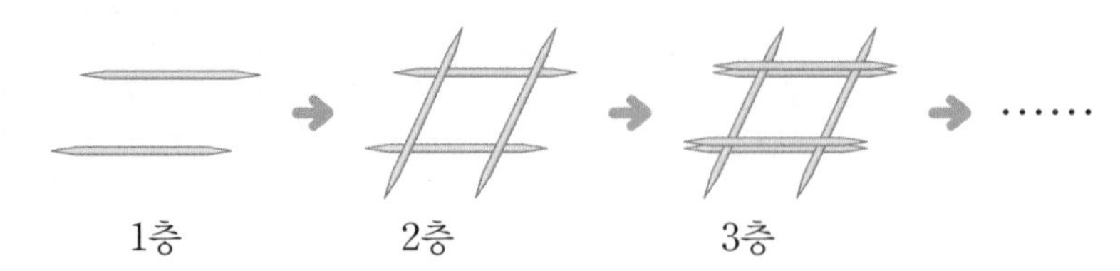

해결해 볼까?

❶ 탑의 층수를 □, 이쑤시개의 수를 △라고 할 때, 두 양 사이의 대응 관계를 식으로 나타내면?

식 ______________________

❷ 이쑤시개 14개로 쌓을 수 있는 탑의 층수는?

답 ______________

세 수 사이의 대응 관계를 이용하여 하나의 식으로 나타내기

독해 문제 3

□와 ○, ○와 △ 사이의 대응 관계를 나타낸 표입니다./
□와 △ 사이의 대응 관계를 하나의 식으로 나타내어 보세요.

□	3	4	5	6	7	8	……
○	15	20	25	30	35	40	……
△	17	22	27	32	37	42	……

해결해 볼까?

❶ □와 ○ 사이의 대응 관계를 식으로 나타내면?

식 ______________________

❷ ○와 △ 사이의 대응 관계를 식으로 나타내면?

식 ______________________

❸ □와 △ 사이의 대응 관계를 하나의 식으로 나타내면?

식 ______________________

대응 관계를 이용하여 시각 구하기

독해 문제 4

어느 날 서울과 베를린의 시각을 나타낸 표입니다./
서울에 사는 효진이가 오후 8시에 베를린으로 출장을 간 아버지께 전화를 하면/
아버지는 베를린의 시각으로 몇 시에 전화를 받나요?

서울의 시각	오전 10시	오전 11시	낮 12시	오후 1시	……
베를린의 시각	오전 3시	오전 4시	오전 5시	오전 6시	……

해결해 볼까?

❶ 서울의 시각과 베를린의 시각 사이의 대응 관계를 식으로 나타내면?

식 ______________________

❷ 서울에 사는 효진이가 오후 8시에 아버지께 전화를 하면 베를린에서 아버지가 전화를 받는 시각은?

답 ______________________

규칙적인 배열에서 대응 관계를 찾아 계산하기

연계학습 069쪽

독해 문제 5

누름 못을 사용하여 다음과 같이 도화지를 붙이고 있습니다./
도화지 10장을 붙이려면 누름 못은 몇 개 필요한가요?

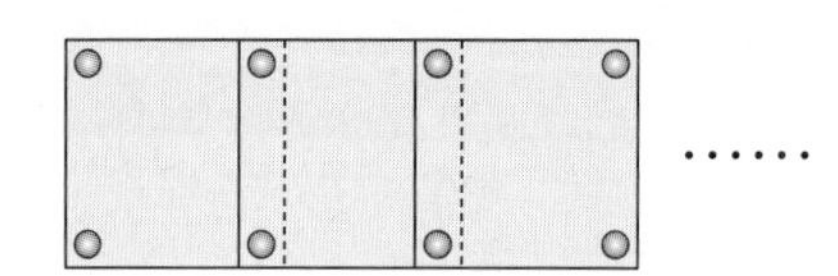

구하려는 것은? 도화지 ☐장을 붙일 때, 필요한 누름 못의 수

주어진 것은? • 누름 못을 사용하여 붙이려는 도화지: ☐장

어떻게 풀까?
1 도화지의 수와 누름 못의 수 사이의 대응 관계를 표를 이용하여 알아보고
2 대응 관계를 식으로 나타낸 다음,
3 도화지 10장을 붙일 때, 필요한 누름 못의 수를 구하자.

해결해 볼까?

❶ 표를 완성하면?

도화지의 수(장)	1	2	3	4	5	……
누름 못의 수(개)	4					……

❷ 도화지의 수와 누름 못의 수 사이의 대응 관계를 식으로 나타내면?

전략 누름 못의 배열에서 변하는 부분과 변하지 않는 부분을 알아보자.

식

❸ 도화지 10장을 붙일 때, 필요한 누름 못은 몇 개?

답

대응 관계를 이용하여 물건의 수 구하기

연계학습 066쪽

독해 문제 6

굵기가 일정한 통나무를 1번 자르는 데 3분이 걸립니다./
통나무 1개를 7도막으로 자르는 데 몇 분이 걸리나요?
(단, 쉬는 시간은 생각하지 않습니다.)

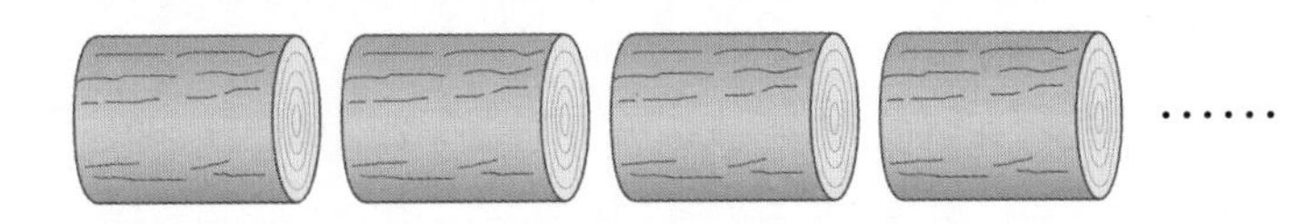

구하려는 것은? 통나무 1개를 ☐ 도막으로 자르는 데 걸리는 시간

주어진 것은?
- 통나무를 1번 자르는 데 걸리는 시간 : ☐ 분
- 통나무 1개를 자르려는 도막의 수 : ☐ 도막

어떻게 풀까?
1 통나무 1개를 7도막으로 자르려면 몇 번을 잘라야 하는지 구한 다음,
2 통나무를 자른 횟수와 걸리는 시간 사이의 대응 관계를 알아보고
7도막으로 자르는 데 걸리는 시간을 구하자.

해결해 볼까?

❶ 통나무 1개를 7도막으로 자르는 횟수는 몇 번?

답 ________________

❷ 통나무를 자른 횟수와 걸리는 시간 사이의 대응 관계를 식으로 나타내면?

❸ 통나무 1개를 7도막으로 자르는 데 걸리는 시간은 몇 분?

창의·융합·코딩 체험하기

코딩 1 승호가 만든 코드를 실행했더니 다음과 같이 선이 연결되었습니다./ 14와 연결되어 있는 수를 구해 보세요.

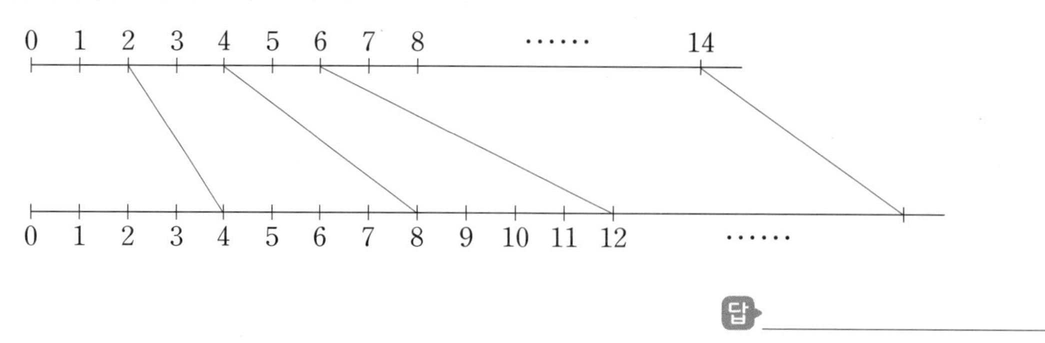

답 ____________

융합 2 에너지 소비효율등급은 제품의 에너지 소비효율 또는 에너지 사용량을 1~5등급으로 구분해 이를 라벨에 표시한 것입니다./
에너지 소비효율등급이 다음과 같은 냉장고의 한 달 동안 소비전력량은 16 kWh입니다./
사용한 달 수를 □(개월), 소비전력량을 ○(kWh)라고 할 때, 두 양 사이의 대응 관계를 식으로 나타내어 보세요.

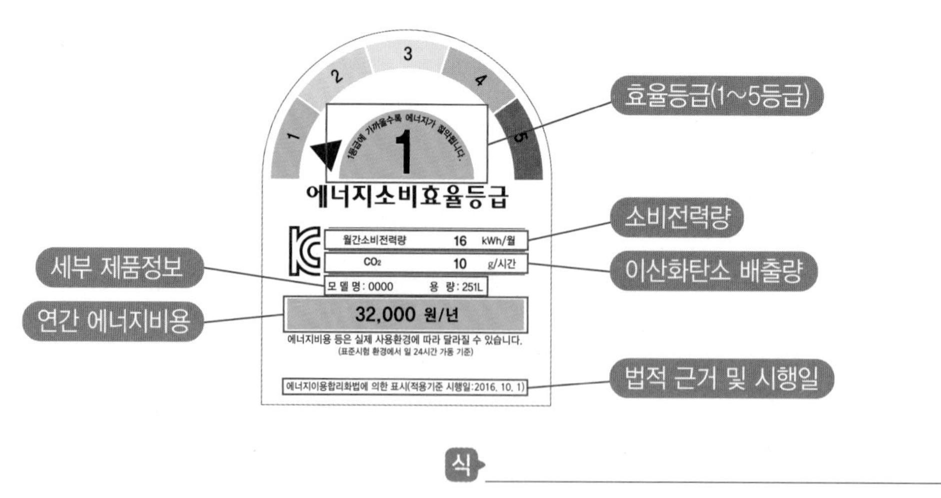

식 ____________

[창의 3 ~ 4] 2가지 종류의 마술 거울이 있습니다./
각각의 거울에 수를 비추면 규칙에 따라 다음과 같이 바뀐 수가 거울에 나타난다고 합니다./

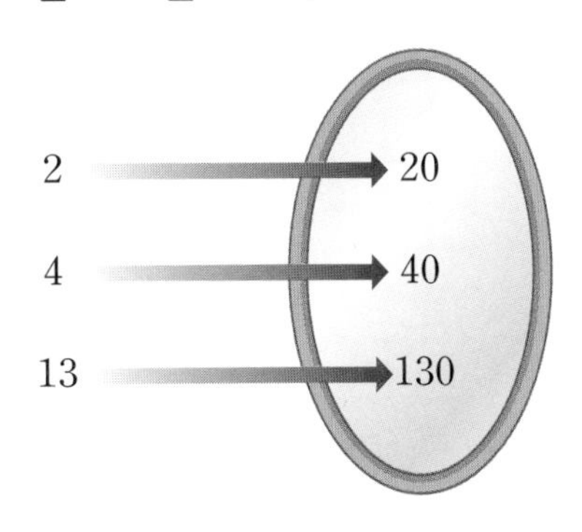

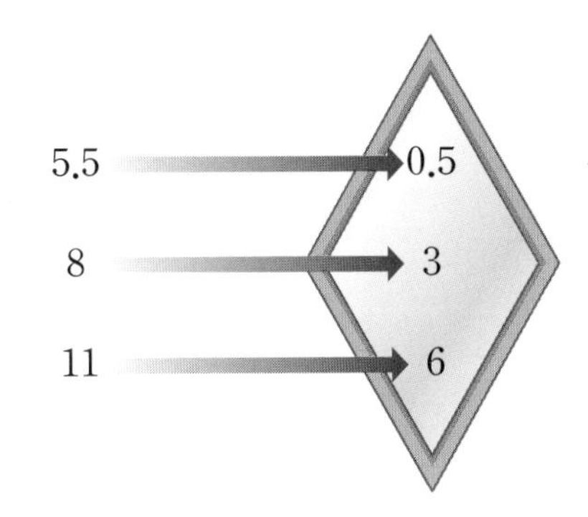

7을 아래와 같이 마술 거울에 차례로 비추면/
마지막 거울에 나타난 수는 얼마인지 구해 보세요.

창의 3

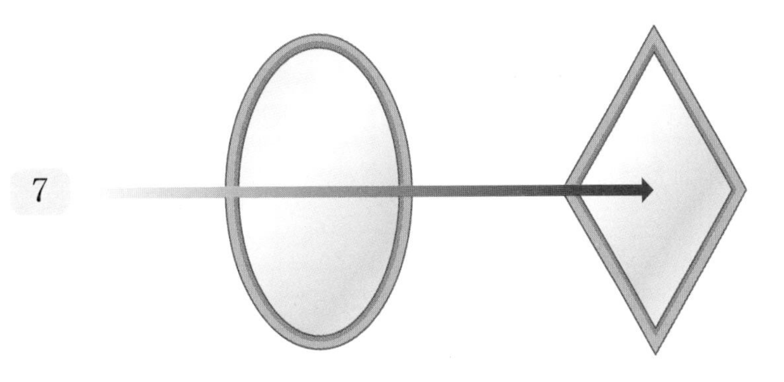

답 ____________________

둥근 모양 거울에 나타난 수는 커지고
네모 모양 거울에 나타난 수는 작아지네~

창의 4

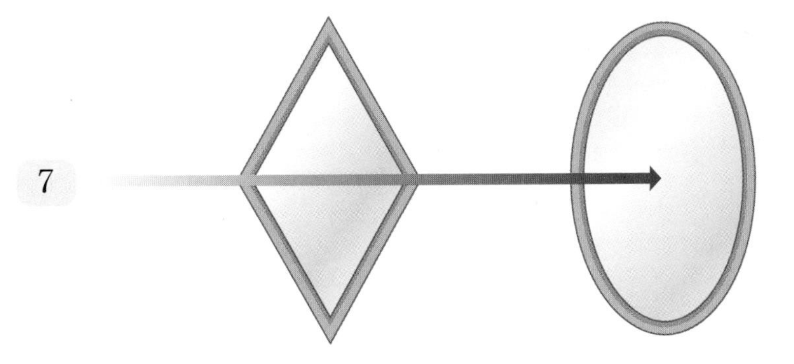

답 ____________________

창의·융합·코딩 **체험**하기

창의 5 다각형에서 이웃하지 않는 두 꼭짓점을 이은 선분을 대각선이라 합니다./
다각형의 변의 수를 △, 다각형의 한 꼭짓점에서 그을 수 있는 대각선의 수를 ☆이라고 할 때,/
두 양 사이의 대응 관계를 식으로 나타내어 보세요./

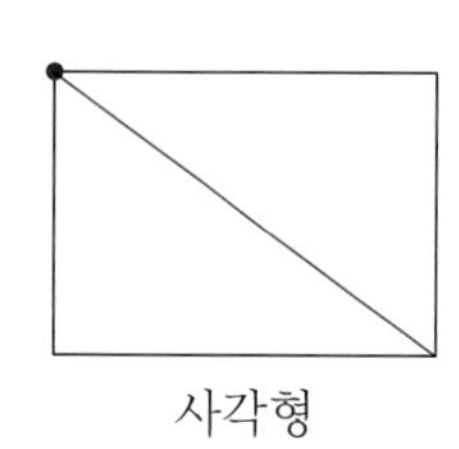
사각형

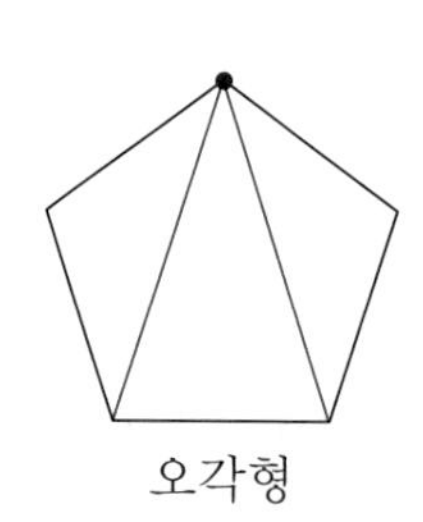
오각형

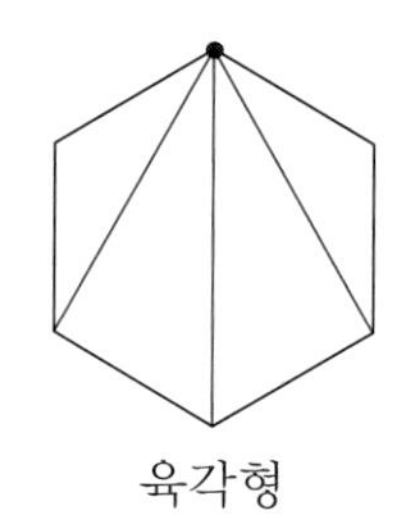
육각형

식 ______________________________

융합 6 어느 영화의 상영 시간표입니다./
지우가 예매한 영화가 끝나는 시각은 오후 몇 시 몇 분인가요?

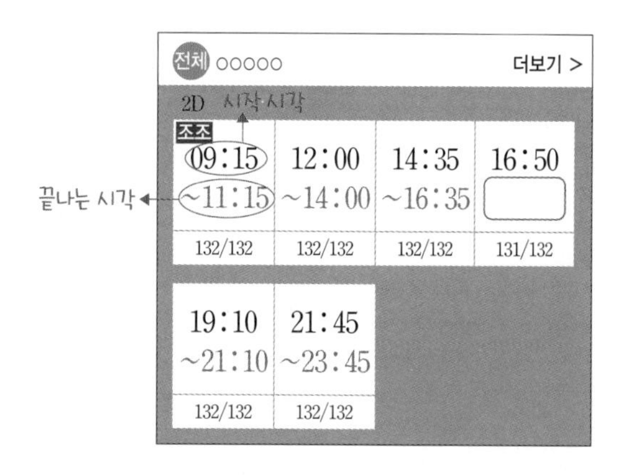

09:15 ~11:15	12:00 ~14:00	14:35 ~16:35	16:50
132/132	132/132	132/132	131/132
19:10 ~21:10	21:45 ~23:45		
132/132	132/132		

오후 5시쯤 시작하는 영화를 예매해줘~

지우님, 오후 4시 50분에 시작하는 영화를 예매했어요.

답 ______________________________

개미가 일정한 빠르기로 움직인 거리를 조사하여 나타낸 꺾은선그래프입니다./
움직인 시간을 △(초), 움직인 거리를 ○(cm)라고 할 때,/
두 양 사이의 대응 관계를 식으로 나타내어 보세요.
(단, 개미는 같은 빠르기로 쉬지 않고 움직입니다.)

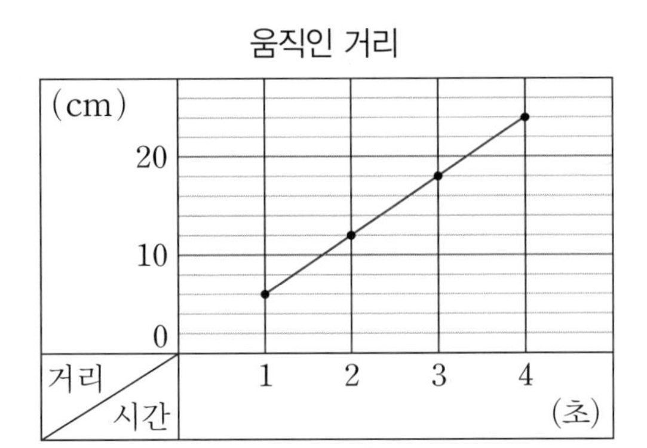

세로 눈금 한 칸은
10÷5=2 (cm)야~

식 ______________________

융합 8

길이가 10 cm인 용수철에 추를 매달았을 때/
용수철이 늘어난 길이를 나타낸 그림입니다./
매단 추의 무게가 8 kg일 때, 전체 용수철의 길이는 몇 cm가 되나요?

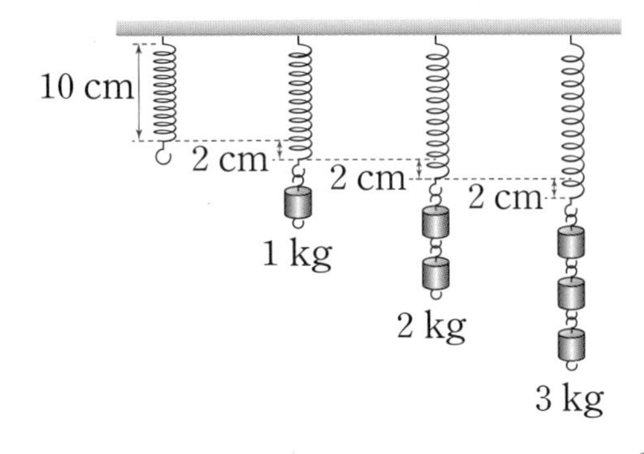

____

실전 마무리 하기

맞힌 문제 수

개 /10개

표를 보고 대응 관계를 식으로 나타내기

1 표를 보고 △와 ☆ 사이의 대응 관계를 식으로 나타내어 보세요.

△	2	4	6	8	10	12
☆	5	7	9	11	13	15

풀이

식 ____________________

기호를 사용하여 대응 관계를 식으로 나타내기 064쪽

2 육각형의 수를 □, 변의 수를 ○라고 할 때, 두 양 사이의 대응 관계를 2가지 식으로 나타내어 보세요.

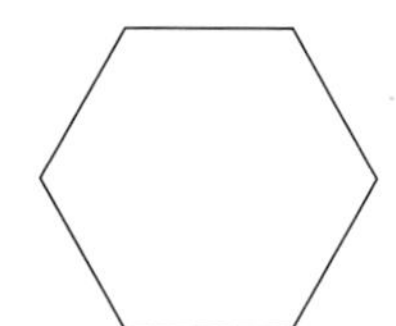

풀이

식1 ____________________ 식2 ____________________

기호를 사용하여 대응 관계를 식으로 나타내고 거리 구하기

3 정화는 1분에 45 m를 걷습니다. 정화가 걸은 시간을 ◇(분), 걸은 거리를 △ (m)라고 할 때, 두 양 사이의 대응 관계를 식으로 나타내고, 정화가 20분 걸었을 때, 걸은 거리는 몇 m인지 구해 보세요. (단, 쉬지 않고 걸어갑니다.)

풀이

식 ____________________ 답 ____________________

규칙적인 배열에서 대응 관계를 찾아 계산하기 069쪽

4

배열 순서에 따라 수 카드를 놓고 사각형으로 규칙적인 배열을 만들고 있습니다. 수 카드의 수와 사각형의 수 사이의 대응 관계를 이용하여 수 카드의 수가 10일 때, 사각형은 몇 개 필요한지 구해 보세요.

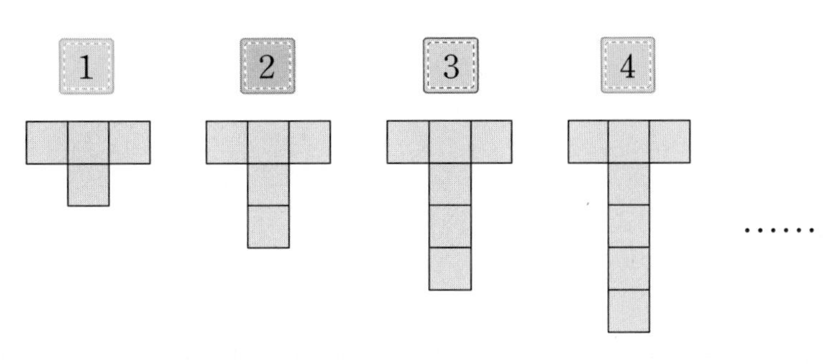

답

규칙적인 배열에서 대응 관계를 찾아 필요한 개수 구하기 065쪽

5

노란색 사각판과 초록색 사각판으로 규칙적인 배열을 만들고 있습니다. 노란색 사각판의 수와 초록색 사각판의 수 사이의 대응 관계를 이용하여 초록색 사각판이 10개일 때, 노란색 사각판은 몇 개 필요한지 구해 보세요.

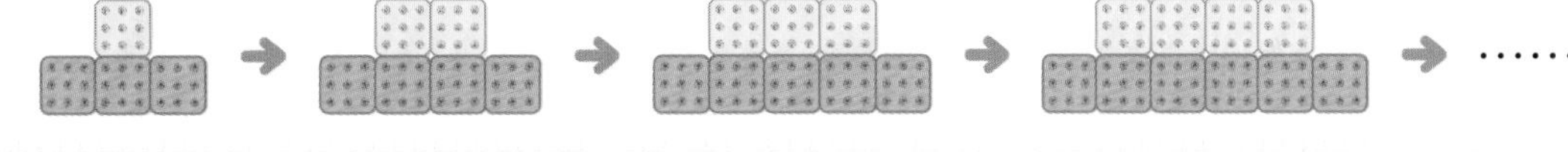

풀이

답

대응 관계를 이용하여 물건의 수 구하기 066쪽

6 누름 못을 사용하여 다음과 같이 그림을 게시판에 붙이고 있습니다. 그림의 수와 누름 못의 수 사이의 대응 관계를 이용하여 누름 못 20개를 사용했을 때, 붙인 그림은 몇 장인지 구해 보세요.

풀이

답 ______________

대응 관계를 이용하여 나이 구하기 067쪽

7 어머니는 41살, 주희는 12살입니다. 어머니의 나이와 주희의 나이 사이의 대응 관계를 이용하여 주희가 19살이 될 때, 어머니는 몇 살이 되는지 구해 보세요.

풀이

답 ______________

대응 관계를 이용하여 바둑돌의 수 구하기 070쪽

8 바둑돌을 다음과 같이 늘어놓았습니다. 순서를 ○, 바둑돌의 수를 □라고 할 때, 두 양 사이의 대응 관계를 식으로 나타내고, 바둑돌이 100개 놓일 때는 몇 째인지 구해 보세요.

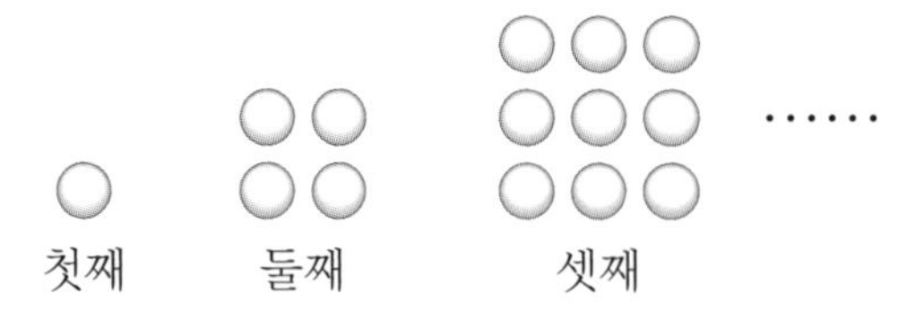

풀이

식 ______________ 답 ______________

대응 관계를 이용하여 탑의 층수 구하기 070쪽

9 이쑤시개를 사용하여 다음과 같은 방법으로 탑을 쌓고 있습니다. 탑의 층수와 이쑤시개의 수 사이의 대응 관계를 이용하여 이쑤시개 32개로는 몇 층까지 쌓을 수 있는지 구해 보세요.

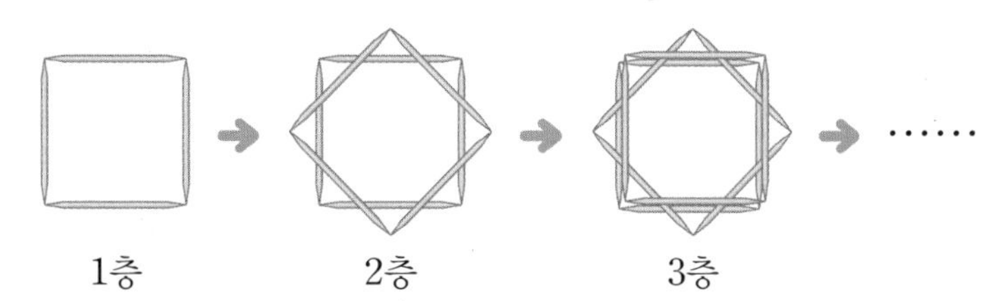

답 ______________

규칙적인 배열에서 대응 관계를 찾아 계산하기 069쪽

10 식탁을 다음과 같이 붙여서 의자를 놓고 있습니다. 식탁의 수와 의자의 수 사이의 대응 관계를 이용하여 식탁을 9개 놓으려면 의자는 몇 개 필요한지 구해 보세요.

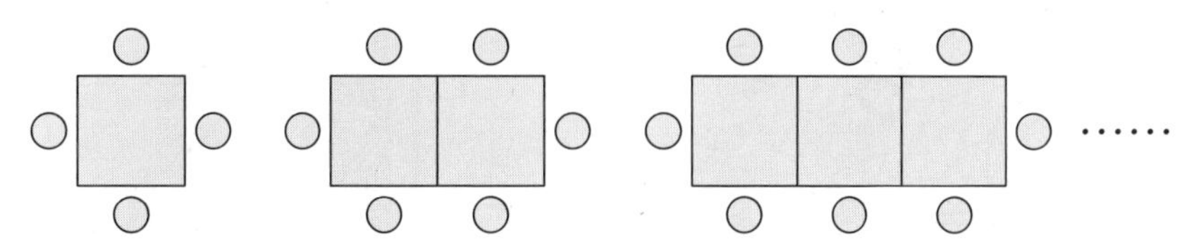

답 ______________

4 약분과 통분

FUN한 이야기

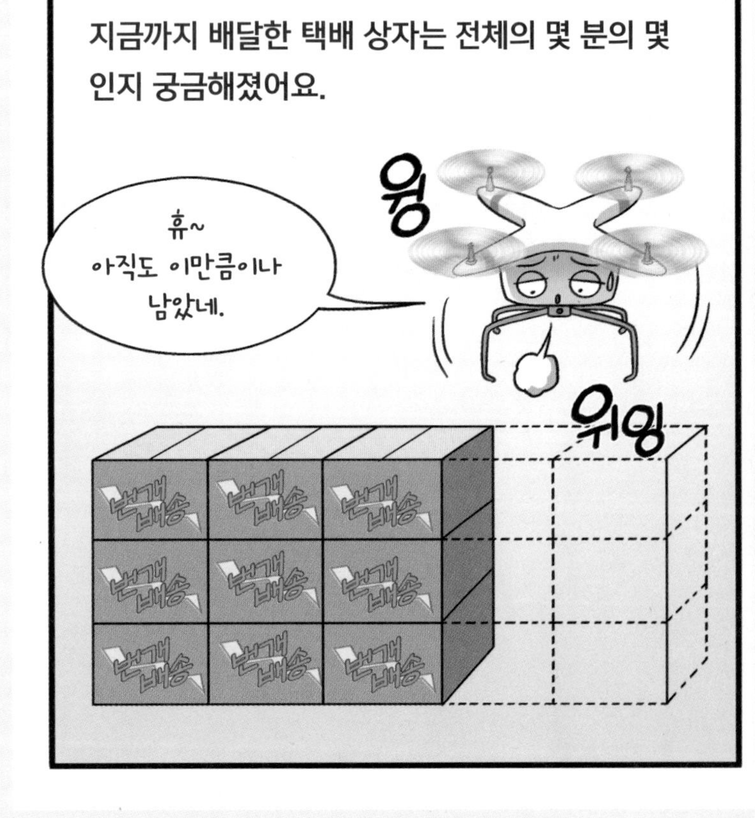

매쓰 FUN 생활 속 수학 이야기

오늘 택배 상자 15개를 배달해야 해요./ 그중 6개를 배달했어요./
배달한 택배 상자는 전체의 몇 분의 몇인지/
기약분수로 나타내어 보세요.

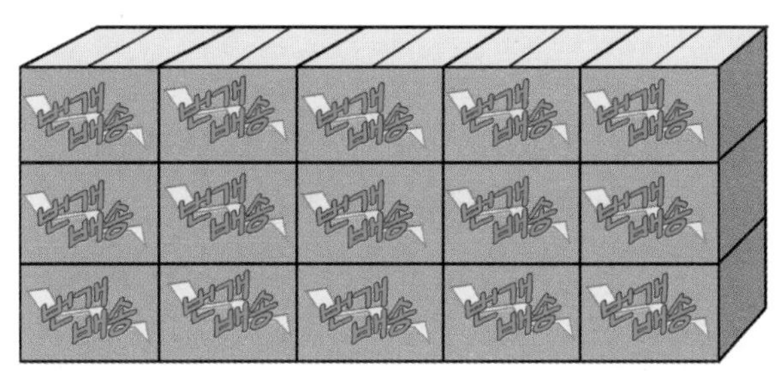

➔ 전체 택배 상자의 수: 15개

➔ 배달한 택배 상자의 수: 6개

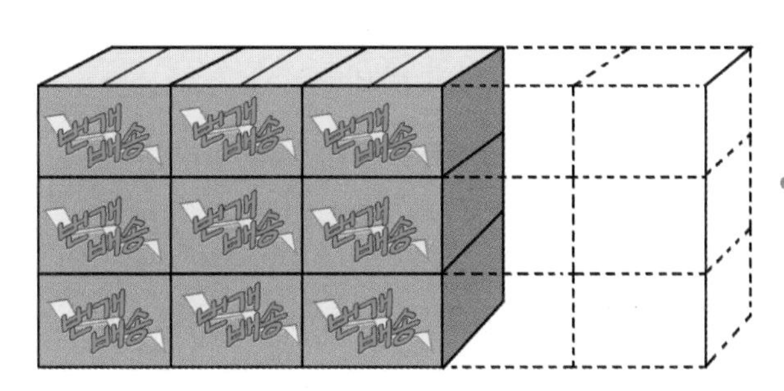

➔ 배달한 택배 상자: 전체의 ☐

만든 분수의 분모와 분자를 두 수의 최대공약수 ☐(으)로 나누어 기약분수로 나타내자.

답 ________

STEP 1

문제 해결력 기르기

1 기약분수로 나타내기

선행 문제 해결 전략

• 부분은 전체의 몇 분의 몇인지 분수로 나타내기

$$\frac{(\text{부분의 개수})}{(\text{전체의 개수})}$$

예 피자 한 판을 똑같이 10조각으로 나누어 2조각을 먹었을 때 먹은 피자는 전체의 몇 분의 몇인지 구하기

전체 조각 수: **10**조각
먹은 조각 수: **2**조각

➔ 먹은 피자: 전체의 $\frac{2}{10}$ (2 → 부분, 10 → 전체)

참고 기약분수: 분모와 분자의 공약수가 1뿐인 분수

선행 문제 1

서아가 떡을 똑같이 7조각으로 나눈 것 중의 3조각을 먹었습니다. 서아가 먹은 떡은 전체의 몇 분의 몇인가요?

풀이
전체 조각 수: □조각
먹은 조각 수: □조각

➔ 서아가 먹은 떡: 전체의 □

실행 문제 1

연필 48자루 중에서 39자루를 학생들에게 나누어 주었습니다./
나누어 준 연필은 전체의 몇 분의 몇인지/
기약분수로 나타내어 보세요.

전략 $\frac{(\text{나누어 준 연필 수})}{(\text{전체 연필 수})}$로 나타내자.

❶ 전체 연필 수: 48자루
나누어 준 연필 수: □자루

➔ 나누어 준 연필: 전체의 $\frac{\square}{48}$

전략 ❶에서 구한 분수의 분모와 분자를 각각 두 수의 최대공약수로 나누자.

❷ 분모와 분자의 최대공약수: □

기약분수: $\frac{39 \div \square}{48 \div \square} = \square$

답 ________________

쌍둥이 문제 1-1

색종이 24장 중에서 16장을 사용했습니다./
사용한 색종이는 전체의 몇 분의 몇인지/
기약분수로 나타내어 보세요.

실행 문제 따라 풀기

❶

❷

답 ________________

2 공통분모가 될 수 있는 수 구하기

선행 문제 해결 전략

예 $\frac{5}{9}$와 $\frac{7}{12}$을 통분하려고 할 때 공통분모 중에서 가장 작은 수 구하기

공통분모가 될 수 있는 수: 9와 12의 공배수

➜ **36, 72, 108**……

(가장 작은 수)=(**9**와 **12**의 최소공배수)

공통분모 중에서 가장 작은 수는 두 분모의 최소공배수이다.

선행 문제 2

두 분수를 통분하려고 합니다. 공통분모가 될 수 있는 수 중에서 가장 작은 수를 구해 보세요.

$\frac{2}{7}$, $\frac{5}{14}$

풀이 공통분모 중에서 가장 작은 수는 두 분모의 (최대공약수 , 최소공배수)이다.

7과 14의 최소공배수: ☐

➜ 공통분모가 될 수 있는 가장 작은 수: ☐

실행 문제 2

$\frac{2}{5}$와 $\frac{11}{20}$을 통분하려고 합니다./

공통분모가 될 수 있는 수를 작은 수부터 4개 써 보세요.

전략 공통분모 중에서 가장 작은 수인 두 분모의 최소공배수를 구하자.

❶ 5와 20의 최소공배수: ☐

전략 두 수의 최소공배수의 배수를 이용하여 구하자.

❷ 공통분모가 될 수 있는 수를 작은 수부터 4개 쓰기: ☐, ☐, ☐, ☐

답 ________________

쌍둥이 문제 2-1

$\frac{5}{8}$와 $\frac{13}{24}$을 통분하려고 합니다./

공통분모가 될 수 있는 수를 작은 수부터 4개 써 보세요.

실행 문제 따라 풀기

❶

❷

답 ________________

③ 분모가 ●인 진분수 중 기약분수 찾기

선행 문제 해결 전략

진분수는
분자가 분모보다 작은 분수야.

예 분모가 4인 진분수 구하기

분자는 4보다 작아야 한다.

➔ 분자가 될 수 있는 수: **1, 2, 3**

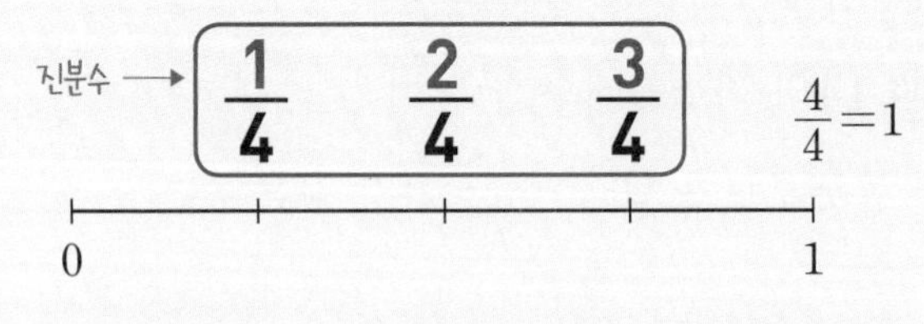

참고 기약분수: 분모와 분자의 공약수가 1뿐인 분수

선행 문제 3

(1) 분모가 7인 진분수를 모두 구해 보세요.

풀이 분자는 7보다 작아야 한다.

분자가 될 수 있는 수: 1부터 □까지의 수

➔ $\frac{1}{7}$, $\frac{2}{7}$, $\frac{\square}{7}$, $\frac{\square}{7}$, $\frac{\square}{7}$, $\frac{\square}{7}$

(2) 분모가 9인 진분수를 모두 구해 보세요.

풀이 분자는 9보다 작아야 한다.

분자가 될 수 있는 수: 1부터 □까지의 수

➔ $\frac{1}{9}$, $\frac{2}{9}$, $\frac{3}{9}$, $\frac{4}{9}$, $\frac{5}{9}$, $\frac{\square}{9}$, $\frac{\square}{9}$, $\frac{\square}{9}$

실행 문제 3

분모가 8인 진분수 중에서/
기약분수는 모두 몇 개인가요?

전략 분자에는 8보다 작은 수를 쓰자.

❶ 분모가 8인 진분수:

$\frac{1}{8}$, $\frac{2}{8}$, $\frac{3}{8}$, $\frac{4}{8}$, $\frac{\square}{8}$, $\frac{\square}{8}$, $\frac{\square}{8}$

전략 ❶에서 구한 진분수 중에서 분모와 분자의 공약수가 1뿐인 분수를 찾자.

❷ 분모가 8인 진분수 중에서 기약분수:

$\frac{1}{8}$, $\frac{3}{8}$, $\frac{\square}{8}$, $\frac{\square}{8}$ ➔ □개

답 ____________

쌍둥이 문제 3-1

분모가 6인 진분수 중에서/
기약분수는 모두 몇 개인가요?

실행 문제 따라 풀기

❶

❷

답 ____________

분모와 분자의 합(차)을 알 때 크기가 같은 분수 구하기

선행 문제 해결 전략

분모와 분자에 각각 0이 아닌 같은 수를 곱하여 크기가 같은 분수를 만들 수 있다.

예 $\frac{2}{3}$와 크기가 같은 분수 만들기

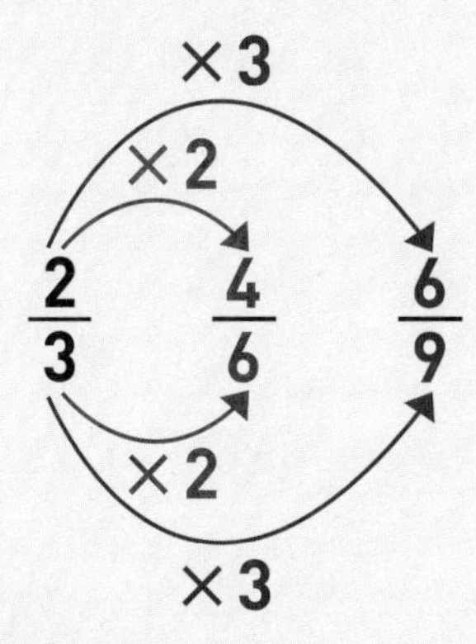

선행 문제 4

주어진 분수와 크기가 같은 분수를 만들어 보세요.

(1) $\frac{3}{4}=\frac{\square}{8}=\frac{9}{\square}=\frac{\square}{16}=\frac{15}{\square}$

(2) $\frac{4}{7}=\frac{8}{\square}=\frac{\square}{21}=\frac{16}{\square}=\frac{\square}{35}$

(3) $\frac{6}{11}=\frac{\square}{22}=\frac{18}{\square}=\frac{\square}{44}=\frac{30}{\square}$

실행 문제 4

$\frac{5}{9}$와 크기가 같은 분수 중에서/
분모와 분자의 합이 70인 분수를 구해 보세요.

전략 분모와 분자에 각각 0이 아닌 같은 수를 곱하자.

❶ $\frac{5}{9}=\frac{10}{18}=\frac{\square}{27}=\frac{\square}{36}=\frac{\square}{45}=\cdots\cdots$

전략 ❶에서 구한 분수의 분모와 분자의 합을 구하자.

❷ $\square+45=70$이므로

분모와 분자의 합이 70인 분수: $\square$

답

쌍둥이 문제 4-1

$\frac{6}{13}$과 크기가 같은 분수 중에서/
분모와 분자의 차가 35인 분수를 구해 보세요.

실행 문제 따라 풀기

❶

❷

답

4

약분과 통분

5 ●에 알맞은 가장 큰(작은) 자연수 구하기

선행 문제 해결 전략

- 분자가 주어지지 않은 분수를 통분하기

① 공통분모를 정하고,
② 분모와 분자에 같은 수를 곱하여
③ 두 분수를 통분하자.

예 $\frac{1}{6}$, $\frac{●}{9}$를 통분하기

공통분모를 **최소공배수 18**로 하여 통분하면

$$\frac{1}{6}=\frac{1\times3}{6\times3}=\frac{3}{18}$$
$$\frac{●}{9}=\frac{●\times2}{9\times2}=\frac{●\times2}{18}$$

선행 문제 5

두 분수를 통분하여 나타내어 보세요.

(1) $\frac{3}{8}$, $\frac{●}{6}$

풀이 공통분모를 24로 하여 통분하면

$\frac{3}{8}=\frac{\square}{24}$, $\frac{●}{6}=\frac{●\times\square}{24}$이다.

(2) $\frac{7}{9}$, $\frac{●}{4}$

풀이 공통분모를 36으로 하여 통분하면

$\frac{7}{9}=\frac{\square}{36}$, $\frac{●}{4}=\frac{●\times\square}{36}$이다.

실행 문제 5

●에 알맞은 자연수 중 가장 큰 수를 구해 보세요.

$$\frac{3}{4}>\frac{●}{7}$$

전략 공통분모를 28로 하여 통분하자.

❶ 두 분수를 통분하여 나타내기:

$\frac{3}{4}>\frac{●}{7}$ ➔ $\frac{\square}{28}>\frac{●\times\square}{28}$

❷ 통분한 분수의 분자를 비교하면

$\square$ > ●×4이다.

전략 ❷의 식을 이용하여 ●에 알맞은 자연수를 구하자.

❸ ●에 알맞은 자연수는 1, 2, 3, $\square$, $\square$이다.

➔ 가장 큰 수: $\square$

답 ______

쌍둥이 문제 5-1

●에 알맞은 자연수 중 가장 작은 수를 구해 보세요.

$$\frac{4}{5}<\frac{●}{9}$$

실행 문제 따라 풀기

❶

❷

❸

답 ______

수 카드로 진분수 만들기

선행 문제 해결 전략

예 수 카드 2장을 뽑아 진분수 만들기

2 4 5

수 카드를 사용하여 **진분수를 만들 때 분자를 분모보다 작게** 놓아야 해~

- 분모가 **2**일 때: 만들 수 없다. → 분모 2보다 작은 수가 없다.
- 분모가 **4**일 때: $\frac{2}{4}$
- 분모가 **5**일 때: $\frac{2}{5}$, $\frac{4}{5}$

선행 문제 6

3장의 수 카드 중에서 2장을 뽑아 한 번씩만 사용하여 진분수를 만들려고 합니다. 만들 수 있는 진분수를 모두 구해 보세요.

3  6 7

풀이 분모에 3, 6, 7을 놓을 때 만들 수 있는 진분수를 구한다.

- 분모가 3일 때: 만들 수 없다.
- 분모가 6일 때: $\frac{\square}{6}$
- 분모가 7일 때: $\frac{\square}{7}$, $\frac{\square}{7}$

실행 문제 6

3장의 수 카드 중에서 2장을 뽑아 한 번씩만 사용하여 진분수를 만들려고 합니다./
만들 수 있는 진분수 중/ 기약분수를 모두 구해 보세요.

2  5   8

전략 분모에 2, 5, 8을 놓을 때 만들 수 있는 진분수를 알아보자.

❶
- 분모가 2일 때: 만들 수 없다.
- 분모가 5일 때: $\square$
- 분모가 8일 때: $\square$, $\square$

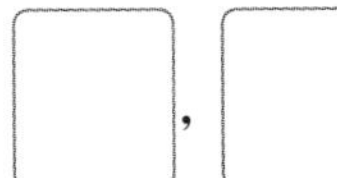

전략 ❶에서 구한 분수 중 분모와 분자의 공약수가 1뿐인 분수를 찾자.

❷ 기약분수: $\square$, $\square$

답 ______________

쌍둥이 문제 6-1

3장의 수 카드 중에서 2장을 뽑아 한 번씩만 사용하여 진분수를 만들려고 합니다./
만들 수 있는 진분수 중/ 기약분수를 모두 구해 보세요.

3  7  9

실행 문제 따라 풀기

❶

❷

답 ______________

수학 사고력 키우기

기약분수로 나타내기

연계학습 084쪽

대표 문제 1 우진이네 반은 남학생이 21명, 여학생이 14명입니다./
여학생은 우진이네 반 전체 학생의 몇 분의 몇인지/
기약분수로 나타내어 보세요.

구하려는 것은? 여학생은 우진이네 반 전체 학생의 몇 분의 몇인지 [　　　] 로 나타내기

주어진 것은?
- 우진이네 반 남학생 수 : [　　] 명
- 우진이네 반 여학생 수 : [　　] 명

해결해 볼까?

❶ 우진이네 반 전체 학생은 몇 명?

전략 남학생 수와 여학생 수를 더하자.

답 ________________

❷ 여학생은 전체 학생의 몇 분의 몇?

전략 $\frac{(\text{여학생 수})}{(\text{전체 학생 수})}$로 나타내자.

답 ________________

❸ ❷에서 구한 분수를 기약분수로 나타내면?

전략 분모와 분자를 두 수의 최대공약수로 나누자.

답 ________________

쌍둥이 문제 1-1

서아는 흰 바둑돌 45개, 검은 바둑돌 55개를 가지고 있습니다./
흰 바둑돌은 가지고 있는 바둑돌 전체의 몇 분의 몇인지/
기약분수로 나타내어 보세요.

대표 문제 따라 풀기

❶

❷

❸

답 ________________

공통분모가 될 수 있는 수 구하기

연계학습 085쪽

대표 문제 2 $\frac{1}{10}$과 $\frac{4}{15}$를 통분하려고 합니다./
공통분모가 될 수 있는 수 중/ 100보다 작은 수를 모두 구해 보세요.

구하려는 것은? 두 분수의 공통분모가 될 수 있는 수 중 ☐보다 작은 수

주어진 것은? 통분할 두 분수: $\frac{1}{10}$, ☐

해결해 볼까?

❶ 공통분모가 될 수 있는 수 중 가장 작은 수는?

전략 10과 15의 최소공배수를 구하자.

답 ____________

❷ 공통분모가 될 수 있는 수를 작은 수부터 4개 쓰면?

전략 ❶에서 구한 최소공배수의 배수를 구하자.

답 ____________

❸ ❷에서 구한 수 중 100보다 작은 수를 모두 쓰면?

답 ____________

쌍둥이 문제 2-1

$\frac{9}{14}$와 $\frac{16}{21}$을 통분하려고 합니다./
공통분모가 될 수 있는 수 중/ 150보다 작은 수를 모두 구해 보세요.

대표 문제 따라 풀기

❶

❷

❸

답 ____________

4 약분과 통분

분모가 ●인 진분수 중 기약분수 찾기

연계학습 086쪽

대표 문제 3 분모가 10인 진분수 중에서/
기약분수를 모두 찾아/ 분자의 합을 구해 보세요.

구하려는 것은?
분모가 ☐인 진분수 중 기약분수의 분자의 합

어떻게 풀까?
1 분모가 10인 진분수를 구하고,
2 1에서 구한 분수 중 분모와 분자의 공약수가 1뿐인 분수를 찾아, 분자의 합을 구하자.

해결해 볼까?
❶ 분모가 10인 진분수를 모두 구하면?
전략 분자에는 10보다 작은 수를 쓰자.
답 ____________

❷ ❶에서 구한 분수 중에서 기약분수를 모두 찾으면?
전략 ❶에서 구한 분수 중에서 분모와 분자의 공약수가 1뿐인 분수를 찾자.
답 ____________

❸ ❷에서 구한 기약분수의 분자의 합은?
전략 ❷에서 구한 기약분수의 분자를 더하자.
답 ____________

쌍둥이 문제 3-1 분모가 12인 진분수 중에서/
기약분수를 모두 찾아/ 분자의 합을 구해 보세요.

대표 문제 따라 풀기

❶

❷

❸

답 ____________

분모와 분자의 합(차)을 알 때 크기가 같은 분수 구하기

연계학습 087쪽

대표 문제 4

$\frac{3}{8}$과 크기가 같은 분수 중에서/
분모와 분자의 차가 20보다 크고 30보다 작은 분수를 구해 보세요.

구하려는 것은?

$\frac{3}{8}$과 크기가 같은 분수 중에서 분모와 분자의 차가 ☐보다 크고 ☐보다 작은 분수

어떻게 풀까?

1 $\frac{3}{8}$의 **분모와 분자에 각각 0이 아닌 같은 수를 곱하여** 크기가 같은 분수를 구하고

2 1에서 구한 분수의 분모와 분자의 차를 구하여 차가 20보다 크고 30보다 작은 분수를 찾자.

해결해 볼까?

❶ $\frac{3}{8}$과 크기가 같은 분수를 분모가 작은 수부터 5개 쓰면?

전략 $\frac{3}{8}$의 분모와 분자에 각각 2, 3, 4, 5, 6을 곱하자.

답 ____________________

❷ ❶에서 구한 분수 중에서 분모와 분자의 차가 20보다 크고 30보다 작은 분수는?

답 ____________________

쌍둥이 문제 4-1

$\frac{7}{12}$과 크기가 같은 분수 중에서/
분모와 분자의 합이 60보다 크고 80보다 작은 분수를 구해 보세요.

대표 문제 따라 풀기

❶

❷

답 ____________________

●에 알맞은 가장 큰(작은) 자연수 구하기

연계학습 088쪽

대표 문제 5 ●에 알맞은 자연수 중 가장 큰 수를 구해 보세요.

$$\frac{2}{5} < \frac{●}{8} < \frac{7}{10}$$

구하려는 것은?

●에 알맞은 가장 □ 자연수

어떻게 풀까?

1 세 분수를 통분하여 나타내고,
→ 5와 8의 최소공배수를 구하고, 구한 최소공배수와 10의 최소공배수를 구하여, 5, 8, 10의 최소공배수를 구하자.

2 분자끼리 비교하여 ●에 알맞은 가장 큰 자연수를 구하자.

해결해 볼까?

❶ 세 분수를 통분하여 나타내면?

전략 5, 8, 10의 최소공배수 40을 공통분모로 하여 통분하자.

$$\frac{2}{5} < \frac{●}{8} < \frac{7}{10} \rightarrow \frac{\square}{40} < \frac{● \times \square}{40} < \frac{\square}{40}$$

❷ ●에 알맞은 가장 큰 자연수는?

전략 ❶에서 통분한 분수의 분자끼리 비교하자.

답 ______

쌍둥이 문제 5-1

●에 알맞은 자연수 중 가장 작은 수를 구해 보세요.

$$\frac{5}{12} < \frac{●}{16} < \frac{5}{6}$$

대표 문제 따라 풀기

❶

❷

답 ______

수 카드로 진분수 만들기

연계학습 089쪽

대표 문제 6 4장의 수 카드 중에서 2장을 뽑아 한 번씩만 사용하여 진분수를 만들려고 합니다./ 만들 수 있는 진분수 중/ 가장 큰 수를 구해 보세요.

1 5 7 8

구하려는 것은? 4장의 수 카드 중에서 2장을 뽑아 만들 수 있는 진분수 중 가장 ☐ 수

어떻게 풀까?

1 진분수의 분모가 될 수 있는 수를 모두 찾고,
2 분모보다 작은 수를 분자에 놓아 진분수를 모두 만든 다음,
3 2에서 만든 진분수의 크기를 비교하자.

해결해 볼까?

❶ 진분수의 분모가 될 수 있는 수를 모두 쓰면?

전략 진분수는 분자가 분모보다 작은 분수이다. 답 ____________

❷ 만들 수 있는 진분수를 모두 구하면?

전략 ❶에서 구한 수를 분모에 놓고 진분수를 만들자. 답 ____________

❸ ❷에서 구한 분수 중 가장 큰 수는?

전략 분모가 같은 분수는 분자의 크기를 비교하고 분모가 다른 분수는 통분하여 크기를 비교하자. 답 ____________

쌍둥이 문제 6-1 4장의 수 카드 중에서 2장을 뽑아 한 번씩만 사용하여 진분수를 만들려고 합니다./ 만들 수 있는 진분수 중/ 가장 작은 수를 구해 보세요.

대표 문제 따라 풀기

❶

❷

❸

답 ____________

STEP 3

수학 독해력 완성하기

통분하기 전의 기약분수 구하기

독해 문제 1

어떤 두 기약분수를 통분한 것입니다./
통분하기 전의 두 기약분수를 구해 보세요.

$\frac{8}{28}$ $\frac{21}{\square}$

해결해 볼까? ❶ □ 안에 알맞은 수는?

답

❷ 통분하기 전의 두 기약분수는?

전략 분모와 분자의 최대공약수로 약분하자.

답 ,

두 분수 사이에 있는 분수의 개수 구하기

독해 문제 2

$\frac{7}{15}$과 $\frac{5}{9}$ 사이에 있는 분수 중에서/
분모가 90인 분수는 모두 몇 개인가요?

해결해 볼까? ❶ 두 분수를 분모가 90인 분수로 통분하면?

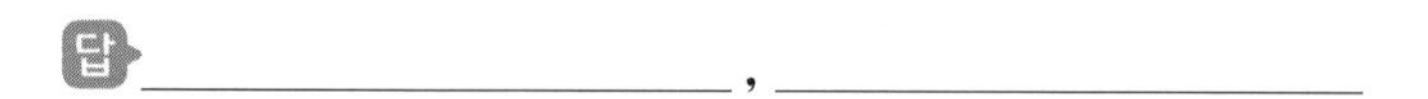
답 ,

❷ ❶에서 구한 두 분수 사이에 있는 분수는 모두 몇 개?

답

조건을 모두 만족하는 분수 찾기

독해 문제 3

[조건]을 모두 만족하는 분수를 찾아 쓰세요.

$\frac{5}{6}$ $\frac{2}{3}$ $\frac{1}{4}$

> **조건**
>
> ㉠ $\frac{1}{2}$보다 큽니다. ㉡ $\frac{5}{7}$보다 작습니다.

해결해 볼까?

❶ ㉠을 만족하는 분수를 모두 찾으면?

전략 > 분모가 다른 분수는 통분하여 크기를 비교하자.

❷ ❶에서 구한 분수 중 ㉡을 만족하는 분수는?

분자(분모)에 수를 더했을 때 크기가 같은 분수 만들기

독해 문제 4

$\frac{9}{20}$의 분자에 36을 더했을 때/
분모에 얼마를 더해야 분수의 크기가 변하지 않나요?

❶ $\frac{9}{20}$의 분자에 36을 더하면 분자는 얼마?

답 ______

❷ $\frac{9}{20}$와 크기가 같은 분수 중 ❶에서 구한 수가 분자인 분수는?

전략 > ❶에서 구한 수가 분자 9의 몇 배인지 구하자.

❸ ❷에서 구한 분수가 되려면 $\frac{9}{20}$의 분모에 얼마를 더해야 하나요?

STEP 3

{ 수학 독해력 완성하기 }

●에 알맞은 가장 큰(작은) 자연수 구하기

연계학습 094쪽

독해 문제 5

●에 알맞은 자연수 중 가장 큰 수를 구해 보세요.

$$\frac{2}{5}<\frac{4}{●}<\frac{8}{11}$$

구하려는 것은? ●에 알맞은 자연수 중 가장 □ 수

주어진 것은? 세 분수의 크기 비교: 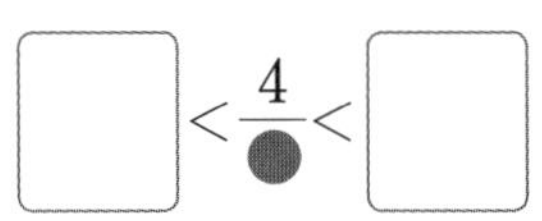

$$\square<\frac{4}{●}<\square$$

어떻게 풀까?

1 세 분수의 분자 2, 4, 8을 **최소공배수인 8**로 분자를 같게 만들고

➔ **세 분수의 분모를 통분할 수 없으므로 분자를 같게 만든 후 크기를 비교한다.**

2 분모의 크기를 비교하여 ●에 알맞은 자연수 중 가장 큰 수를 구하자.

➔ **분자가 같을 때에는 분모가 작을수록 큰 분수이다.**

해결해 볼까?

❶ 세 분수의 분자를 같게 나타내면?

$$\frac{2}{5}<\frac{4}{●}<\frac{8}{11} \rightarrow \frac{8}{\square}<\frac{8}{●\times\square}<\frac{8}{11}$$

❷ ●에 알맞은 자연수를 모두 구하면?

답 

❸ ●에 알맞은 가장 큰 자연수는?

답 

수 카드로 진분수 만들기

연계학습 095쪽

독해 문제 6

4장의 수 카드 중에서 2장을 뽑아 한 번씩만 사용하여 진분수를 만들려고 합니다./ 만들 수 있는 진분수 중/ $\frac{1}{2}$보다 큰 분수는 모두 몇 개인가요?

2　3　8　9

구하려는 것은? 만들 수 있는 진분수 중 $\frac{1}{2}$보다 □ 분수의 개수

주어진 것은?
- 수 카드: 2, 3, □, □
- 2장을 뽑아 한 번씩만 사용

어떻게 풀까?
1 진분수의 분모가 될 수 있는 수를 모두 찾고,
2 분모보다 작은 수를 분자에 놓아 진분수를 모두 만든 다음,
3 2에서 만든 분수와 $\frac{1}{2}$의 크기를 비교하자.

➔ **분자를 2배 한 수가 분모보다 크면 $\frac{1}{2}$보다 큰 수**

해결해 볼까?

❶ 진분수의 분모가 될 수 있는 수를 모두 찾으면?

답

❷ 만들 수 있는 진분수를 모두 구하면?

답

❸ ❷에서 구한 분수 중 $\frac{1}{2}$보다 큰 수는 모두 몇 개?

답

4 약분과 통분

STEP 4

창의·융합·코딩 체험하기

코딩 1 화살표 방향으로 이동하면서 [규칙]에 따라 빈칸에 알맞은 수를 써넣으세요.

[규칙]
- (물결 오른쪽 화살표): 분모와 분자를 각각 3으로 나누기
- (물결 왼쪽 화살표): 분모와 분자에 각각 5를 곱하기
- (위쪽 화살표): 분모와 분자를 각각 4로 나누기
- (아래쪽 화살표): 분모와 분자에 각각 2를 곱하기

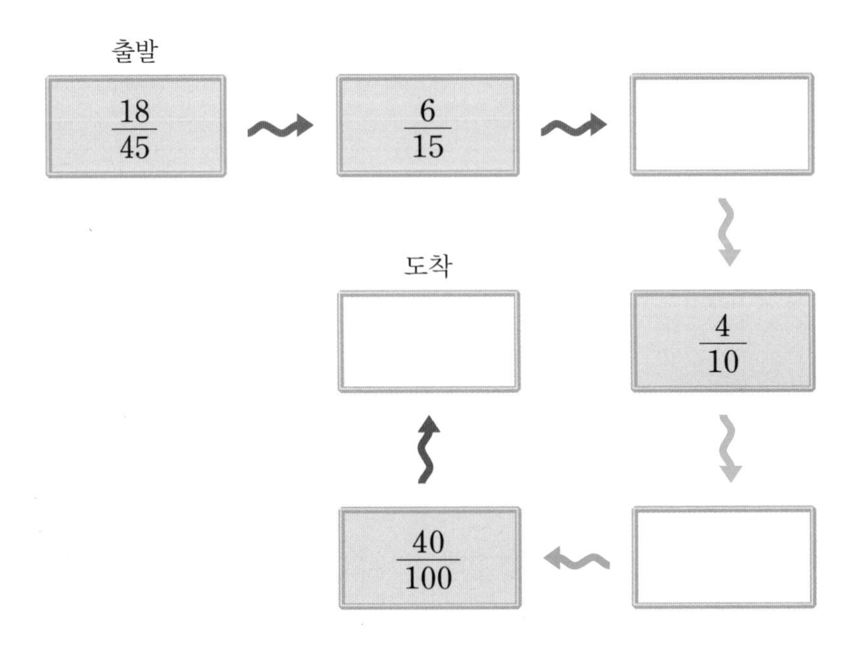

코딩 2 한글 버튼을 누르면 [규칙]에 따라 수가 바뀝니다./
주어진 수에서 시작하여 다음과 같이 수가 바뀌려면/
어느 한글 버튼을 눌러야 하는지 빈칸에 알맞게 써넣으세요.

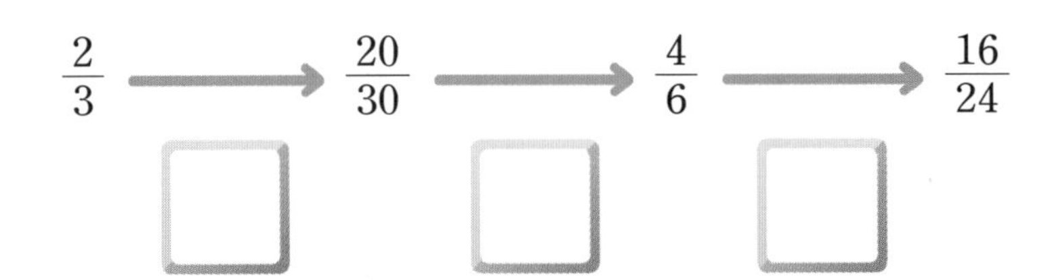

4 약분과 통분

24절기 중 하지는 낮이 가장 길고 밤이 가장 짧은 날입니다./
어느 해 하지의 해가 뜬 시각과 해가 진 시각입니다./
낮의 길이는 하루의 몇 분의 몇인지 기약분수로 나타내어 보세요.

해가 뜬 시각	오전 5시
해가 진 시각	오후 8시

답

두 분수를 통분하려고 합니다./
사다리를 따라 내려가 공통분모가 될 수 있는 수 중에서/
가장 작은 수를 빈칸에 써넣으세요.

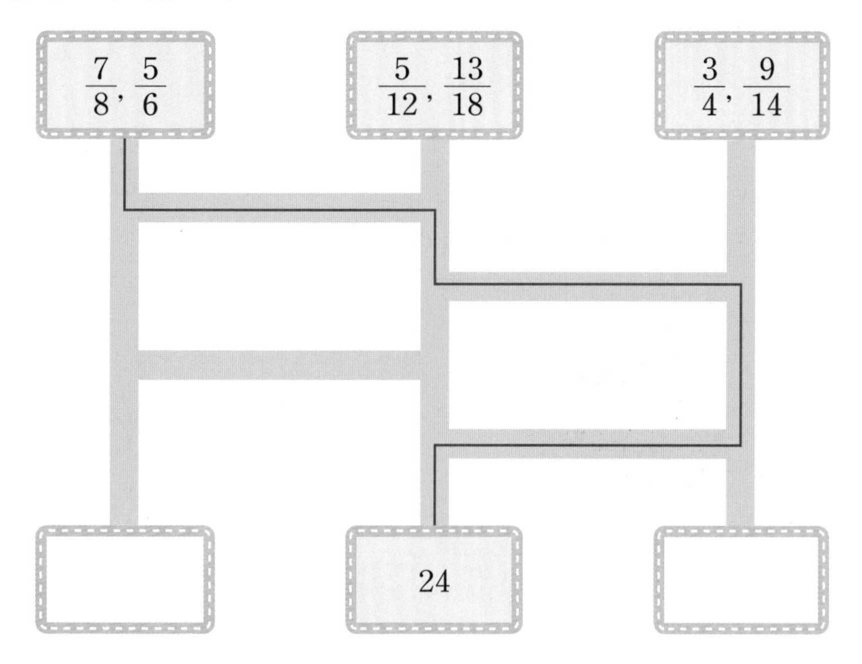

창의·융합·코딩 체험하기

창의 5 갈림길에서/ 더 큰 수를 찾아 길을 따라갈 때/ 만나는 동물의 이름을 써 보세요.

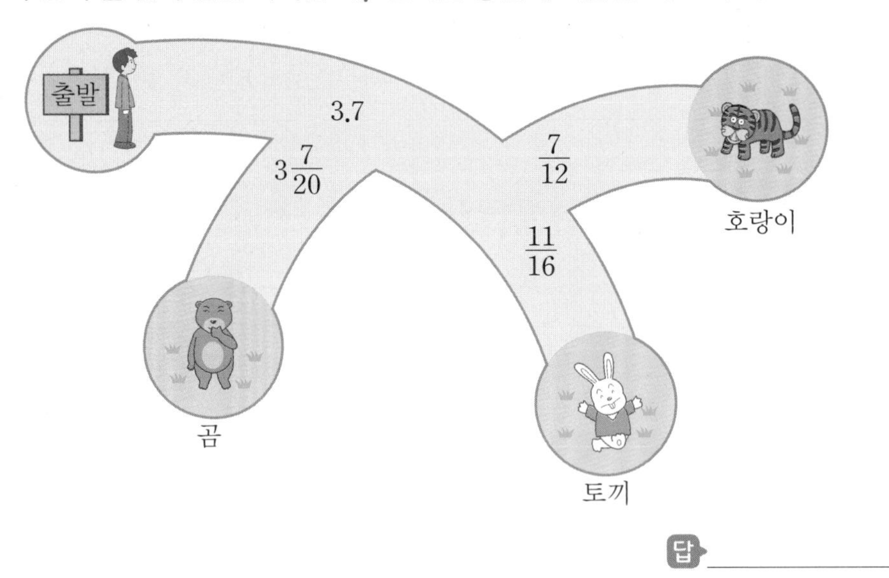

답 ____________________

창의 6 세 사람이 똑같은 피자를 다음과 같이 잘라 각각 1조각씩 남기고 먹었습니다./ 피자를 많이 먹은 사람부터 차례로 이름을 써 보세요.

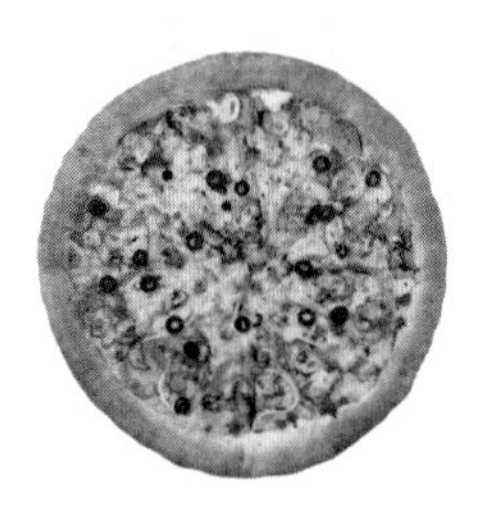

소정: 피자를 똑같이 8조각으로 나누었어.
정수: 피자를 똑같이 6조각으로 나누었어.
주현: 피자를 똑같이 10조각으로 나누었어.

답 ____________________

격자 암호의 해독방법은/ 격자 암호의 색칠한 부분과 위치가 일치하는 해독판의 숫자와 글자를/ 위에서부터 적어서 나열하면 평문으로 해독할 수 있습니다./
다음 격자 암호를 평문으로 해독하고 평문의 내용에 따라 계산해 보세요.

해독판에 격자 암호의 색칠한 부분과 똑같이 색칠하고 색칠한 부분에 쓰여진 숫자와 글자를 나열하여 평문을 구해~

격자 암호

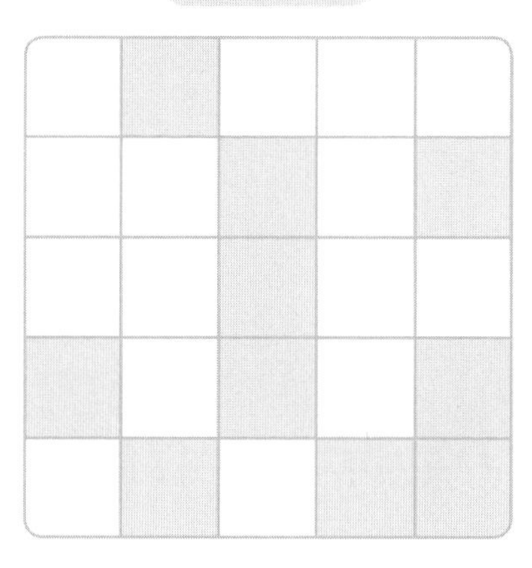

해독판

9	8	7	6	5
을	를	분	하	의
4	3	2	1	0
를	통	약	에	분
보	하	분	세	요

피타고라스는 두 음의 진동수를 각각 분모와 분자로 하는 진분수를 만들어 기약분수로 나타내었을 때/ 분모와 분자가 모두 7보다 작으면 두 음은 잘 어울리고,/ 그렇지 않으면 잘 어울리지 않는다고 생각했습니다./
피타고라스의 생각을 이용하면 '파'와 '라'는 잘 어울리는 음인가요?

각 음의 진동수

음	도	레	미	파	솔	라	시
진동수	264	297	330	352	396	440	495

(잘 어울리는 음 , 잘 어울리지 않는 음)

종합평가

실전 마무리 하기

맞힌 문제 수

개 / 10개

분모가 ●인 크기가 같은 분수 구하기

1 $\frac{32}{48}$와 크기가 같은 분수 중에서 분모가 6인 분수를 구해 보세요.

답 ______________

분수와 소수의 크기 비교하기

2 지수네 집에서 우체국까지는 $1\frac{5}{7}$ km이고, 도서관까지는 1.7 km입니다. 지수네 집에서 더 가까운 곳은 어디인가요?

답 ______________

기약분수로 나타내기 090쪽

3 수희네 학교 5학년 전체 학생은 168명이고 이 중에서 남학생은 90명입니다. 여학생은 5학년 전체 학생의 몇 분의 몇인지 기약분수로 나타내어 보세요.

답 ______________

공통분모가 될 수 있는 수 구하기 091쪽

4 $\frac{5}{9}$와 $\frac{7}{12}$을 통분하려고 합니다. 공통분모가 될 수 있는 수 중 100보다 작은 수는 모두 몇 개인가요?

풀이

답 ____________

분모가 ●인 진분수 중 기약분수 찾기 092쪽

5 분모가 15인 진분수 중에서 기약분수를 모두 찾아 분자의 합을 구해 보세요.

답 ____________

통분하기 전의 기약분수 구하기 096쪽

6 어떤 두 기약분수를 통분한 것입니다. 통분하기 전의 두 기약분수를 구해 보세요.

$\frac{25}{\square}$ $\frac{12}{40}$

답 ____________, ____________

분모와 분자의 합(차)을 알 때 크기가 같은 분수 구하기 093쪽

7 $\frac{5}{11}$와 크기가 같은 분수 중에서 분모와 분자의 차가 30보다 크고 40보다 작은 분수를 구해 보세요.

●에 알맞은 가장 큰(작은) 자연수 구하기 094쪽

8 ●에 알맞은 자연수 중에서 가장 큰 수를 구해 보세요.

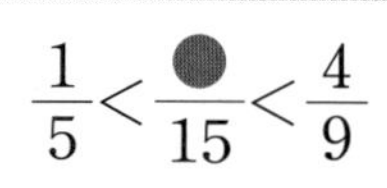

풀이

답

분자(분모)에 수를 더했을 때 크기가 같은 분수 만들기 097쪽

9 $\frac{7}{8}$의 분모에 32를 더했을 때 분자에 얼마를 더해야 분수의 크기가 변하지 않나요?

답

수 카드로 진분수 만들기 095쪽

10 3장의 수 카드 중에서 2장을 뽑아 한 번씩만 사용하여 진분수를 만들려고 합니다. 만들 수 있는 진분수 중 가장 큰 수를 소수로 나타내어 보세요.

답

5 분수의 덧셈과 뺄셈

FUN 한 이야기

매쓰 FUN 생활 속 수학 이야기

다은이는 병원에 갔다 학교에 가려고 해요./
집에서 학교까지 가는 거리가 1 km가 안 되면 걸어가고,/
1 km가 넘으면 킥보드를 타고 가려고 해요./
다은이는 집에서 학교까지 어느 방법으로 가야 할까요?

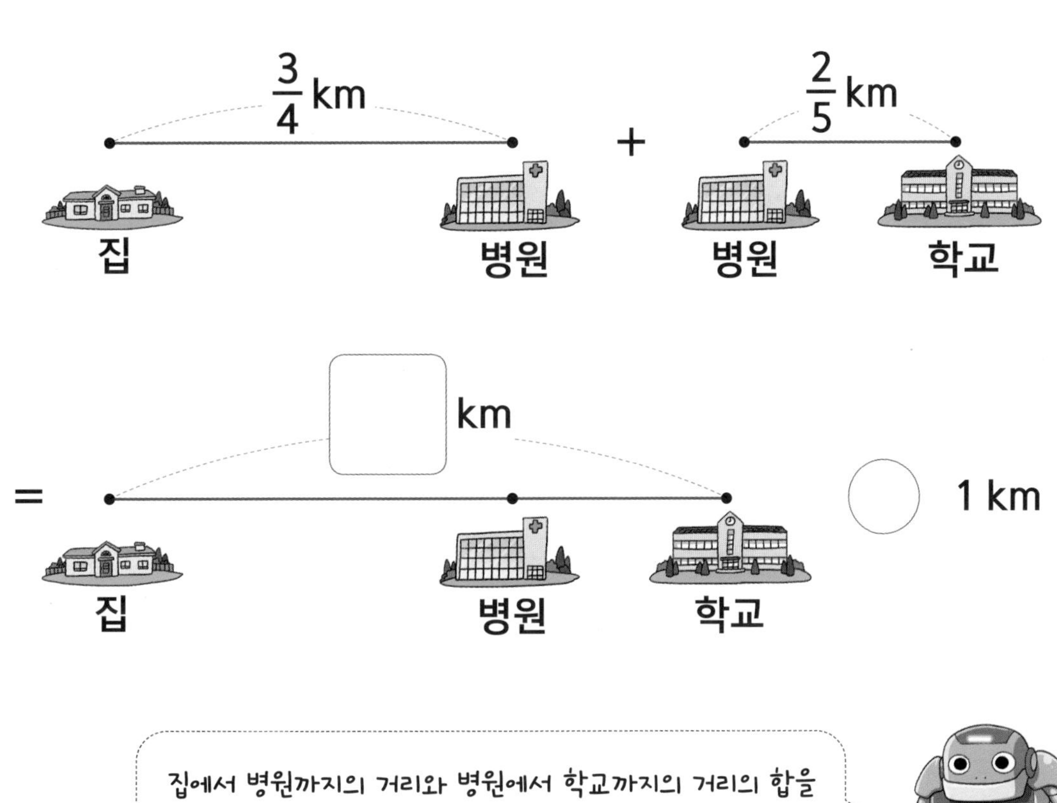

____

문제 해결력 기르기

① 합을 구하여 방법 찾기

선행 문제 해결 전략

예 집에서 병원을 거쳐 약국까지 가는 거리 구하기

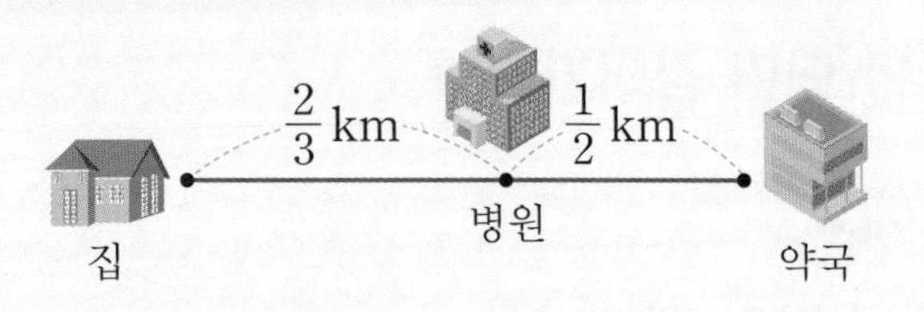

(집~병원~약국)
=(집~병원)+(병원~약국)
$=\frac{2}{3}+\frac{1}{2}=\frac{4}{6}+\frac{3}{6}=\frac{7}{6}=1\frac{1}{6}$ (km)

~를 거쳐서 가는 거리는 덧셈식을 만들어 구하자.

선행 문제 1

집에서 서점을 거쳐 도서관까지 가는 거리는 몇 km인가요?

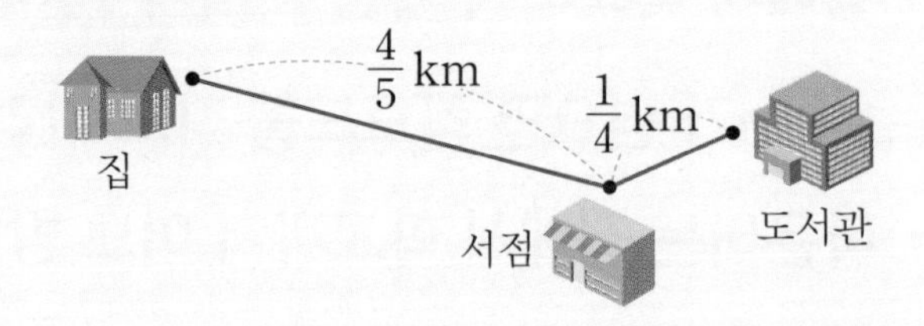

풀이 (집에서 서점을 거쳐 도서관까지 가는 거리)
=(집~서점)+(서점~도서관)
$=\frac{4}{5}+\square=\frac{\square}{20}=\square$ (km)

실행 문제 1

지우는 집에서 문방구를 거쳐 학교까지 가려고 합니다./
가는 거리가 1 km가 넘으면 버스를 타려고 할 때, 지우는 버스를 탈 수 있을까요? 없을까요?

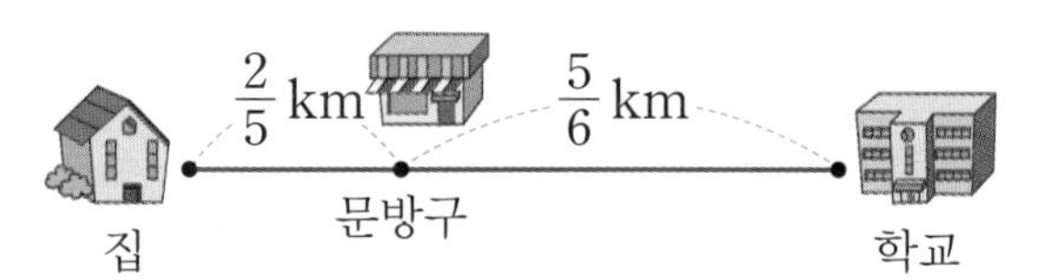

전략 (집~문방구)+(문방구~학교)

❶ (집에서 문방구를 거쳐 학교까지 가는 거리)
$=\frac{2}{5}+\square=\frac{\square}{30}=\square$ (km)

❷ ❶에서 구한 수와 1의 크기 비교:
$\square$ ◯ 1이므로
버스를 탈 수 (있다 , 없다).

답 ____________

쌍둥이 문제 1-1

딸기를 정아는 $\frac{1}{2}$ kg 땄고,/ 수호는 $\frac{5}{8}$ kg 땄습니다./ 두 사람이 딴 딸기의 양이 1 kg이 넘으면 상자에 담으려고 합니다./
두 사람이 딴 딸기는 상자에 담을 수 있을까요? 없을까요?

실행 문제 따라 풀기

❶

❷

답 ____________

② 남은 부분은 전체의 얼마인지 분수로 나타내기

선행 문제 해결 전략

예 밭 전체의 $\frac{3}{5}$만큼 배추를 심을 때 배추를 심고 남은 밭은 전체의 몇 분의 몇인지 구하기

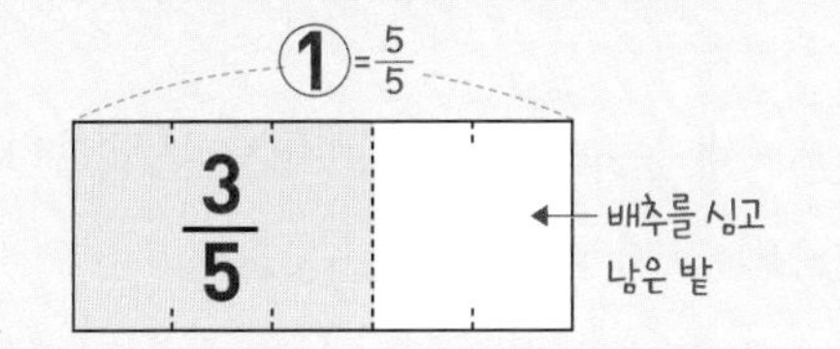

밭 전체를 **1**로 생각하여 계산하자.

(남은 밭)=1−(배추를 심은 밭)

$=1-\frac{3}{5}=\frac{5}{5}-\frac{3}{5}=\frac{2}{5}$

1을 분모가 5인 분수로 바꾸어 분모는 그대로 두고 분자끼리 뺀다.

선행 문제 2

케이크 한 개를 전체의 $\frac{5}{8}$만큼 먹었습니다. 남은 케이크는 전체의 몇 분의 몇인가요?

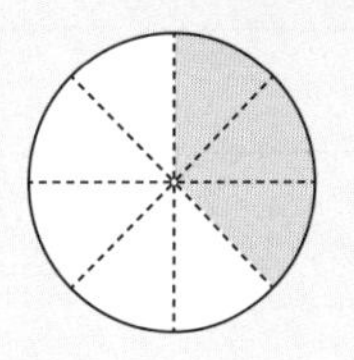

풀이 전체를 □이라 하면

(남은 케이크의 양)

=□−(먹은 케이크의 양)

$=\square-\frac{5}{8}$

$=\square-\frac{5}{8}=\square$

실행 문제 2

동화책을 어제까지 전체의 $\frac{2}{9}$를 읽고,/

오늘은 전체의 $\frac{1}{6}$을 읽었습니다./

오늘까지 읽고 남은 양은 전체의 몇 분의 몇인가요?

전략 (어제까지 읽은 양)+(오늘 읽은 양)

❶ 오늘까지 읽은 양 :

전체의 $\frac{2}{9}+\square=\square$

전략 1−(오늘까지 읽은 양)

❷ 오늘까지 읽고 남은 양 :

전체의 $1-\square=\square$

답 ______________

쌍둥이 문제 2-1

피자 한 판을 지은이는 전체의 $\frac{2}{3}$를 먹고,/

동생은 전체의 $\frac{1}{4}$을 먹었습니다./

두 사람이 먹고 남은 양은 전체의 몇 분의 몇인가요?

실행 문제 따라 풀기

❶

❷

답 ______________

문제 해결력 기르기

③ 크기를 비교하여 차 구하기

선행 문제 해결 전략

• 분자가 분모보다 1 작은 분수의 크기 비교하기

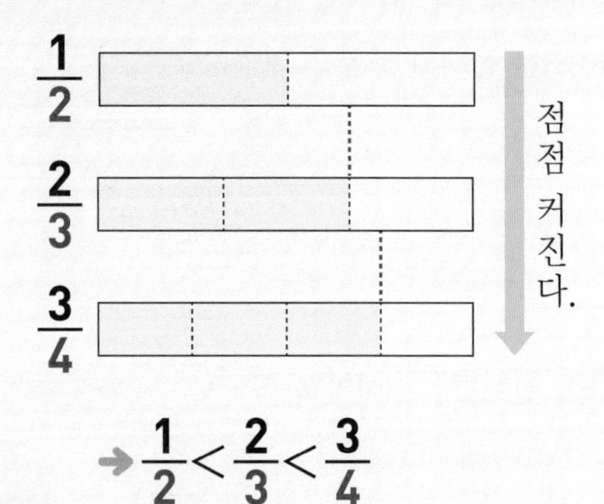

➜ $\frac{1}{2}<\frac{2}{3}<\frac{3}{4}$

분자가 분모보다 1 작은 분수는 분모가 클수록 큰 분수야.

선행 문제 3

가장 큰 분수와 가장 작은 분수를 구해 보세요.

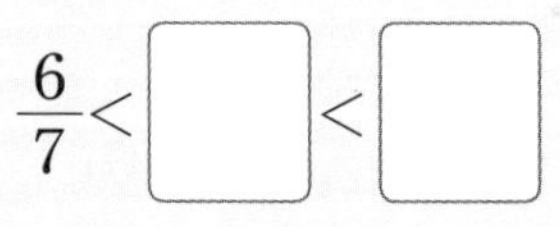

풀이 세 분수는 모두 분자가 분모보다 1 작다.

분모의 크기 비교: 7<☐<☐

분모가 클수록 큰 분수이므로

$\frac{6}{7}$<☐<☐

➜ 가장 큰 분수: ☐

가장 작은 분수: ☐

실행 문제 3

빨간색 끈 $\frac{7}{8}$ m, 파란색 끈 $\frac{3}{4}$ m, 노란색 끈 $\frac{5}{6}$ m가 있습니다./

가장 긴 끈과 가장 짧은 끈의 길이의 차는 몇 m인가요?

전략 $\frac{7}{8}$, $\frac{3}{4}$, $\frac{5}{6}$는 분자가 분모보다 1 작은 분수이다.

❶ 끈의 길이의 분모의 크기를 비교하면

4<6<☐이므로

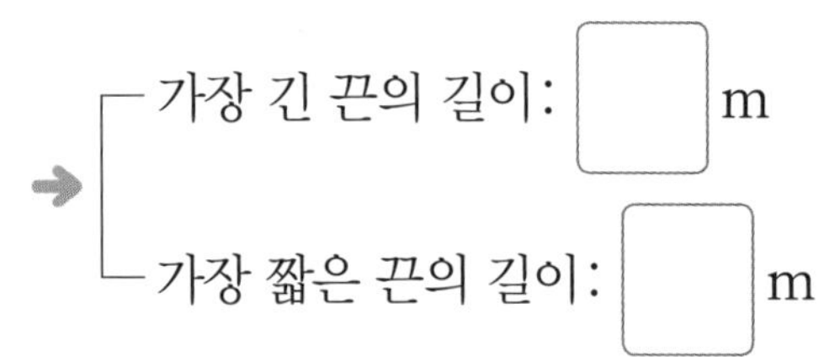

➜ 가장 긴 끈의 길이: ☐ m

가장 짧은 끈의 길이: ☐ m

전략 (가장 긴 끈의 길이)−(가장 짧은 끈의 길이)

❷ 길이의 차: ☐−☐=☐(m)

답 ______

쌍둥이 문제 3-1

주스를 지훈이는 $\frac{6}{7}$ L, 정호는 $\frac{1}{2}$ L, 수지는 $\frac{8}{9}$ L 마셨습니다./

마신 주스의 양이 가장 많은 것과 가장 적은 것의 차는 몇 L인가요?

실행 문제 따라 풀기

❶

❷

답 ______

바르게 계산한 값 구하기

선행 문제 해결 전략

• 어떤 수를 □라 하여 식 세우기

예 **어떤 수**에 $\frac{4}{15}$를 더했더니 $\frac{2}{3}$가 되었다.

$\square + \frac{4}{15} = \frac{2}{3}$

예 **어떤 수**에서 $\frac{1}{10}$을 뺐더니 $\frac{5}{6}$가 되었다.

$\square - \frac{1}{10} = \frac{5}{6}$

덧셈과 뺄셈의 관계를 이용하면 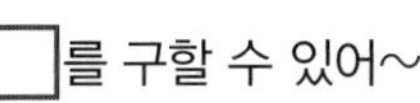
□를 구할 수 있어~

선행 문제 4

어떤 수를 □라 하여 식을 세워 보세요.

(1) 어떤 수에 $\frac{9}{20}$를 더했더니 $\frac{5}{8}$가 되었습니다.

식 ______________________

(2) 어떤 수에서 $\frac{8}{15}$을 뺐더니 $\frac{4}{9}$가 되었습니다.

식 ______________________

실행 문제 4

어떤 수에서 $2\frac{3}{4}$을 빼야 할 것을/ 잘못하여 더했더니 $8\frac{3}{8}$이 되었습니다./
바르게 계산한 값을 구해 보세요.

❶ 어떤 수를 □라 하여 잘못 계산한 식 세우기:

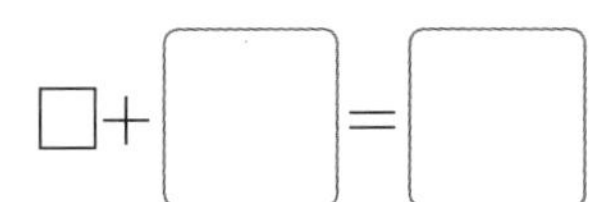

□+□=□

전략 ❶의 식을 뺄셈식으로 나타내어 □의 값을 구하자.

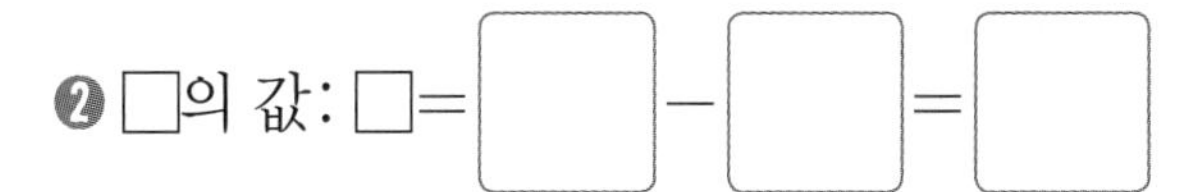

❷ □의 값: □=□−□=□

전략 (어떤 수)$-2\frac{3}{4}$

❸ 바르게 계산한 값: $\square - 2\frac{3}{4} = \square$

답 ______________________

쌍둥이 문제 4-1

어떤 수에 $1\frac{1}{5}$을 더해야 할 것을/ 잘못하여 뺐더니 $4\frac{3}{10}$이 되었습니다./
바르게 계산한 값을 구해 보세요.

실행 문제 따라 풀기

❶

❷

❸

답 ______________________

문제 해결력 기르기

5 겹친 부분이 있을 때 전체 길이(거리) 구하기

선행 문제 해결 전략

- 전체 길이 구하기

예 겹친 부분이 없는 경우

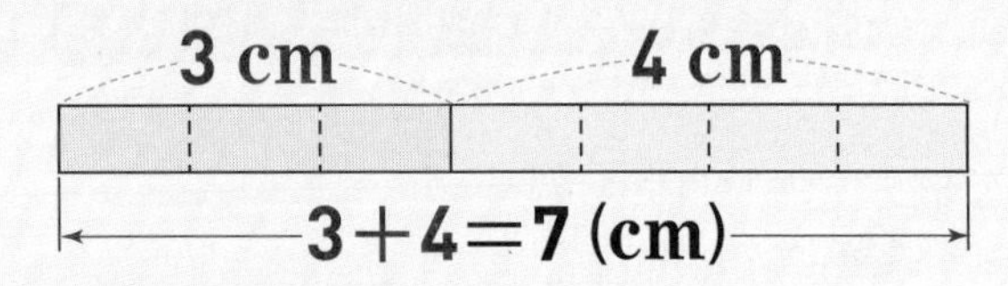

예 겹친 부분이 있는 경우

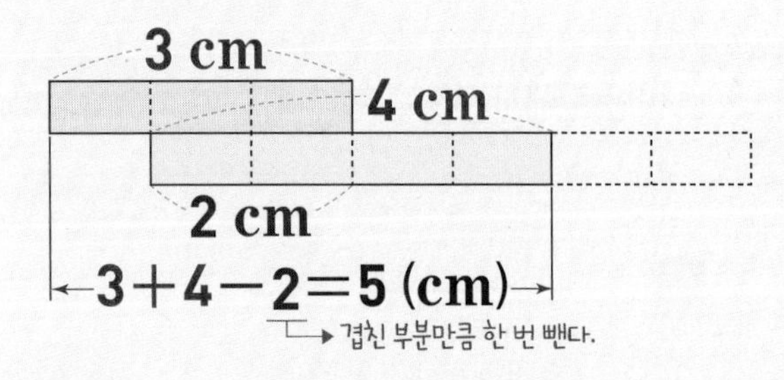

겹친 부분은 두 번 더해지므로
두 길이의 합에서 겹친 부분의 길이를 한 번 빼~

선행 문제 5

길이가 50 cm인 색 테이프 2장을 30 cm가 겹치게 이어 붙였습니다. 이어 붙인 색 테이프의 전체 길이는 몇 cm인가요?

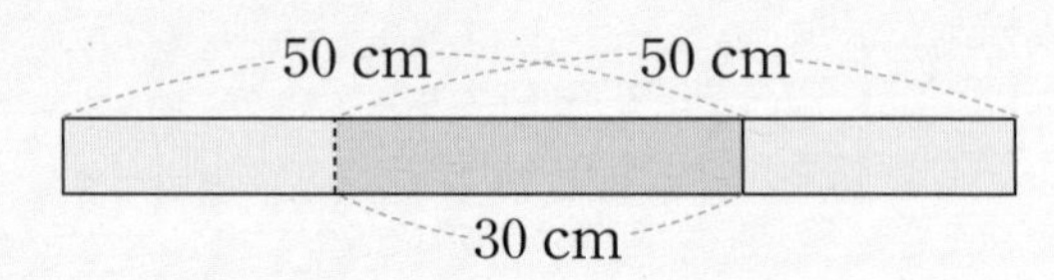

풀이 (색 테이프 2장의 길이의 합)

$=50+\square=\square$ (cm)

(이어 붙인 색 테이프의 전체 길이)

=(색 테이프 2장의 길이의 합)

−(겹친 부분의 길이)

$=\square-30$

$=\square$ (cm)

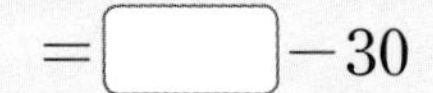

실행 문제 5

길이가 $1\frac{3}{5}$ m인 색 테이프 2장을/

$\frac{1}{6}$ m가 겹치게 이어 붙였습니다./

이어 붙인 색 테이프의 전체 길이는 몇 m인가요?

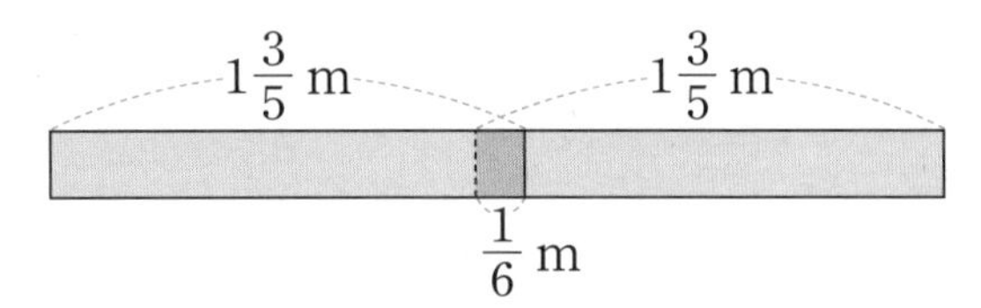

❶ (색 테이프 2장의 길이의 합)

$=1\frac{3}{5}+\square=\square$ (m)

전략 (❶에서 구한 길이)−(겹친 부분의 길이)

❷ (이어 붙인 색 테이프의 전체 길이)

$=\square-\frac{1}{6}=\square$ (m)

답 ______

쌍둥이 문제 5-1

길이가 다른 색 테이프 2장을/

$\frac{1}{12}$ m가 겹치게 이어 붙였습니다./

이어 붙인 색 테이프의 전체 길이는 몇 m인가요?

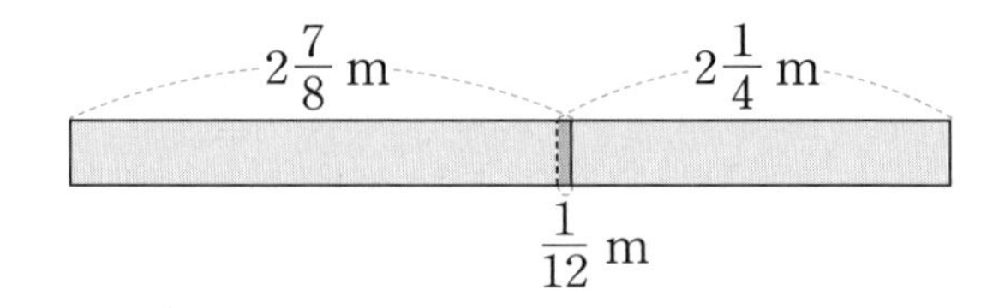

실행 문제 따라 풀기

❶

❷

답 ______

6 수 카드로 대분수를 만들어 계산하기

선행 문제 해결 전략

• 수 카드를 한 번씩만 사용하여 대분수 만들기

대분수는 자연수 부분이 클수록 큰 분수야.

1 2 3

예 가장 큰 대분수: $3\frac{1}{2}$ ← 남은 두 수로 진분수 만들기

(3: 가장 큰 수)

예 가장 작은 대분수: $1\frac{2}{3}$ ← 남은 두 수로 진분수 만들기

(1: 가장 작은 수)

선행 문제 6

수 카드를 한 번씩만 사용하여 대분수를 만들려고 합니다. 물음에 답하세요.

1 4 7

(1) 가장 큰 대분수를 만들어 보세요.

풀이 가장 큰 수가 □이므로

가장 큰 대분수: $\square\frac{\square}{\square}$

(2) 가장 작은 대분수를 만들어 보세요.

풀이 가장 작은 수가 □이므로

가장 작은 대분수: $\square\frac{\square}{\square}$

실행 문제 6

수 카드 2, 3, 4를 한 번씩만 사용하여 대분수를 만들려고 합니다./
만들 수 있는 가장 큰 대분수와 가장 작은 대분수의 합을 구해 보세요.

전략 자연수 부분에 가장 큰 수를 놓고 남은 두 수로 진분수를 만들자.

❶ 만들 수 있는 가장 큰 대분수: $\square\frac{\square}{\square}$

전략 자연수 부분에 가장 작은 수를 놓고 남은 두 수로 진분수를 만들자.

❷ 만들 수 있는 가장 작은 대분수: $\square\frac{\square}{\square}$

❸ 두 대분수의 합: □ + □ = □

답 ____________

쌍둥이 문제 6-1

수 카드 5, 6, 9를 한 번씩만 사용하여 대분수를 만들려고 합니다./
만들 수 있는 가장 큰 대분수와 가장 작은 대분수의 차를 구해 보세요.

실행 문제 따라 풀기

❶

❷

❸

답 ____________

수학 사고력 키우기

합을 구하여 방법 찾기

연계학습 110쪽

대표 문제 1 현서네 집에서 할머니 댁에 가려면 보건소를 지나야 합니다./
현서네 집에서 할머니 댁까지 가는 거리가 3 km가 안 되면 자전거를 타고,/
3 km가 넘으면 버스를 타고 가려고 합니다./
현서네 집에서 할머니 댁까지 갈 때, 어느 것을 타야 할까요?

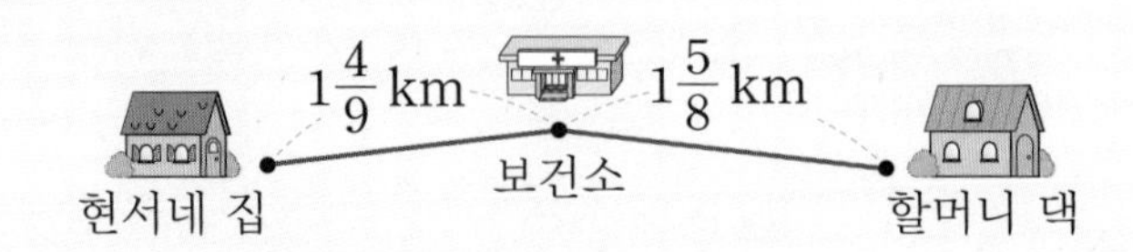

구하려는 것은? 현서네 집에서 ☐를 지나 할머니 댁까지 갈 때, 탈 것

주어진 것은?
- 현서네 집~보건소: ☐ km
- 보건소~할머니 댁: ☐ km

해결해 볼까?

❶ 현서네 집에서 보건소를 지나 할머니 댁까지 가는 거리는 몇 km?

전략 (현서네 집~보건소)+(보건소~할머니 댁)

답 ______________

❷ 자전거와 버스 중 타야 할 것은?

전략 ❶에서 구한 거리와 3 km를 비교하자.

답 ______________

쌍둥이 문제 1-1

감자를 준수는 $2\frac{7}{12}$ kg 캤고, 우진이는 $2\frac{5}{6}$ kg 캤습니다./
두 사람이 캔 감자의 양이 5 kg이 안 되면 봉지에 담고,/ 5 kg이 넘으면 상자에 담으려고 합니다./ 두 사람이 캔 감자는 어디에 담아야 할까요?

대표 문제 따라 풀기

❶

❷

답 ______________

남은 부분은 전체의 얼마인지 분수로 나타내기

연계학습 111쪽

대표 문제 2

학급문고에 위인전, 동화책, 동시집이 있습니다./
위인전은 전체의 $\frac{3}{10}$, 동화책은 전체의 $\frac{1}{4}$입니다./
나머지는 모두 동시집이라면 동시집은 전체의 몇 분의 몇인가요?

구하려는 것은? 동시집은 전체의 몇 분의 몇

주어진 것은?
- 위인전: 전체의 ☐
- 동화책: 전체의 ☐

해결해 볼까?

❶ 위인전과 동화책은 전체의 몇 분의 몇인지 구하면?

전략 (위인전의 양)+(동화책의 양)

답 ____________

❷ 동시집은 전체의 몇 분의 몇인지 구하면?

전략 책 전체가 1이므로 1−(❶에서 구한 분수)로 구하자.

답 ____________

쌍둥이 문제 2-1

채소밭 전체의 $\frac{3}{8}$에는 오이를 심고, 전체의 $\frac{7}{12}$에는 고추를 심었습니다./
남은 부분에 모두 호박을 심었다면 호박을 심은 부분은 전체의 몇 분의 몇인가요?

대표 문제 따라 풀기

❶

❷

답 ____________

크기를 비교하여 차 구하기

연계학습 112쪽

대표 문제 3 귤 따기 체험을 가서 귤을 주희는 $1\frac{2}{3}$ kg, 진호는 $2\frac{1}{2}$ kg, 서아는 $1\frac{4}{5}$ kg 땄습니다./ 딴 귤의 무게가 가장 무거운 것과 가장 가벼운 것의 차는 몇 kg인가요?

구하려는 것은? 딴 귤의 무게가 가장 무거운 것과 가장 가벼운 것의 □

주어진 것은?

- 주희가 딴 귤의 무게: $1\frac{2}{3}$ kg
- 진호가 딴 귤의 무게: □ kg
- 서아가 딴 귤의 무게: □ kg

해결해 볼까?

❶ 딴 귤의 무게가 가장 무거운 것은 몇 kg?

전략 세 대분수의 자연수 부분을 비교하자.

답 ______

❷ 딴 귤의 무게가 가장 가벼운 것은 몇 kg?

전략 대분수의 자연수 부분이 같으면 분수 부분을 비교하자.

답 ______

❸ 딴 귤의 무게가 가장 무거운 것과 가장 가벼운 것의 차는 몇 kg?

답 ______

쌍둥이 문제 3-1

철사를 세연이는 $2\frac{7}{8}$ m, 찬호는 $3\frac{1}{2}$ m, 정아는 $2\frac{5}{6}$ m 가지고 있습니다./ 가장 긴 철사와 가장 짧은 철사의 길이의 차는 몇 m인가요?

대표 문제 따라 풀기

❶

❷

❸

답 ______

바르게 계산한 값 구하기

연계학습 113쪽

대표 문제 4 우석이가 어떤 수에서 $2\frac{1}{3}$을 빼야 할 것을/ 잘못하여 더했더니 $5\frac{5}{9}$가 되었습니다./ 바르게 계산한 값을 구해 보세요.

구하려는 것은? 바르게 계산한 값

어떻게 풀까?

1 어떤 수를 □라 하여 잘못 계산한 덧셈식을 세우고 2 어떤 수를 구한 다음,

3 어떤 수에서 $2\frac{1}{3}$을 빼서 바르게 계산한 값을 구하자.

해결해 볼까?

❶ 어떤 수를 □라 하여 잘못 계산한 식을 세우면?

❷ 어떤 수를 구하면?

전략 ❶의 식을 뺄셈식으로 나타내어 □의 값을 구하자.

❸ 바르게 계산한 값은?

전략 (어떤 수)$-2\frac{1}{3}$

쌍둥이 문제 4-1

정우가 어떤 수에 $3\frac{5}{6}$를 더해야 할 것을/ 잘못하여 뺐더니 $1\frac{7}{12}$이 되었습니다./ 바르게 계산한 값을 구해 보세요.

❶

❷

❸

수학 사고력 키우기

겹친 부분이 있을 때 전체 길이(거리) 구하기

연계학습 114쪽

대표 문제 5 ㉠에서 ㉢까지의 거리는 $\frac{11}{12}$ m이고,/ ㉡에서 ㉣까지의 거리는 $\frac{3}{4}$ m입니다./ ㉡에서 ㉢까지의 거리가 $\frac{5}{8}$ m일 때/ ㉠에서 ㉣까지의 거리는 몇 m인가요?

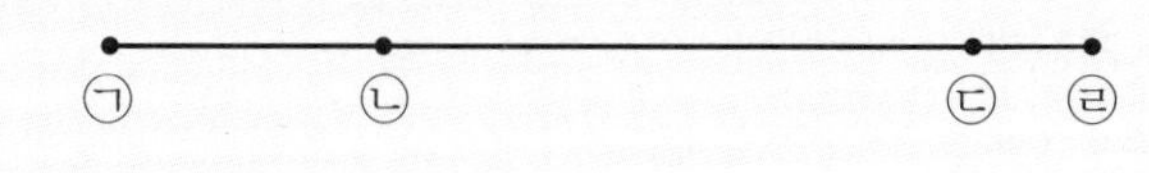

주어진 것은?

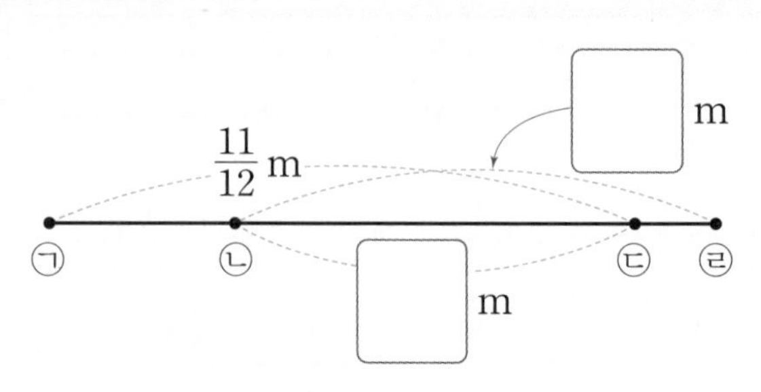

해결해 볼까?

❶ ㉠에서 ㉢까지의 거리와 ㉡에서 ㉣까지의 거리의 합은 몇 m?

답 ______________

❷ ❶에서 두 번 더해진 거리는 몇 m?

답 ______________

❸ ㉠에서 ㉣까지의 거리는 몇 m?

전략 (㉠~㉢)+(㉡~㉣)−(㉡~㉢)

답 ______________

쌍둥이 문제 5-1

㉠에서 ㉢까지의 거리는 $2\frac{3}{10}$ m이고,/ ㉡에서 ㉣까지의 거리는 $1\frac{1}{4}$ m입니다./ ㉡에서 ㉢까지의 거리가 $\frac{4}{5}$ m일 때/ ㉠에서 ㉣까지의 거리는 몇 m인가요?

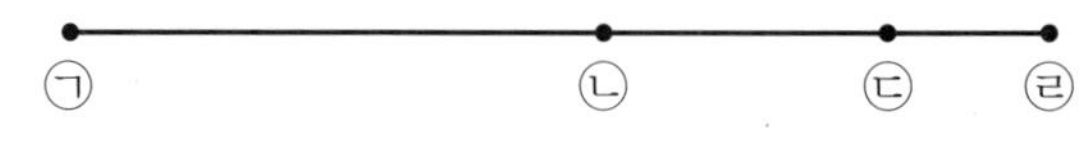

대표 문제 따라 풀기

❶

❷

❸

답 ______________

수 카드로 대분수를 만들어 계산하기

연계학습 115쪽

대표 문제 6

우진이와 민서는 각자 가지고 있는 수 카드를 한 번씩만 사용하여/
가장 큰 대분수를 만들려고 합니다./
두 사람이 각자 만들 수 있는 가장 큰 대분수의 합을 구해 보세요.

우진: 1 3 8 민서: 4 5 7

구하려는 것은?

우진이와 민서가 각자 만들 수 있는 가장 ☐ 대분수의 합

어떻게 풀까?

1 대분수의 자연수 부분에 가장 큰 수를 놓고 남은 두 수로 진분수를 만들어 가장 큰 대분수를 각자 만들고 2 두 사람이 만든 대분수의 합을 구하자.

해결해 볼까?

❶ 우진이가 만들 수 있는 가장 큰 대분수는?

전략 자연수 부분에 가장 큰 수를 놓자.

답 ______

❷ 민서가 만들 수 있는 가장 큰 대분수는?

답 ______

❸ 두 사람이 각자 만들 수 있는 가장 큰 대분수의 합은?

답 ______

쌍둥이 문제 6-1

정희와 준서는 각자 가지고 있는 수 카드를 한 번씩만 사용하여/
가장 작은 대분수를 만들려고 합니다./
두 사람이 각자 만들 수 있는 가장 작은 대분수의 차를 구해 보세요.

정희: 1 4 5 준서: 3 8 9

대표 문제 따라 풀기

❶

❷

❸

답 ______

수학 독해력 완성하기

계산 결과가 가장 크게 되는 식 만들기

독해 문제 1

합이 가장 크게 되는 두 수를 골라 식을 만들고/ 계산해 보세요.

$$4\frac{1}{3} \quad 2\frac{5}{6} \quad 3\frac{4}{9}$$

해결해 볼까?

❶ 가장 큰 수부터 차례로 쓰면?

답

❷ 합이 가장 크게 되는 두 수를 골라 식을 만들고 계산하면?

전략 가장 큰 수와 두 번째로 큰 수를 더하자.

식

얼마나 가까워졌는지 구하기

독해 문제 2

집에서 보건소를 거쳐 학교까지 가는 길이 너무 멀어서 집에서 학교까지 바로 갈 수 있는 길을 새로 만들었습니다./
몇 km가 가까워졌나요?

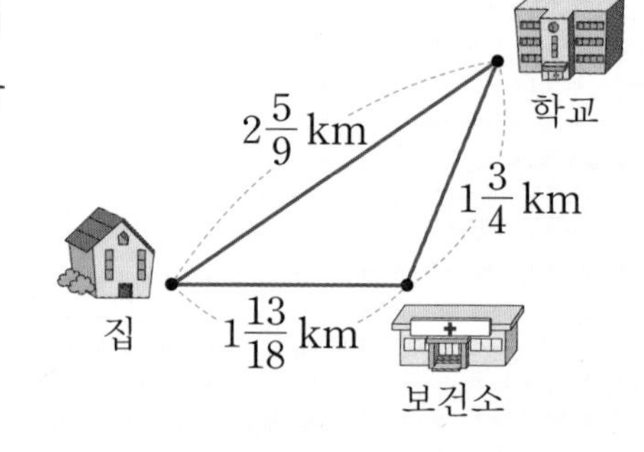

해결해 볼까?

❶ 집에서 보건소를 거쳐 학교까지 가는 길은 몇 km?

답

❷ ❶에서 구한 거리와 새로 만든 길의 거리의 차는 몇 km?

답

❸ 새로 만든 길은 몇 km가 가까워졌나요?

답

빈 통의 무게 구하기

독해 문제 3

물이 들어 있는 통의 무게가 $7\frac{5}{8}$ kg입니다./

들어 있던 물의 반만큼 물을 덜어 내고 무게를 재어 보니 $4\frac{3}{4}$ kg이었습니다./

빈 통의 무게는 몇 kg인가요?

해결해 볼까?

❶ 덜어 낸 물의 무게는 몇 kg?

답 ____________

❷ 빈 통의 무게는 몇 kg?

전략 (덜어 낸 물의 무게)=(덜어 낸 후 남은 물의 무게)

키가 가장 큰 나무 찾기

독해 문제 4

밤나무의 키는 $5\frac{4}{5}$ m이고/ 소나무는 밤나무보다 $1\frac{7}{15}$ m 더 작습니다./

은행나무는 소나무보다 $1\frac{2}{3}$ m 더 클 때/

밤나무, 소나무, 은행나무 중 키가 가장 큰 나무를 구해 보세요.

해결해 볼까?

❶ 소나무의 키는 몇 m?

답 ____________

❷ 은행나무의 키는 몇 m?

답 ____________

❸ 밤나무, 소나무, 은행나무 중 키가 가장 큰 나무는?

답 ____________

수학 독해력 완성하기

남은 부분은 전체의 얼마인지 분수로 나타내기

연계학습 117쪽

독해 문제 5

동화책을 어제까지 전체의 $\frac{7}{12}$을 읽고,/
오늘은 전체의 $\frac{3}{8}$을 읽었습니다./
동화책 전체가 144쪽일 때 오늘까지 읽고 남은 쪽수는 몇 쪽인가요?

구하려는 것은? 동화책을 오늘까지 읽고 남은 쪽수

주어진 것은?
- 어제까지 읽은 양: 전체의 $\frac{7}{12}$
- 오늘 읽은 양: 전체의 ☐
- 동화책 전체 쪽수: ☐쪽

어떻게 풀까?
1 오늘까지 읽은 양은 전체의 얼마인지 구하고
2 오늘까지 읽고 남은 양은 전체의 얼마인지 구한 다음,
3 2에서 구한 분수와 크기가 같은 분수 중 분모가 144인 분수를 만들어 오늘까지 읽고 남은 쪽수를 구하자.

해결해 볼까?

❶ 오늘까지 읽은 양은 전체의 몇 분의 몇인지 구하면?

답 ________

❷ 오늘까지 읽고 남은 양은 전체의 몇 분의 몇인지 구하면?

답 ________

❸ 동화책 전체가 144쪽일 때 오늘까지 읽고 남은 쪽수는 몇 쪽?

답 ________

겹친 부분이 있을 때 전체 길이(거리) 구하기

연계학습 120쪽

독해 문제 6

길이가 $1\frac{1}{6}$ m인 색 테이프 3장을/
그림과 같이 $\frac{3}{8}$ m씩 겹치게 이어 붙였습니다./
이어 붙인 색 테이프의 전체 길이는 몇 m인가요?

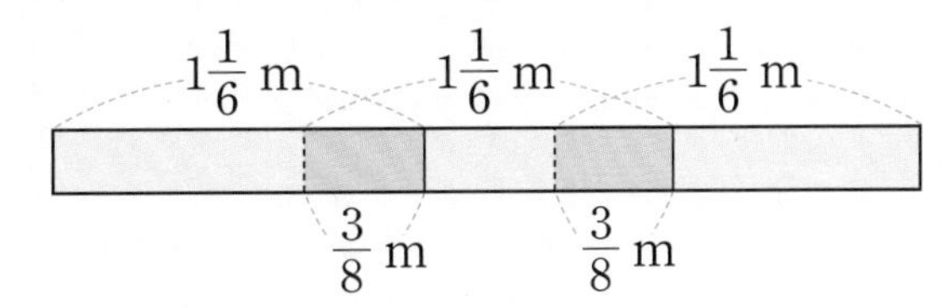

구하려는 것은? 이어 붙인 색 테이프의 전체 길이

주어진 것은?
- 색 테이프 ➔ 1장의 길이: ☐ m, 3장
- 겹친 부분 ➔ 길이: ☐ m, 2군데

어떻게 풀까?
1 색 테이프 3장의 길이의 합을 구하고
2 겹친 부분 2군데의 길이의 합을 구한 다음,
3 1에서 구한 길이에서 2에서 구한 길이를 빼자.

해결해 볼까?

❶ 색 테이프 3장의 길이의 합은 몇 m?

답 ____________

❷ 겹친 부분 2군데의 길이의 합은 몇 m?

답 ____________

❸ 이어 붙인 색 테이프의 전체 길이는 몇 m?

답 ____________

창의·융합·코딩 체험하기

융합 1 고대 이집트에는 다음과 같은 방법으로 분수를 나타냈습니다./ 주어진 분수를 계산하여 현재 표기법으로 써 보세요.

고대 이집트 표기법	𓂋 |||	𓂋 ||||	𓂋 |||||	𓂋 ||||||	𓂋 |||||||	𓂋 ||||||||	𓂋 |||||||||	𓂋 𓎆	𓐛	𓂚
현재 표기법	$\frac{1}{3}$	$\frac{1}{4}$	$\frac{1}{5}$	$\frac{1}{6}$	$\frac{1}{7}$	$\frac{1}{8}$	$\frac{1}{9}$	$\frac{1}{10}$	$\frac{1}{2}$	$\frac{2}{3}$

𓂚 + 𓂋 ||||||

답 ____________

융합 2 같은 비커에 초록색 물은 $4\frac{1}{3}$ kg, 빨간색 물은 $7\frac{1}{4}$ kg 들어 있습니다./ 두 비커의 무게가 같아지려면, 어떤 색 물을 몇 kg 더 넣어야 하나요?

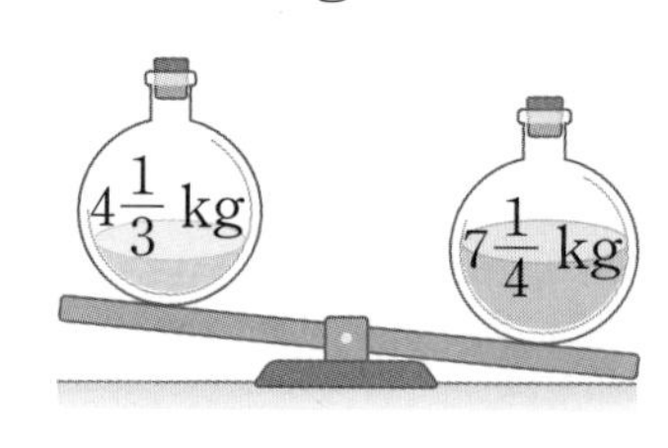

답 ____________, ____________

[코딩 3 ~ 4] 기계를 한 번씩 돌릴 때마다 수가 쓰여 있는 공이 하나씩 나옵니다./
나오는 순서대로 주어진 식의 ①부터 차례대로 공에 쓰여 있는 수를 써서 ⑥까지 완성했을 때/
계산 결과를 구해 보세요.

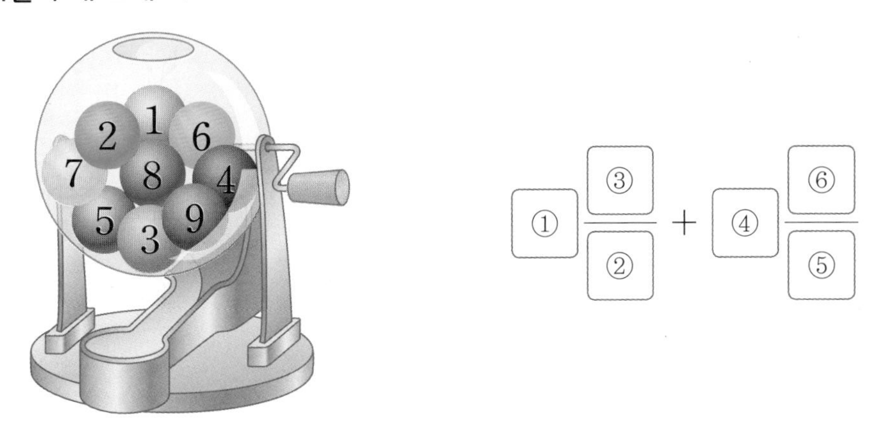

나온 공의 순서: 4 → 8 → 3 → 7 → 2 → 1

①4 ③3 ②8 + ④7 ⑥1 ⑤2

$4\frac{3}{8} + 7\frac{1}{2} = 11\frac{7}{8}$

코딩 3 나온 공의 순서: 3 → 9 → 2 → 4 → 6 → 5

$\square\frac{\square}{\square} + \square\frac{\square}{\square} = \square$

코딩 4 나온 공의 순서: 9 → 5 → 3 → 2 → 3 → 2

$\square\frac{\square}{\square} + \square\frac{\square}{\square} = \square$

창의·융합·코딩 체험하기

융합 5 음표의 길이가 다음과 같을 때/
악보에서 ☐ 안의 음표의 길이의 합은 몇 박인가요?

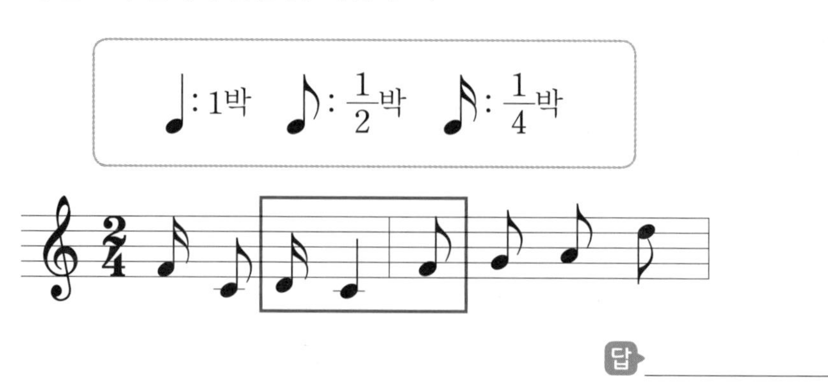

답 ____________

코딩 6 화살표의 [규칙]에 따라 차례대로 계산했을 때/
마지막 빈칸에 알맞은 수는 얼마인지 기약분수로 나타내어 보세요.

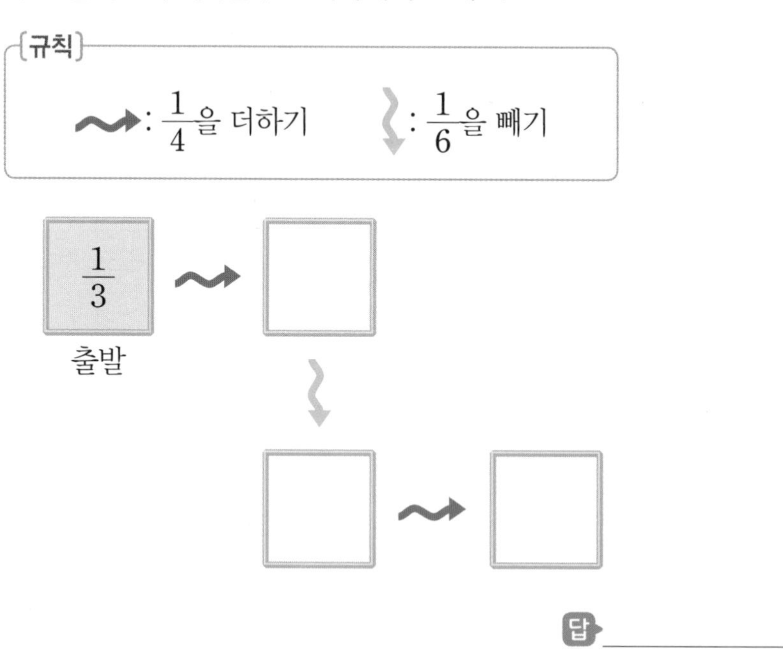

답 ____________

창의 7 색종이를 반으로 계속 접으면 $\frac{1}{2}$장, $\frac{1}{4}$장, $\frac{1}{8}$장, $\frac{1}{16}$장을 만들 수 있습니다./

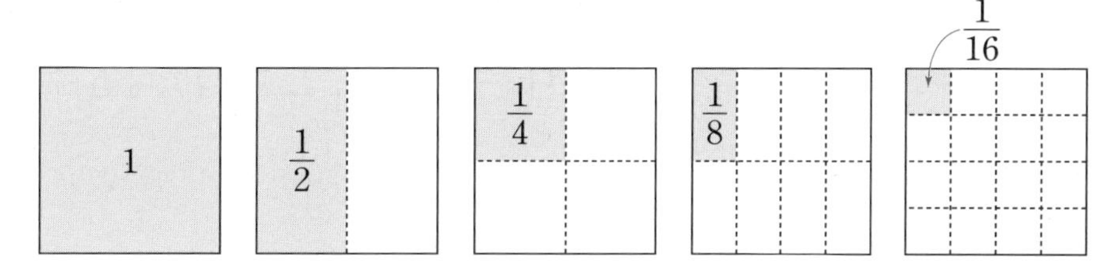

위와 같이 만든 분수 중 더해서 $\frac{5}{8}$가 되는 두 분수를 찾아 쓰세요.

답 ________________, ________________

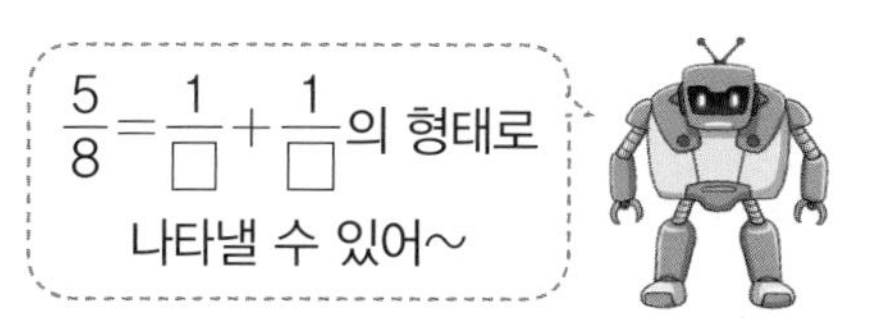

창의 8 이집트인들은 호루스의 눈의 각 부분을 분자가 1인 분수로 표현했습니다./
□ 안에 알맞은 분수를 써넣고, 6개의 분수의 합을 구해 보세요.

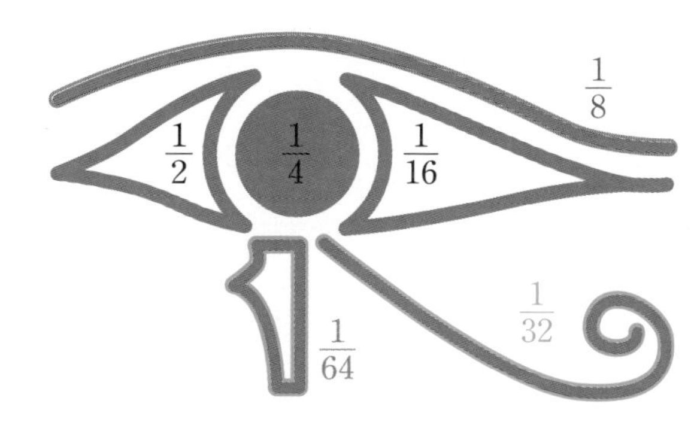

$$\frac{1}{2}+\frac{1}{4}+\frac{1}{8}+\frac{1}{16}+\square+\frac{1}{64}$$
$$=\frac{32}{64}+\frac{16}{64}+\square+\frac{4}{64}+\square+\frac{1}{64}$$
$$=\square$$

옛 이집트인들은 분수를
단위분수의 합으로 나타냈어~

더 넣었을 때 전체의 양 구하기

1 주스 병에 주스가 $1\frac{3}{4}$ L 들어 있습니다. 주스를 $\frac{5}{14}$ L 더 넣었다면 주스 병에 들어 있는 주스는 모두 몇 L인가요?

답 ________________

누가 얼마나 더 많이 했는지 구하기

2 운동을 다은이는 $2\frac{1}{6}$시간, 우진이는 $2\frac{7}{12}$시간 했습니다. 누가 운동을 몇 시간 더 많이 했는지 차례로 써 보세요.

답 ________________ , ________________

합을 구하여 방법 찾기 116쪽

3 주미네 집에서 이모 댁에 가려면 마트를 지나야 합니다. 주미네 집에서 이모 댁까지 가는 거리가 5 km가 안 되면 버스를 타고, 5 km가 넘으면 지하철을 타고 가려고 합니다. 주미네 집에서 이모 댁까지 갈 때, 어느 것을 타야 할까요?

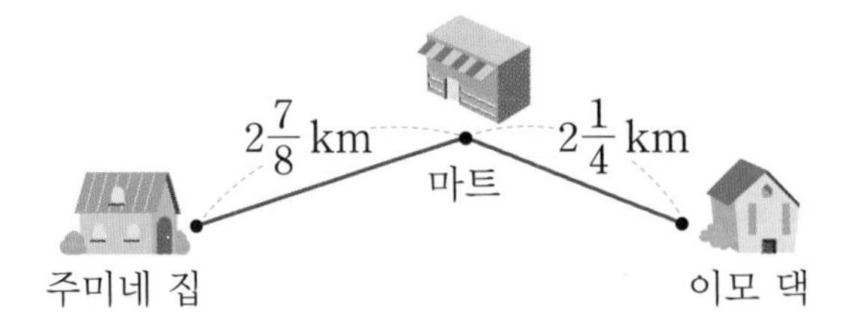

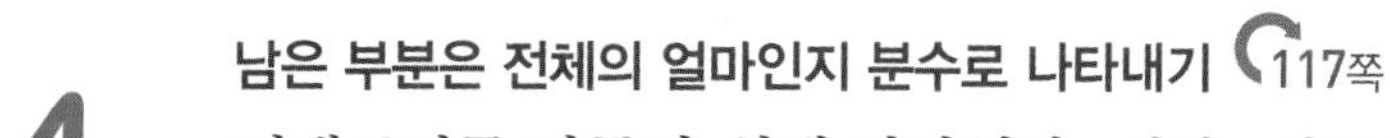

남은 부분은 전체의 얼마인지 분수로 나타내기 117쪽

4 머랭쿠키를 만들기 위해 달걀흰자, 설탕, 레몬즙을 준비했습니다. 달걀흰자는 전체의 $\frac{3}{5}$, 설탕은 전체의 $\frac{1}{3}$입니다. 나머지가 레몬즙이라면 레몬즙은 전체의 몇 분의 몇인가요?

풀이

답

계산 결과가 가장 크게 되는 식 만들기 122쪽

5 차가 가장 크게 되는 두 수를 골라 식을 만들고 계산해 보세요.

$5\frac{1}{6}$ $2\frac{3}{4}$ $3\frac{2}{9}$

풀이

식

바르게 계산한 값 구하기 119쪽

6 어떤 수에서 $2\frac{5}{6}$를 빼야 할 것을 잘못하여 더했더니 $8\frac{1}{5}$이 되었습니다. 바르게 계산한 값을 구해 보세요.

풀이

답

빈 통의 무게 구하기 123쪽

7 고구마를 담은 바구니의 무게가 $4\frac{5}{7}$ kg입니다. 고구마의 반을 먹고 고구마가 담긴 바구니의 무게를 재어 보니 $2\frac{2}{3}$ kg이었습니다. 빈 바구니의 무게는 몇 kg인가요?

답 ____________________

얼마나 가까워졌는지 구하기 122쪽

8 서호네 집에서 문구점을 거쳐 학교까지 가는 길이 너무 멀어서 서호네 집에서 학교까지 바로 갈 수 있는 길을 새로 만들었습니다. 몇 km가 가까워졌나요?

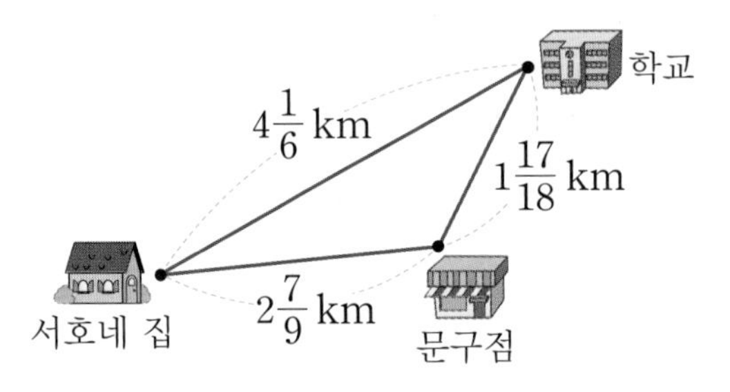

풀이

답 ____________________

수 카드로 대분수를 만들어 계산하기 121쪽

9 수현이와 진수는 각자 가지고 있는 수 카드를 한 번씩만 사용하여 가장 큰 대분수를 만들려고 합니다. 두 사람이 각자 만들 수 있는 가장 큰 대분수의 차를 구해 보세요.

수현: 3 7 8　　　진수: 1 2  9

풀이

답

겹친 부분이 있을 때 전체 길이(거리) 구하기 120쪽

10 ㉠에서 ㉢까지의 거리는 $2\frac{5}{6}$ m이고, ㉡에서 ㉣까지의 거리는 $3\frac{8}{9}$ m입니다. ㉠에서 ㉣까지의 거리가 $5\frac{2}{3}$ m일 때 ㉡에서 ㉢까지의 거리는 몇 m인가요?

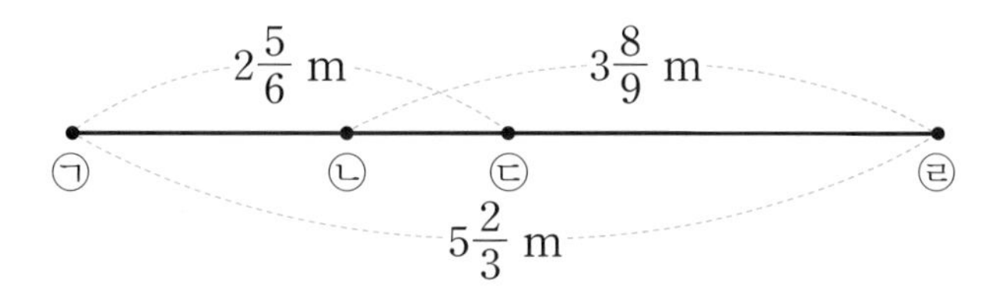

풀이

답

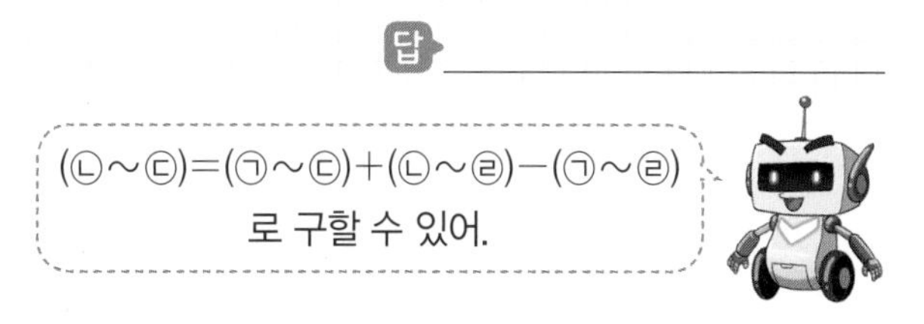

6 다각형의 둘레와 넓이

FUN한 기억 노트

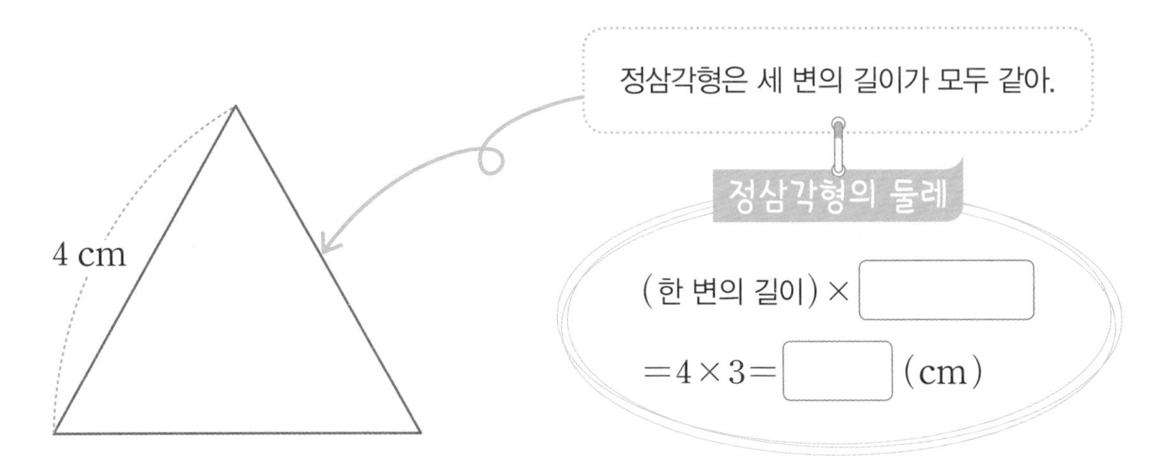

직사각형은 마주 보는 변의 길이가 각각 같아.

직사각형의 둘레

((가로) + ☐) × 2

= (5 + 3) × 2 = ☐ (cm)

5 cm

3 cm

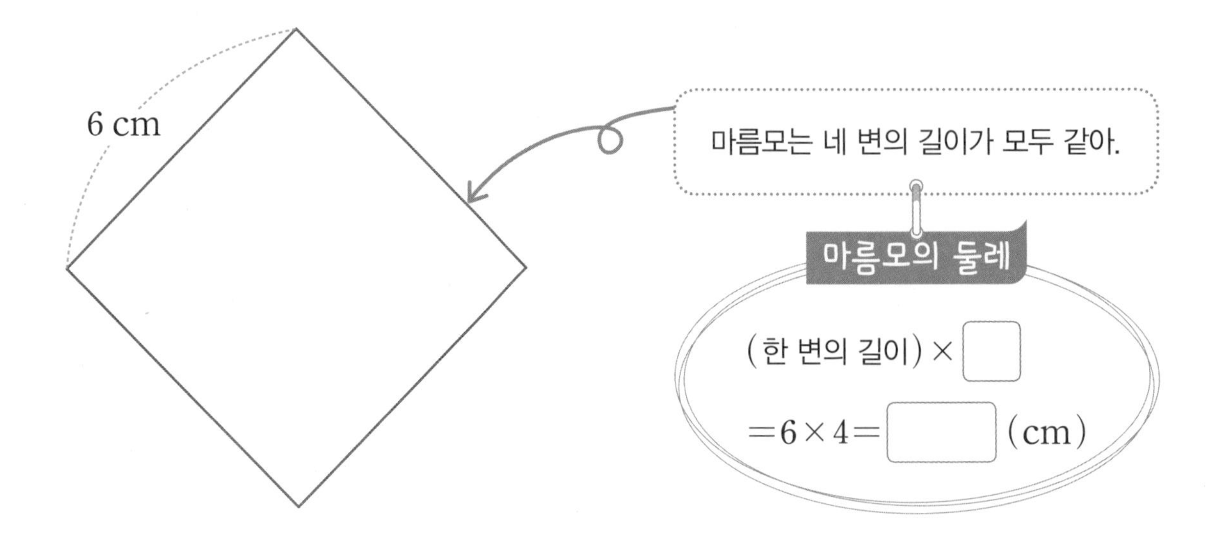

매쓰 FUN 쓸 줄 알아야 진짜 실력!

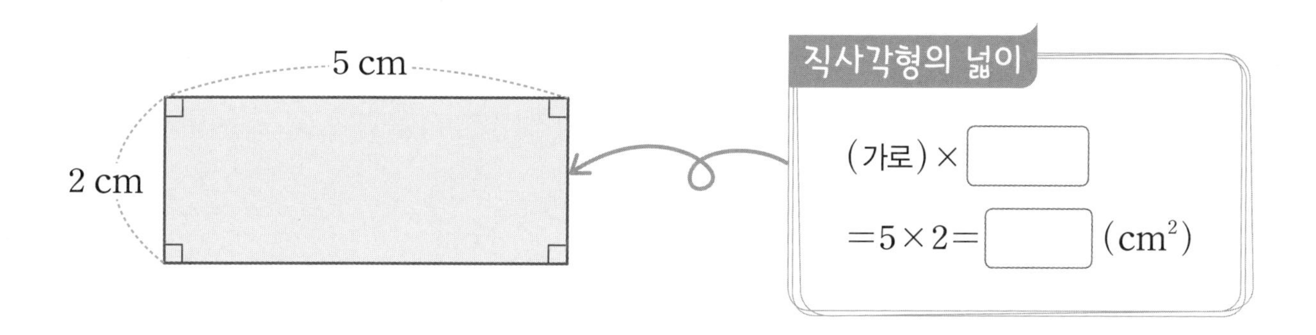

삼각형의 높이는
밑변과 마주 보는 꼭짓점에서
밑변에 ________(으)로 그은 선분의 길이야.

삼각형의 넓이

(밑변의 길이) × □ ÷2

$=8\times3\div2=$ □ (cm^2)

3 cm

8 cm

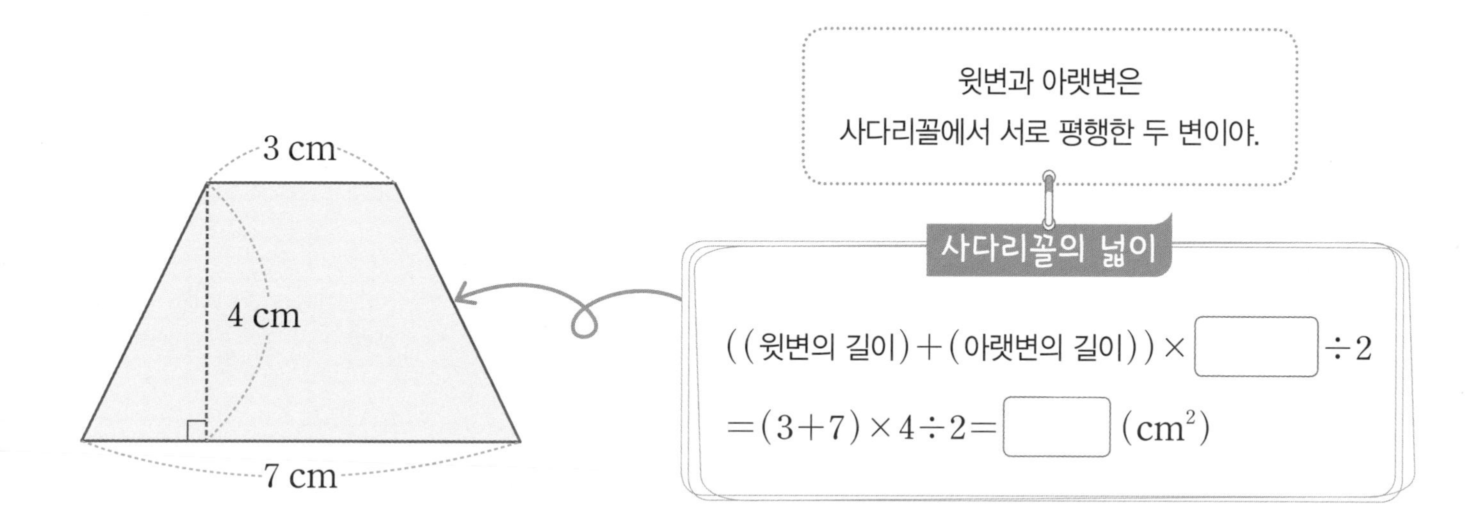

문제 해결력 기르기

1 직사각형의 둘레를 이용하여 넓이 구하기

선행 문제 해결 전략

• 직사각형의 둘레를 이용하여 가로와 세로의 합 구하기

직사각형의 가로와 세로의 합은 직사각형의 둘레를 2로 나누어 구하자.

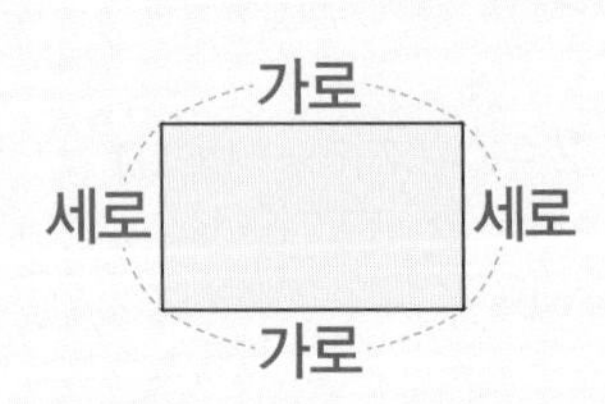

직사각형의 둘레 = (가로+세로) × 2

(가로+세로) = 직사각형의 둘레 ÷ 2

선행 문제 1

직사각형의 가로와 세로의 합은 몇 cm인가요?

(1) 직사각형의 둘레: 40 cm

풀이 (직사각형의 가로와 세로의 합)
=(직사각형의 둘레)÷2
=□÷2
=□(cm)

(2) 직사각형의 둘레: 82 cm

풀이 (직사각형의 가로와 세로의 합)
=(직사각형의 둘레)÷2
=□÷2
=□(cm)

실행 문제 1

둘레가 44 cm인/
직사각형의 가로가 8 cm일 때/
세로는 몇 cm인가요?

전략 (직사각형의 둘레)÷2

❶ (직사각형의 가로와 세로의 합)
=□÷2
=□(cm)

전략 (직사각형의 가로와 세로의 합)−(가로)

❷ (세로)=□−8
=□(cm)

답 ____________

쌍둥이 문제 1-1

둘레가 60 cm인/
직사각형의 세로가 14 cm일 때/
가로는 몇 cm인가요?

실행 문제 따라 풀기

❶

❷

답 ____________

② 직사각형의 넓이를 이용하여 둘레 구하기

선행 문제 해결 전략

• 직사각형의 넓이를 이용하여 변의 길이 구하기

(1) 가로

15 cm^2 세로

(가로)×(세로)=15

➜ (가로)=15÷(세로)
(세로)=15÷(가로)

(2) 한 변의 길이

9 cm^2 한 변의 길이

(한 변의 길이)×(한 변의 길이)=9

➜ 한 변의 길이: 같은 수를 두 번 곱해서 9가 되는 수

선행 문제 2

(1) 직사각형의 가로는 몇 cm인가요?

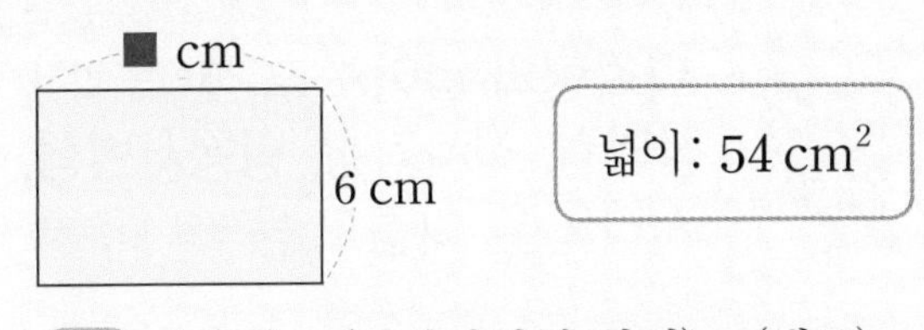

풀이 (가로)=(직사각형의 넓이)÷(세로)
=54÷□=□(cm)

(2) 정사각형의 한 변의 길이는 몇 cm인가요?

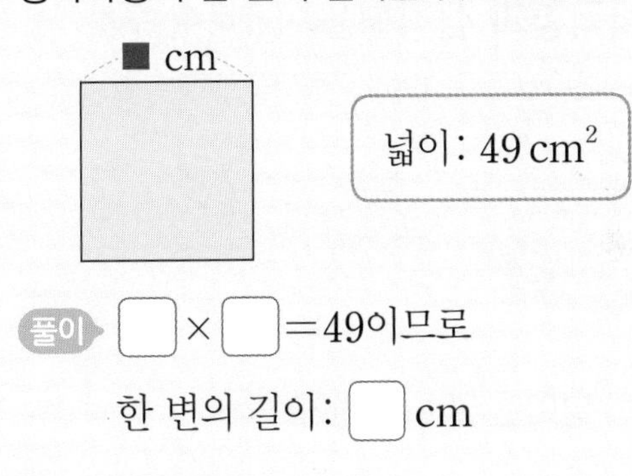

풀이 □×□=49이므로
한 변의 길이: □ cm

실행 문제 2

정사각형의 넓이가 81 cm^2일 때/
둘레는 몇 cm인가요?

전략 (한 변의 길이)×(한 변의 길이)=81이 되는 한 변의 길이를 구하자.

❶ □×□=81이므로
정사각형의 한 변의 길이: □ cm

전략 (한 변의 길이)×4

❷ (정사각형의 둘레)
=□×4
=□(cm)

답 ____________

쌍둥이 문제 2-1

세로가 4 cm, 넓이가 40 cm^2인 직사각형이 있습니다./
이 직사각형의 둘레는 몇 cm인가요?

실행 문제 따라 풀기

❶

❷

답 ____________

{ 문제 해결력 기르기 }

③ 다각형의 넓이 구하기

선행 문제 해결 전략

• 다각형을 여러 도형으로 나누어 넓이 구하기

다각형의 넓이를 구할 때에는 먼저 **삼각형, 직사각형, 평행사변형, 사다리꼴, 마름모 등**으로 나누자.

(1) **사다리꼴과 직사각형**을 이용하여 구하기

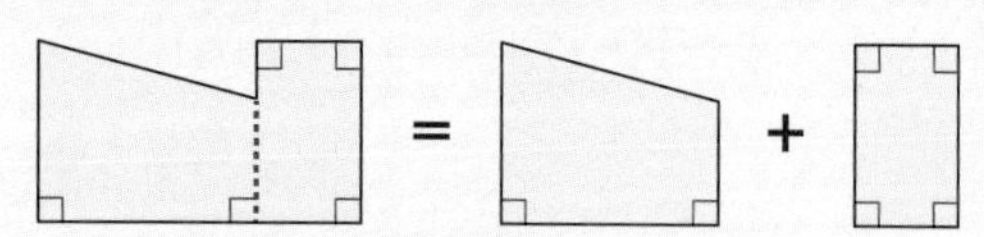

(2) **직사각형과 삼각형**을 이용하여 구하기

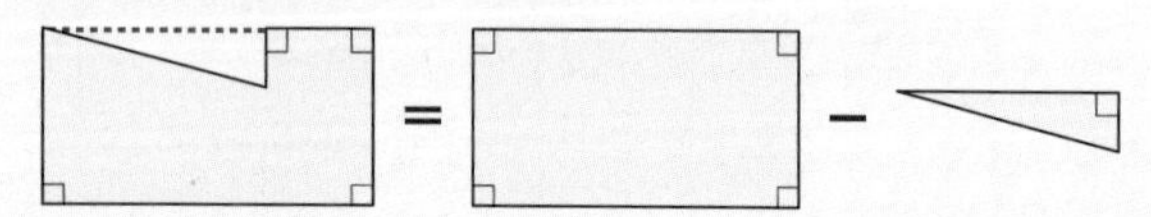

선행 문제 3

다각형을 삼각형과 사각형으로 나누어 넓이를 구하려고 합니다. 도형을 나누는 선을 1개만 그어 보세요.

(1) 4 cm, 10 cm, 12 cm

(2) 7 m, 6 m, 8 m, 6 m, 13 m

실행 문제 3

다각형의 넓이는 몇 cm^2인가요?

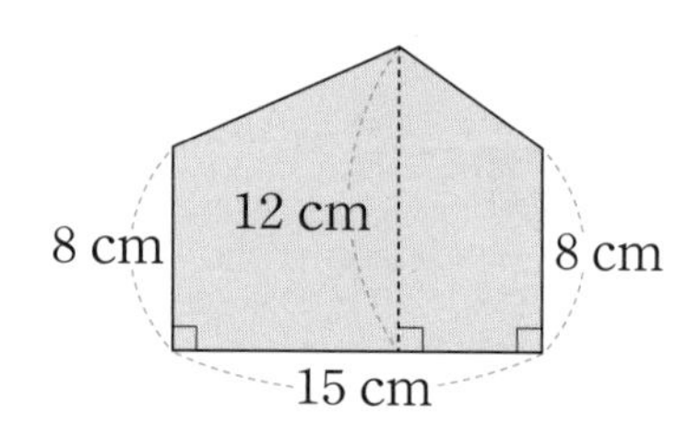

❶ 다각형을 삼각형과 직사각형으로 나누는 선을 그어 보세요.

전략 (삼각형의 넓이)=(밑변의 길이)×(높이)÷2
(직사각형의 넓이)=(가로)×(세로)

❷ (삼각형의 넓이)=15×□÷2
=□(cm^2)
(직사각형의 넓이)=□×8
=□(cm^2)

전략 (삼각형의 넓이)+(직사각형의 넓이)

❸ (다각형의 넓이)
=□+□=□(cm^2)

답

쌍둥이 문제 3-1

다각형의 넓이는 몇 m^2인가요?

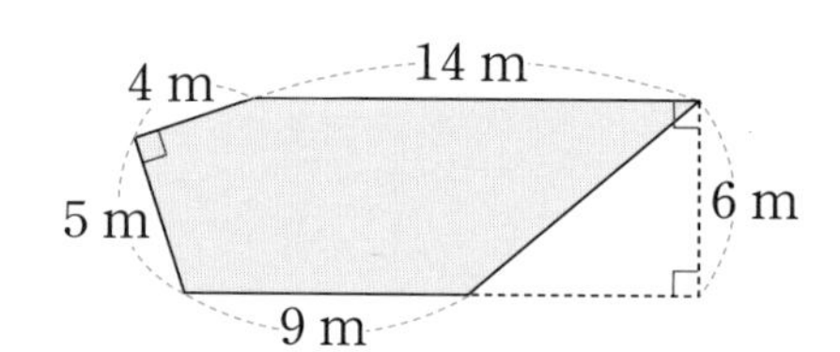

실행 문제 따라 풀기

❶

❷

❸

답

4 넓이를 이용하여 밑변의 길이(높이) 구하기

선행 문제 해결 전략

- 평행사변형에서 밑변과 높이 알아보기

평행사변형에서 모든 변이
밑변이 될 수 있고,
밑변에 따라 높이가 달라져.

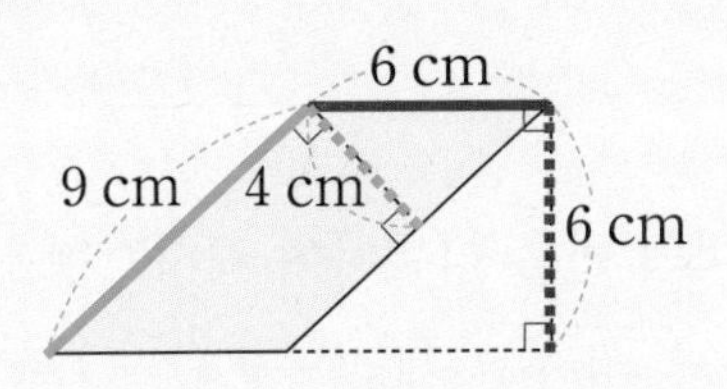

밑변의 길이가 **6 cm**이면 ➔ **높이**는 **6 cm**

밑변의 길이가 **9 cm**이면 ➔ **높이**는 **4 cm**

참고 (평행사변형의 넓이)=(밑변의 길이)×(높이)

$=6\times6=9\times4$

$=36\,(\text{cm}^2)$

선행 문제 4

평행사변형을 보고 물음에 답하세요.

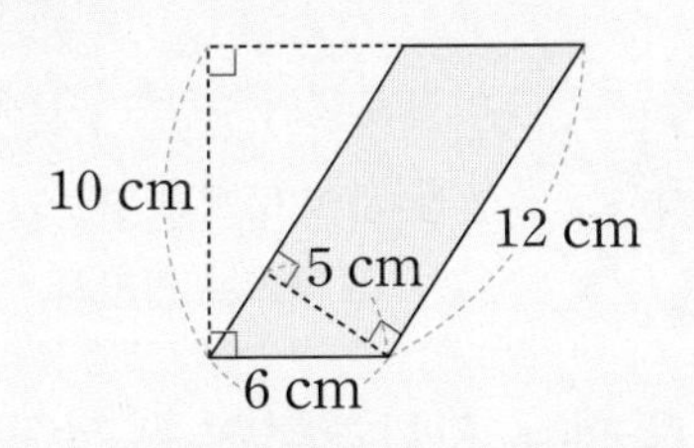

(1) 밑변의 길이가 6 cm일 때 높이는 몇 cm인가요?

풀이 밑변의 길이가 6 cm일 때 두 밑변 사이의 거리인 높이는 ☐ cm이다.

(2) 높이가 5 cm일 때 밑변의 길이는 몇 cm인가요?

풀이 높이가 5 cm일 때 그 높이에 수직인 밑변의 길이는 ☐ cm이다.

실행 문제 4

평행사변형 ㄱㄴㄷㄹ에서/
선분 ㄱㄴ은 몇 cm인가요?

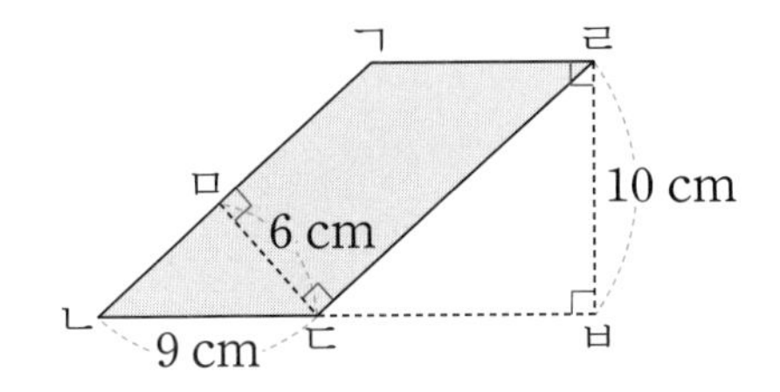

❶ (평행사변형 ㄱㄴㄷㄹ의 넓이)

$=9\times$ ☐ $=$ ☐ (cm^2)

전략 평행사변형 ㄱㄴㄷㄹ에서 밑변을 선분 ㄱㄴ이라 할 때 높이는 선분 ㄷㅁ이다.

❷ 넓이를 이용하여 선분 ㄱㄴ의 길이 구하기:

(선분 ㄱㄴ)×6= ☐,

(선분 ㄱㄴ)= ☐ ÷6= ☐ (cm)

답

쌍둥이 문제 4-1

평행사변형 ㄱㄴㄷㄹ에서/
선분 ㄴㄷ은 몇 cm인가요?

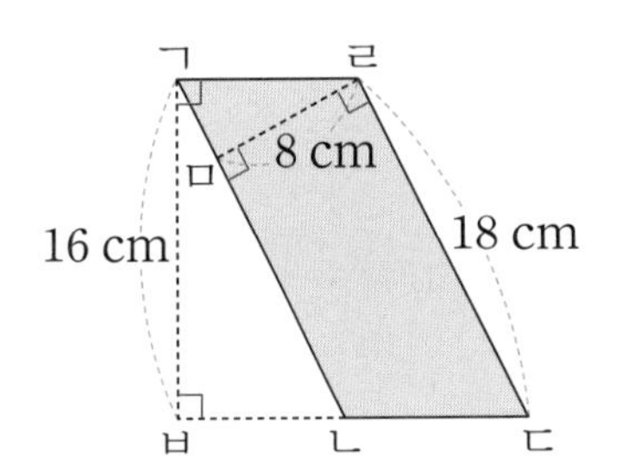

실행 문제 따라 풀기

❶

❷

답

6 다각형의 둘레와 넓이

5 둘레를 구하기 쉬운 도형으로 만들어 둘레 구하기

선행 문제 해결 전략

• 변을 이동하여 직사각형 만들기

주어진 도형의 **변을 평행하게 이동**하여 둘레를 구하기 쉬운 도형으로 만들자.

도형의 둘레는 직사각형의 둘레와 같다.

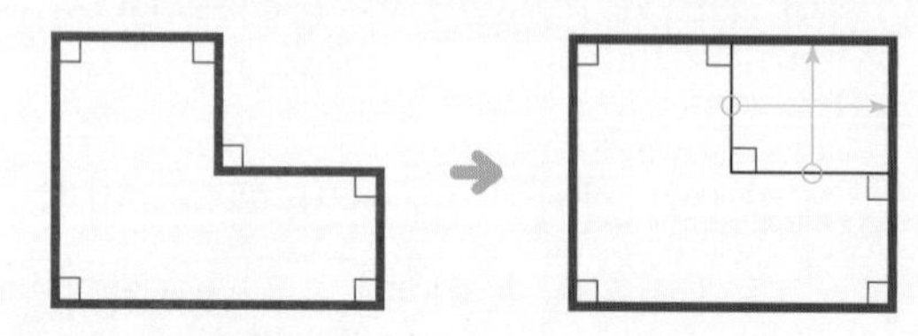

선행 문제 5

도형의 변을 이동하여 직사각형을 만드는 선을 긋고 직사각형의 가로와 세로의 길이를 구해 보세요.

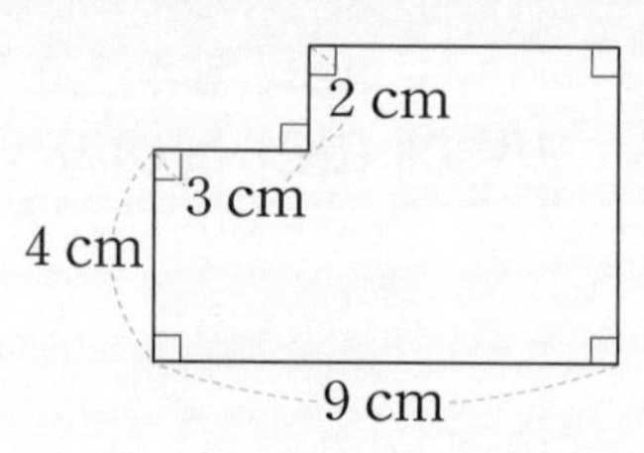

풀이 도형의 변을 이동하여 직사각형을 만들면 (가로)=□cm, (세로)=2+□=□(cm)이다.

실행 문제 5

도형의 둘레는 몇 cm인가요?

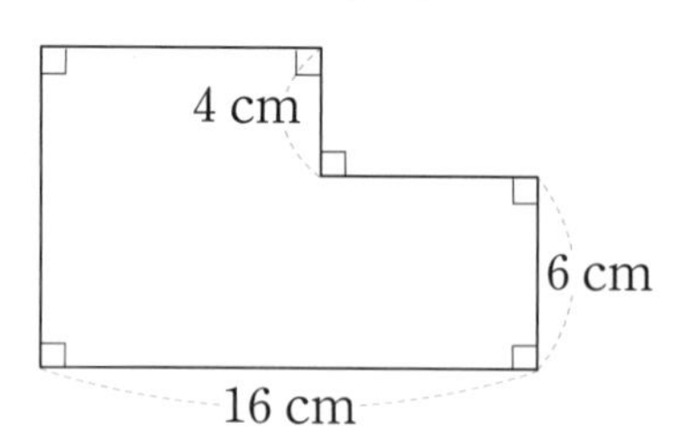

❶ 위 도형의 변을 이동하여 직사각형을 만드는 선을 그어 보세요.

❷ (직사각형의 세로)=4+□=□(cm)

전략 도형의 둘레는 ❶에서 변을 이동하여 만든 직사각형의 둘레와 같음을 이용하자.

❸ (도형의 둘레)
=(가로가 □cm, 세로가 □cm인 직사각형의 둘레)
=(□+□)×2
=□(cm)

답 ____________

쌍둥이 문제 5-1

도형의 둘레는 몇 cm인가요?

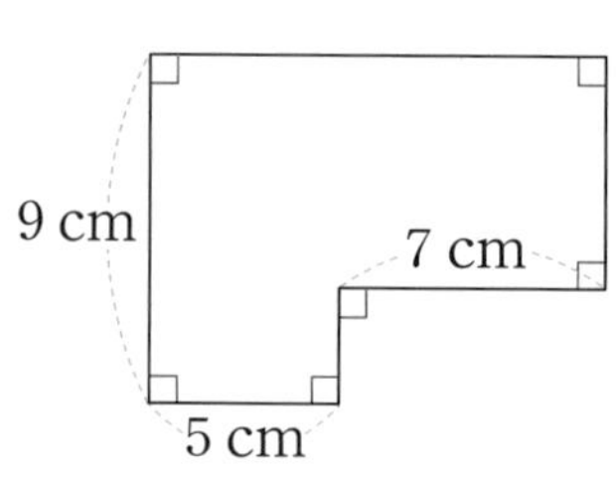

실행 문제 따라 풀기

❶

❷

❸

답 ____________

6 넓이를 구하기 쉬운 도형으로 만들어 넓이 구하기

선행 문제 해결 전략

• 색칠한 부분을 붙여서 도형 만들기

색칠한 부분을 붙여서
넓이를 구하기 쉬운 도형으로 만들자.

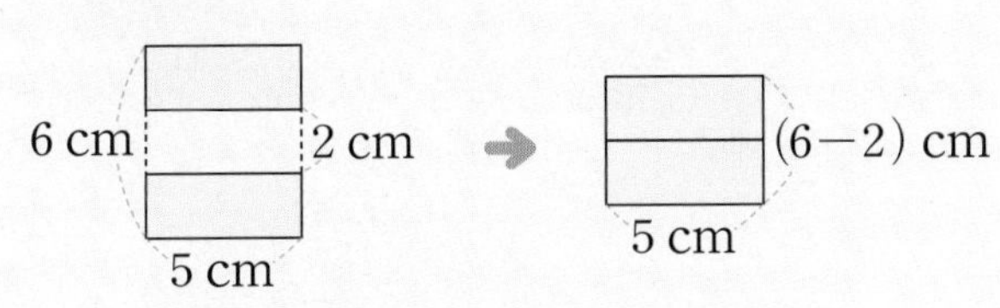

색칠한 부분을 붙여서 만든 도형의
가로는 **그대로** 5 cm이고
세로는 6−2=4 (cm)로 **줄어든다.**

선행 문제 6

☐ 안에 알맞은 수를 구해 보세요.

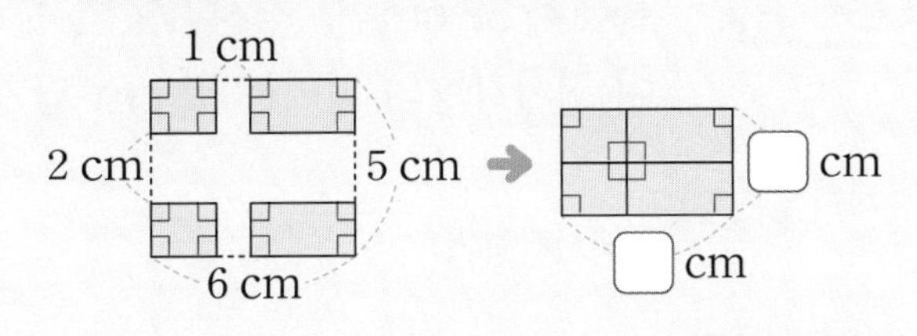

풀이 (색칠한 부분을 붙여서 만든 도형의 가로)
=☐−1=☐ (cm)
(색칠한 부분을 붙여서 만든 도형의 세로)
=5−☐=☐ (cm)

실행 문제 6

색칠한 부분의 넓이는 몇 cm^2인가요?

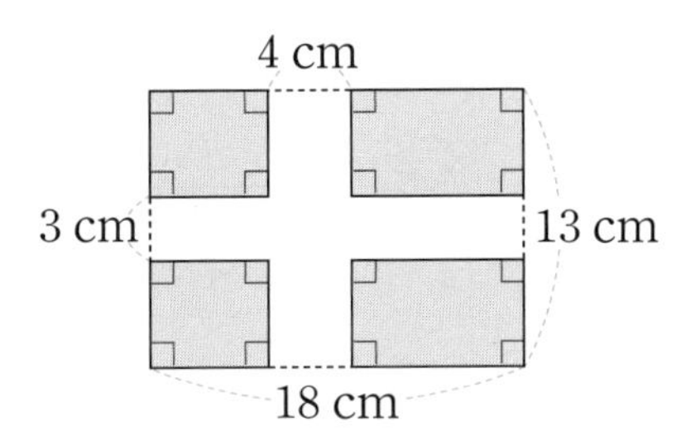

전략 색칠한 부분을 붙여서 넓이를 구하기 쉬운 도형으로 만들자.

❶ (색칠한 부분을 붙여서 만든 도형의 가로)
=18−☐=☐ (cm)

❷ (색칠한 부분을 붙여서 만든 도형의 세로)
=13−☐=☐ (cm)

전략 (가로)×(세로)

❸ (색칠한 부분의 넓이)
=☐×☐=☐ (cm^2)

답 ______

쌍둥이 문제 6-1

색칠한 부분의 넓이는 몇 cm^2인가요?

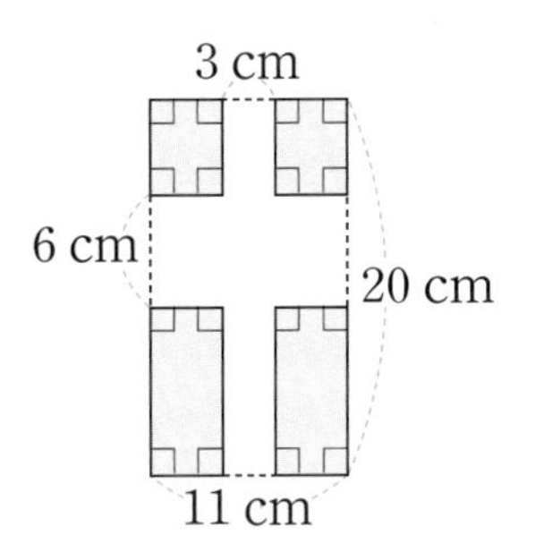

실행 문제 따라 풀기

❶

❷

❸

답 ______

수학 사고력 키우기

직사각형의 둘레를 이용하여 넓이 구하기

연계학습 136쪽

대표 문제 1

둘레가 58 cm인/ 직사각형의 세로가 14 cm일 때/
이 직사각형의 넓이는 몇 cm^2인가요?

구하려는 것은?

직사각형의 [ ]

주어진 것은?

- 직사각형의 둘레: [ ] cm
- 직사각형의 세로: [ ] cm

해결해 볼까?

❶ 직사각형의 가로와 세로의 합은 몇 cm?

전략 (직사각형의 둘레)÷2로 구하자.

답 ____________

❷ 가로는 몇 cm?

전략 (❶에서 구한 길이)−(세로)로 구하자.

답 ____________

❸ 직사각형의 넓이는 몇 cm^2?

전략 (가로)×(세로)

답 ____________

쌍둥이 문제 1-1

둘레가 66 cm인/ 직사각형의 가로가 13 cm일 때/
이 직사각형의 넓이는 몇 cm^2인가요?

대표 문제 따라 풀기

❶

❷

❸

답 ____________

직사각형의 넓이를 이용하여 둘레 구하기

연계학습 137쪽

대표 문제 2 정사각형과 직사각형의 넓이가 같을 때/
직사각형의 둘레는 몇 cm인가요?

12 cm　　8 cm

구하려는 것은? 직사각형의 둘레

주어진 것은?
- (정사각형의 넓이)=(직사각형의 넓이)
- 정사각형의 한 변의 길이: ☐ cm
- 직사각형의 세로: ☐ cm

해결해 볼까?

❶ 정사각형의 넓이는 몇 cm^2?

전략 (한 변의 길이)×(한 변의 길이)로 구하자.

답 ____________

❷ 직사각형의 가로는 몇 cm?

전략 (직사각형의 넓이)÷(세로)로 구하자.

답 ____________

❸ 직사각형의 둘레는 몇 cm?

전략 ((가로)+(세로))×2로 구하자.

답 ____________

쌍둥이 문제 2-1

가로가 28 cm, 세로가 7 cm인 직사각형이 있습니다./
이 직사각형과 넓이가 같은 정사각형을 만들었을 때/
정사각형의 둘레는 몇 cm인가요?

대표 문제 따라 풀기

❶

❷

❸

답 ____________

다각형의 넓이 구하기

연계학습 138쪽

대표 문제 3 사다리꼴 ㄱㄴㄷㄹ에서 색칠한 부분의 넓이는 몇 cm^2인가요?

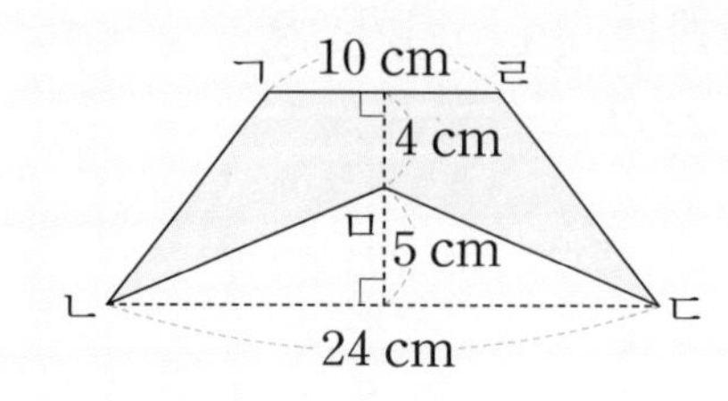

구하려는 것은? 색칠한 부분의 넓이

어떻게 풀까? 사다리꼴의 넓이에서 삼각형의 넓이를 빼자.

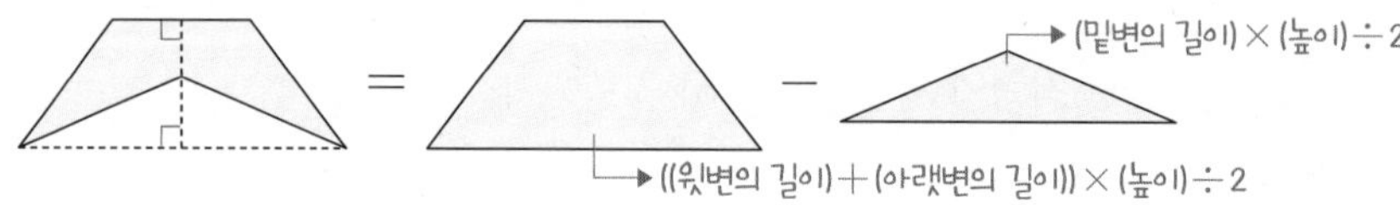

해결해 볼까?

❶ 사다리꼴 ㄱㄴㄷㄹ의 넓이는 몇 cm^2?

전략 사다리꼴의 높이를 먼저 구하자.

답 ____________

❷ 삼각형 ㄴㄷㅁ의 넓이는 몇 cm^2?

답 ____________

❸ 색칠한 부분의 넓이는 몇 cm^2?

전략 (❶에서 구한 넓이)−(❷에서 구한 넓이)로 구하자.

답 ____________

쌍둥이 문제 3-1

오른쪽 도형에서 색칠한 부분의 넓이는 몇 m^2인가요?

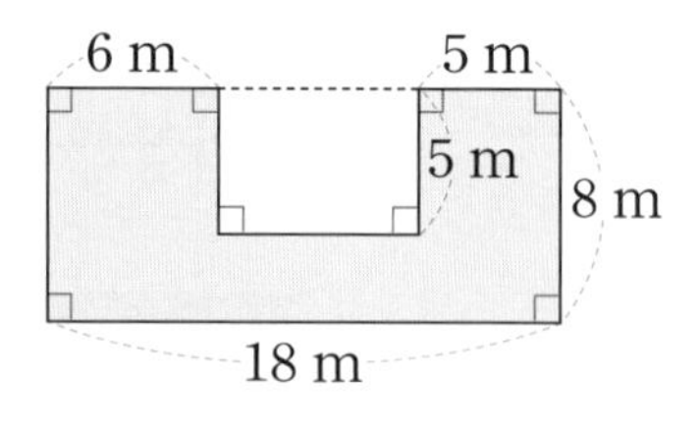

대표 문제 따라 풀기

❶

❷

❸

답 ____________

넓이를 이용하여 밑변의 길이(높이) 구하기

연계학습 139쪽

대표 문제 4 삼각형 ㄱㄴㄷ에서 선분 ㄴㄷ은 몇 cm인가요?

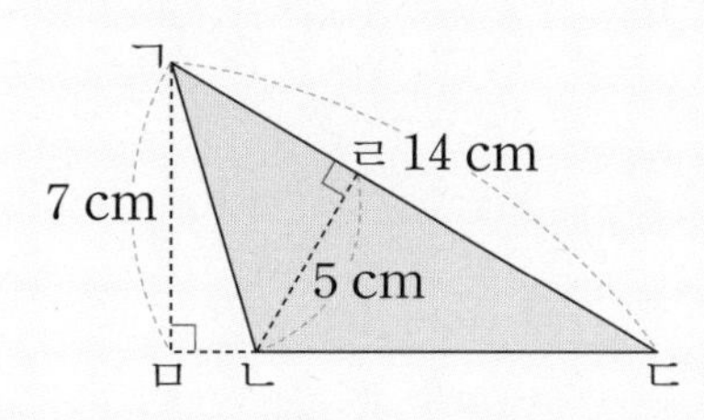

구하려는 것은?

선분 ㄴㄷ의 길이

어떻게 풀까?

1 밑변을 선분 ㄱㄷ, 높이를 선분 ㄴㄹ로 생각하여 삼각형 ㄱㄴㄷ의 넓이를 구하고 → (밑변의 길이)×(높이)÷2
2 밑변을 선분 ㄴㄷ이라 할 때 높이를 찾은 다음,
3 1에서 구한 삼각형 ㄱㄴㄷ의 넓이를 이용하여 선분 ㄴㄷ의 길이를 구하자.

해결해 볼까?

❶ 삼각형 ㄱㄴㄷ의 넓이는 몇 cm^2?

전략 밑변을 선분 ㄱㄷ이라 할 때 높이는 선분 ㄴㄹ이다.

답 ______

❷ 밑변을 선분 ㄴㄷ이라 할 때 높이는 몇 cm?

전략 밑변을 선분 ㄴㄷ이라 할 때 높이는 선분 ㄱㅁ이다.

답 ______

❸ 선분 ㄴㄷ은 몇 cm?

전략 ❶에서 구한 삼각형 ㄱㄴㄷ의 넓이를 이용하여 식을 세워 구하자.

답 ______

쌍둥이 문제 4-1

오른쪽 삼각형 ㄱㄴㄹ에서 선분 ㄱㄷ은 몇 cm인가요?

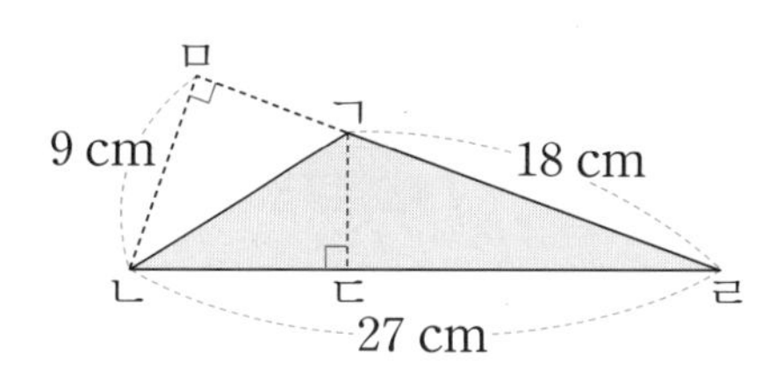

❶

❷

❸

답 ______

STEP 2

수학 사고력 키우기

둘레를 구하기 쉬운 도형으로 만들어 둘레 구하기

연계학습 140쪽

대표 문제 5 오른쪽 도형의 둘레는 몇 cm인가요?

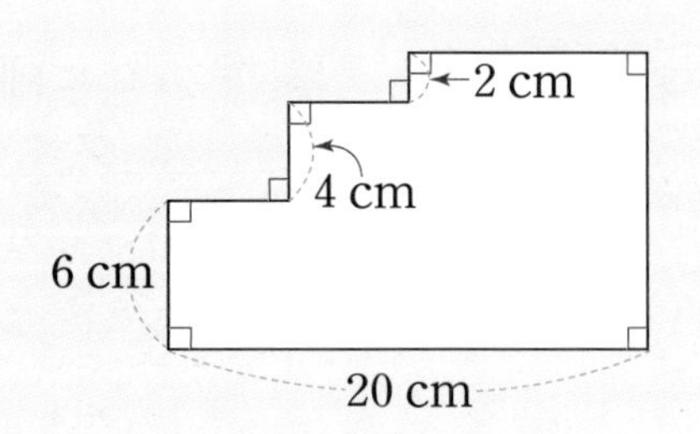

구하려는 것은? 도형의 둘레

어떻게 풀까?

1 위 도형의 변을 이동하여 직사각형을 만드는 선을 긋고

2 1에서 만든 직사각형의 가로와 세로의 길이를 구한 다음, 도형의 둘레를 구하자.

해결해 볼까?

❶ 위 도형의 변을 이동하여 직사각형을 만드는 선을 그어 보세요.

❷ ❶에서 만든 직사각형의 가로와 세로는 각각 몇 cm?

답 가로: ______________, 세로: ______________

❸ 도형의 둘레는 몇 cm?

전략 ❶에서 만든 직사각형의 둘레와 같다.

답 ______________

쌍둥이 문제 5-1

오른쪽 도형의 둘레는 몇 cm인가요?

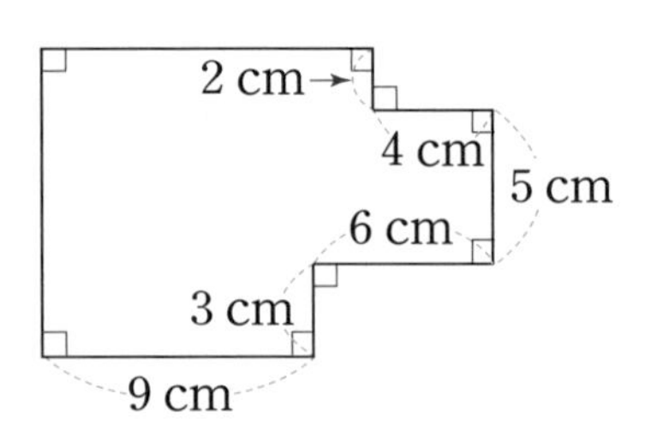

❶

❷

❸

답 ______________

넓이를 구하기 쉬운 도형으로 만들어 넓이 구하기

연계학습 141쪽

대표 문제 6 오른쪽 도형에서 색칠한 부분의 넓이는 몇 cm^2인가요?

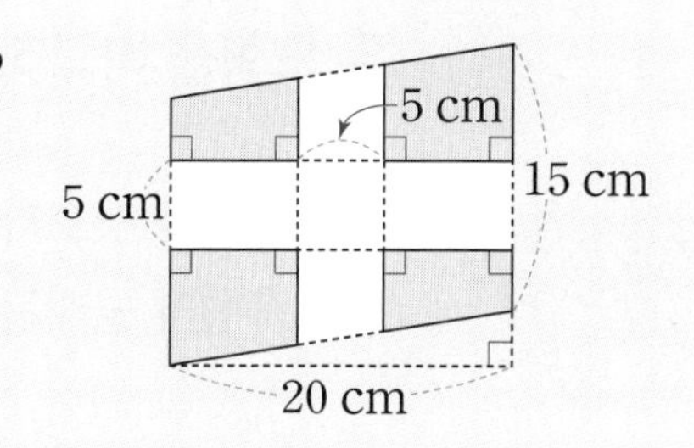

구하려는 것은? 색칠한 부분의 넓이

어떻게 풀까? 색칠한 부분을 붙여서 만든 도형의 넓이를 구하자.

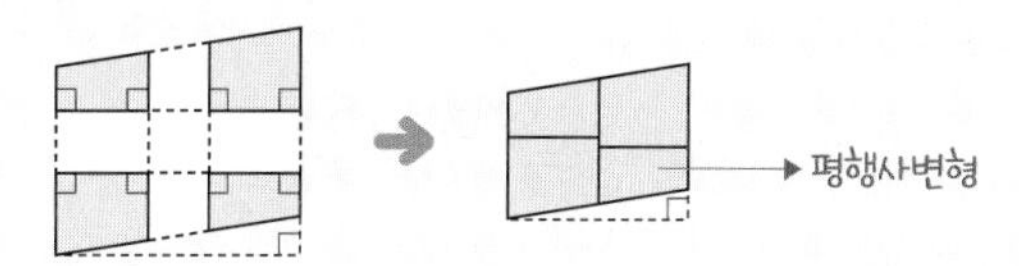

해결해 볼까?

❶ 색칠한 부분을 붙여서 만든 도형의 밑변의 길이는 몇 cm?

❷ 색칠한 부분을 붙여서 만든 도형의 높이는 몇 cm?

❸ 색칠한 부분의 넓이는 몇 cm^2?

전략 (밑변의 길이)×(높이)

쌍둥이 문제 6-1

오른쪽 도형에서 색칠한 부분의 넓이는 몇 m^2인가요?

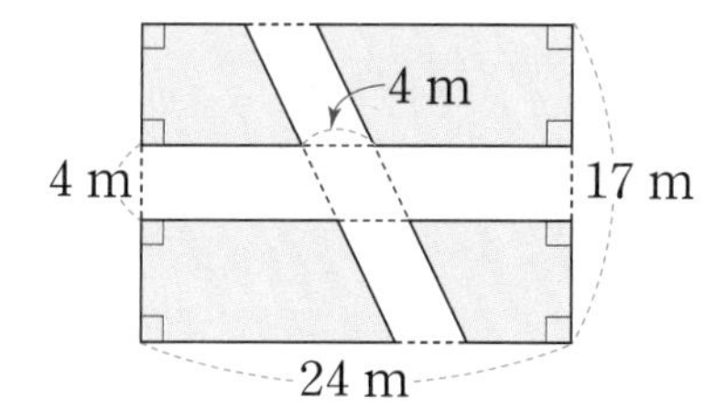

❶

❷

❸

STEP 3

수학 독해력 완성하기

두 도형을 비교하여 정다각형의 둘레 구하기

독해 문제 1

정삼각형과 정오각형의 한 변의 길이가 같을 때/
정오각형의 둘레는 몇 cm인가요?

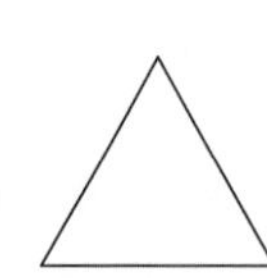

둘레 : 15 cm

해결해 볼까?

❶ 정삼각형의 한 변의 길이는 몇 cm?

전략 (정삼각형의 둘레)÷(변의 수)

답 ______________

❷ 정오각형의 둘레는 몇 cm?

답 ______________

넓이를 이용하여 한 변의 길이 구하기

독해 문제 2

사다리꼴과 마름모의 넓이가 같을 때/
마름모의 다른 대각선의 길이는 몇 cm인가요?

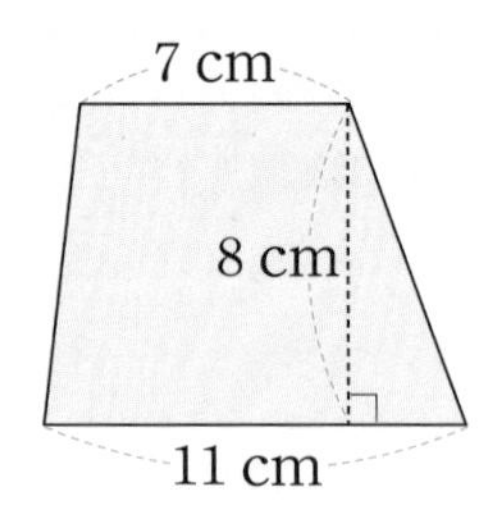

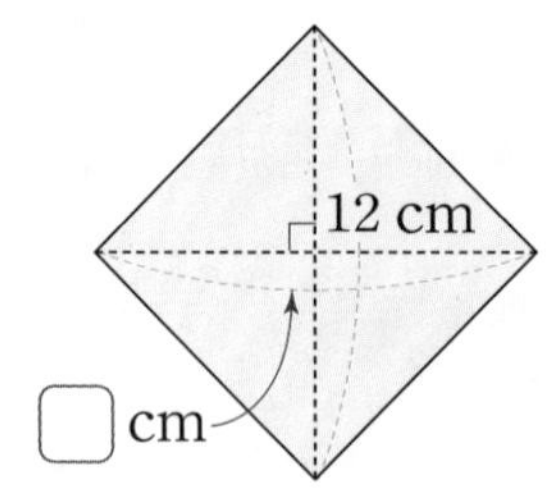

해결해 볼까?

❶ 사다리꼴의 넓이는 몇 cm^2?

답 ______________

❷ 마름모의 다른 대각선의 길이는 몇 cm?

전략 (사다리꼴의 넓이)=(마름모의 넓이)

답 ______________

원 안에 그릴 수 있는 가장 큰 마름모의 넓이 구하기

독해 문제 3

반지름이 6 cm인 원 안에 그릴 수 있는 마름모 중에서/
가장 큰 마름모의 넓이는 몇 cm^2인가요?

해결해 볼까?

❶ 원 안에 그릴 수 있는 가장 큰 마름모의 두 대각선의 길이는 각각 몇 cm?

답 ______________, ______________

❷ 원 안에 그릴 수 있는 가장 큰 마름모의 넓이는 몇 cm^2?

답 ______________

정사각형을 이어 붙인 도형의 둘레 구하기

독해 문제 4

한 개의 둘레가 20 cm인 정사각형 3개를/
그림과 같이 겹치지 않게 이어 붙였습니다./
이어 붙인 도형의 둘레는 몇 cm인가요?

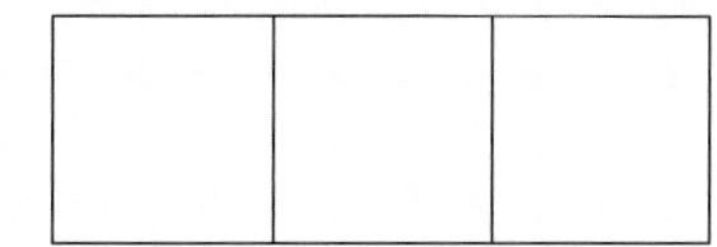

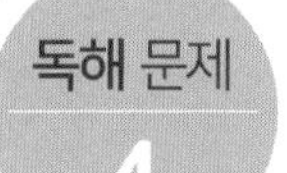

❶ 정사각형의 한 변의 길이는 몇 cm?

전략 (정사각형의 둘레)÷(변의 수)

답 ______________

❷ 이어 붙인 도형의 둘레는 정사각형의 한 변이 몇 개?

답 ______________

❸ 이어 붙인 도형의 둘레는 몇 cm?

답 

수학 독해력 완성하기

직사각형의 둘레를 이용하여 넓이 구하기

연계학습 142쪽

독해 문제 5

한 변의 길이가 13 cm인 마름모와 둘레가 같은 직사각형이 있습니다./
이 직사각형의 세로가 11 cm일 때 넓이는 몇 cm^2인가요?

구하려는 것은? 직사각형의 [ ]

주어진 것은?
- 마름모의 한 변의 길이: [ ] cm
- (마름모의 둘레)=(직사각형의 둘레)
- 직사각형의 세로: [ ] cm

어떻게 풀까?
1. 마름모의 둘레를 구하고
2. 마름모의 둘레와 직사각형의 둘레가 같음을 이용하여 직사각형의 가로의 길이를 구한 다음,
3. 직사각형의 가로와 세로의 길이를 이용하여 넓이를 구하자.

해결해 볼까?

❶ 마름모의 둘레는 몇 cm?

전략 (한 변의 길이)×4

답 ____________

❷ 직사각형의 가로는 몇 cm?

전략 (직사각형의 가로와 세로의 합)
=(직사각형의 둘레)÷2

답 ____________

❸ 직사각형의 넓이는 몇 cm^2?

전략 (가로)×(세로)

답 

넓이를 이용하여 밑변의 길이(높이) 구하기

연계학습 145쪽

사다리꼴 ㄱㄴㄷㄹ의 넓이는 몇 cm^2인가요?

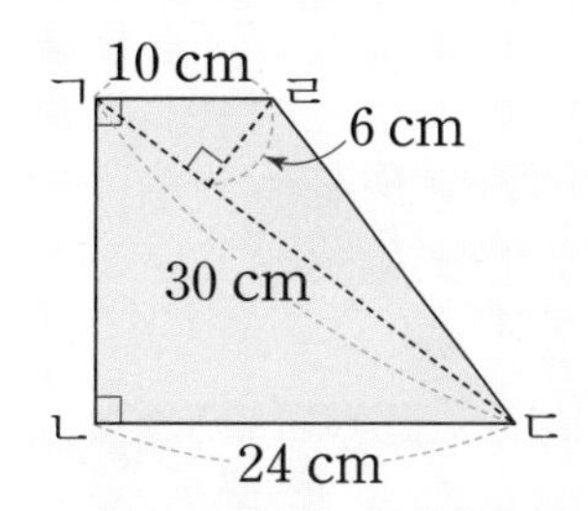

구하려는 것은? 사다리꼴 ㄱㄴㄷㄹ의 넓이

주어진 것은?
- 사다리꼴 ㄱㄴㄷㄹ의 윗변과 아랫변의 길이: 10 cm, ☐ cm
- 삼각형 ㄱㄷㄹ의 밑변의 길이를 30 cm라 할 때 높이: ☐ cm

어떻게 풀까?
1. 삼각형 ㄱㄷㄹ의 밑변을 선분 ㄱㄷ이라 할 때 넓이를 구하고
2. 1에서 구한 삼각형 ㄱㄷㄹ의 넓이와 선분 ㄱㄹ의 길이(밑변)를 이용하여 선분 ㄱㄴ의 길이(높이)를 구한 다음,
3. 사다리꼴 ㄱㄴㄷㄹ의 넓이를 구하자.

해결해 볼까?

❶ 삼각형 ㄱㄷㄹ의 넓이는 몇 cm^2?

전략 밑변을 선분 ㄱㄷ이라 할 때 높이는 6 cm이다.

답 

❷ 선분 ㄱㄴ은 몇 cm?

전략 ❶에서 구한 삼각형 ㄱㄷㄹ의 넓이를 이용하여 선분 ㄱㄹ을 밑변이라 할 때 식을 세우자.

답 

❸ 사다리꼴 ㄱㄴㄷㄹ의 넓이는 몇 cm^2?

전략 선분 ㄱㄴ은 사다리꼴 ㄱㄴㄷㄹ의 높이이다.

답 

창의·융합·코딩 체험하기

[코딩 1 ~ 2] 다음은 도형을 그리기 위한 코드입니다.
[보기]와 같이 그린 도형의 둘레는 몇 cm인지 구해 보세요.

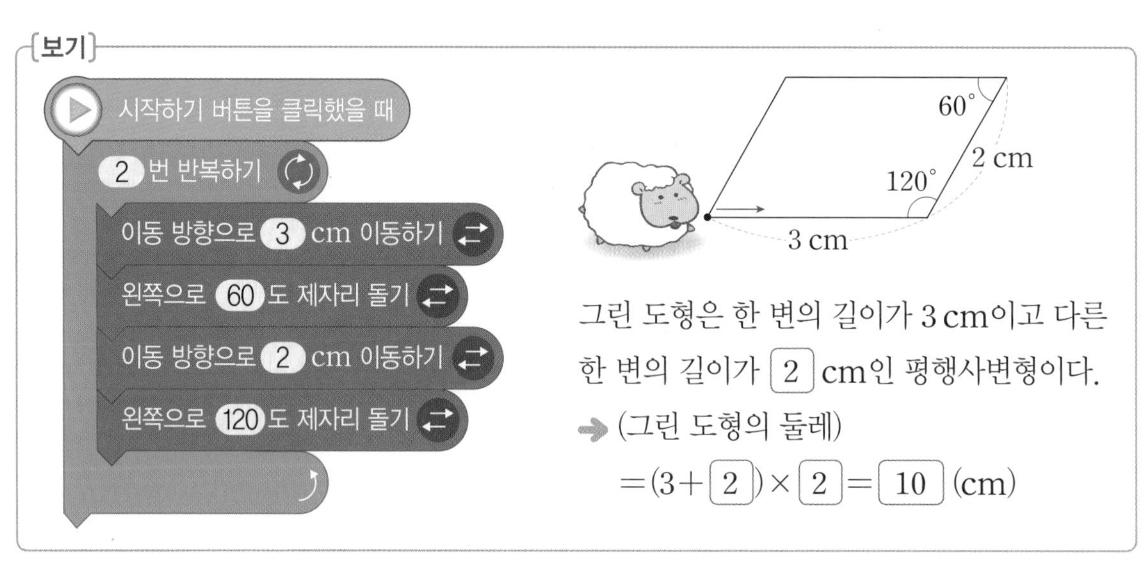

그린 도형은 한 변의 길이가 3 cm이고 다른 한 변의 길이가 [2] cm인 평행사변형이다.
➔ (그린 도형의 둘레)
$=(3+\boxed{2})\times\boxed{2}=\boxed{10}$ (cm)

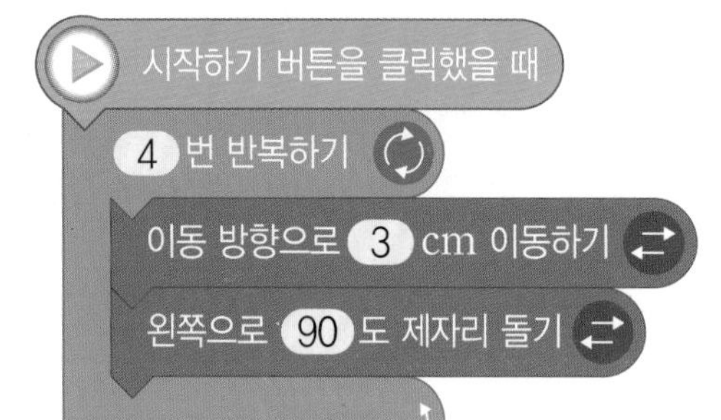

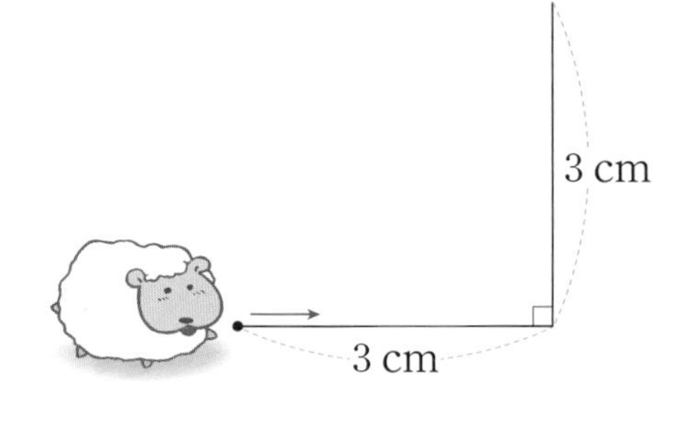

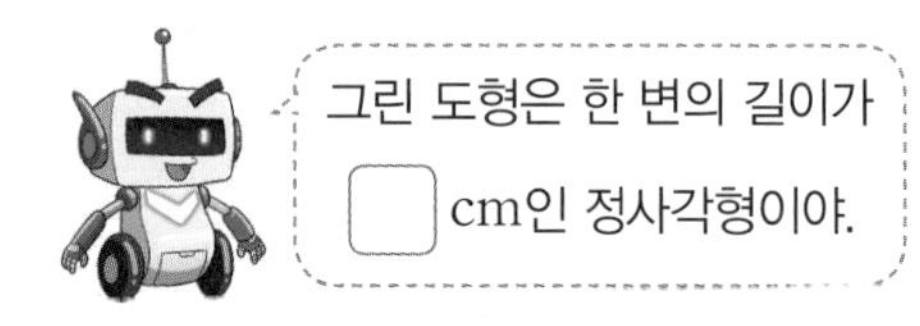

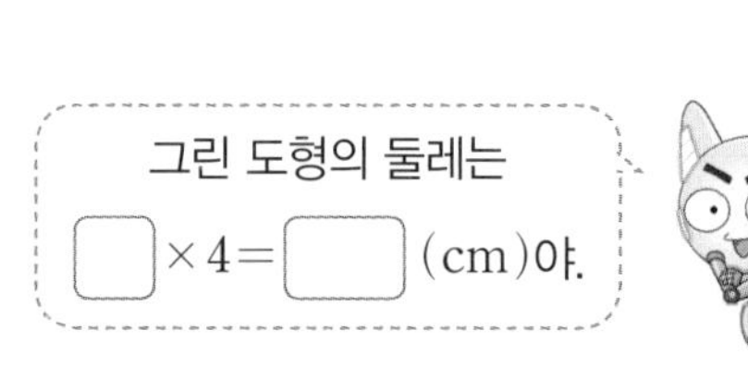

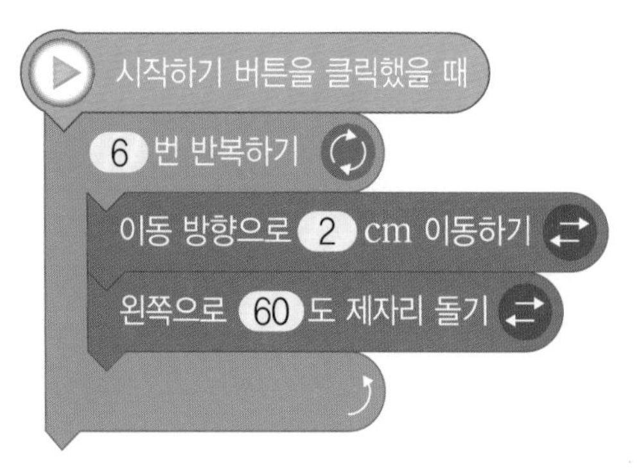

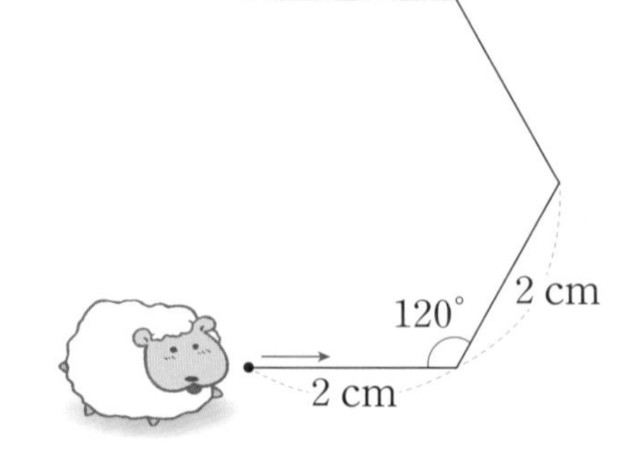

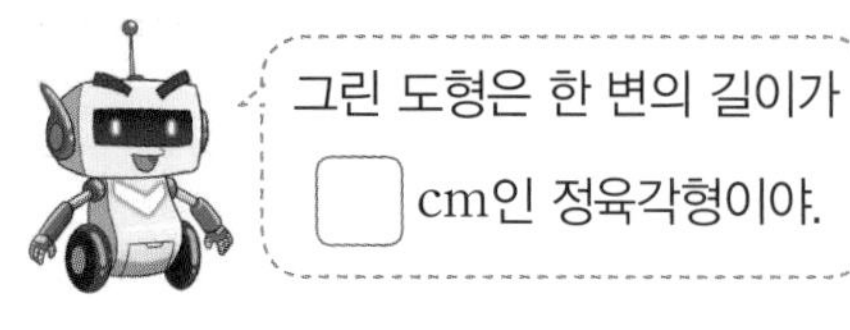

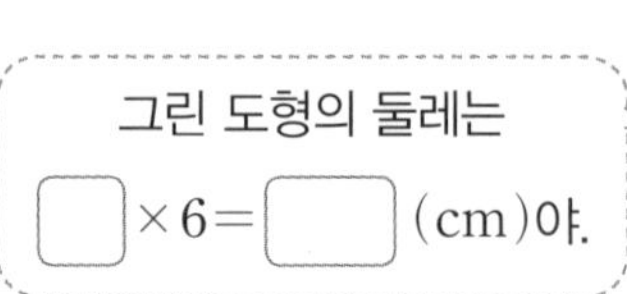

창의 3 노끈으로 다음과 같이 정사각형을 만들었다가/
노끈을 풀어서 조금 잘라 낸 후 직사각형을 만들었습니다./
새로운 직사각형을 만드는 데 사용한 노끈은 몇 cm인가요?

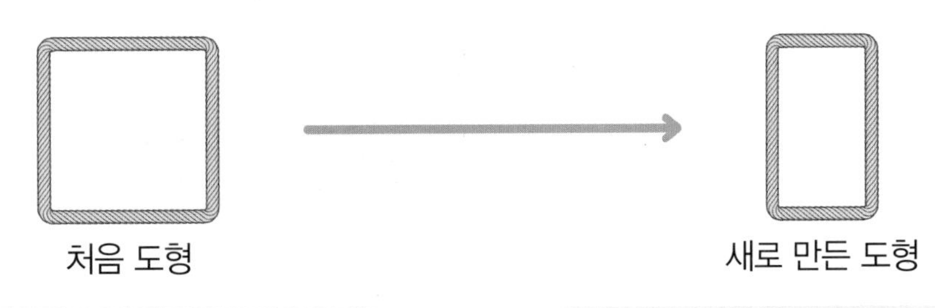

정사각형 한 변의 길이: 15 cm	처음 도형보다 가로는 6 cm 짧고 세로는 같은 직사각형

답

서아네 집의 설계도입니다./
서아 방의 넓이는 몇 m^2인가요?

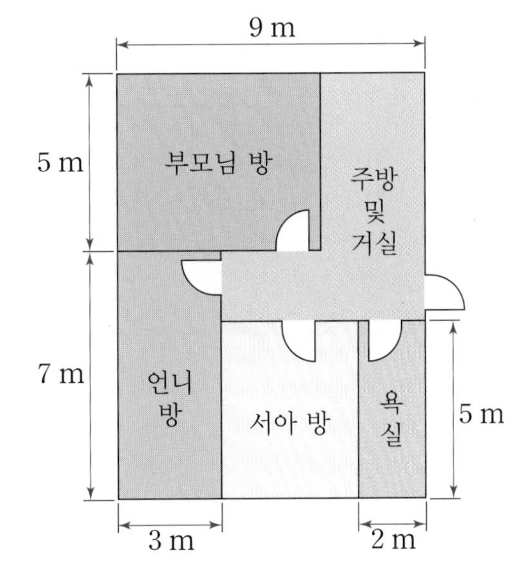

답

창의·융합·코딩 체험하기

창의 5 주희가 그린 체코 국기입니다./
파란색과 빨간색으로 색칠한 부분의 넓이는 몇 cm^2인가요?

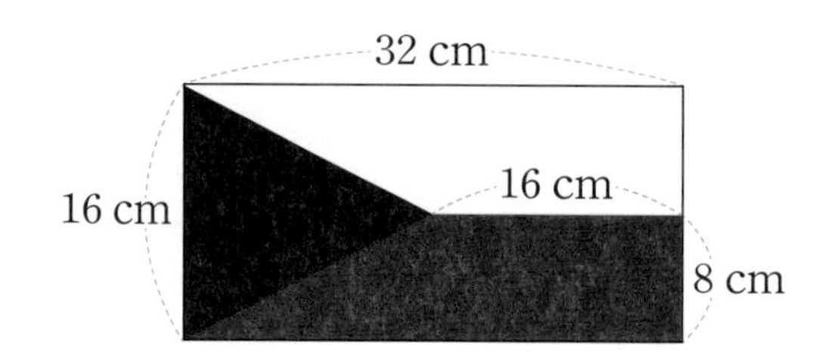

창의 6 지호네 학교 조회대입니다./
빨간색으로 둘러싸인 부분의 둘레는 몇 m인가요?

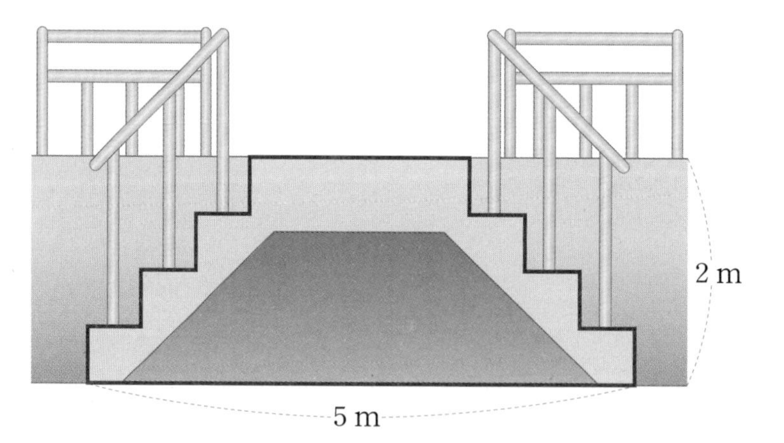

정사각형 모양의 도화지에 몬드리안 기법으로 그림을 그렸습니다./
색칠한 칸은 모두 정사각형일 때/
빨간색으로 색칠한 부분의 넓이는 몇 cm^2인가요?

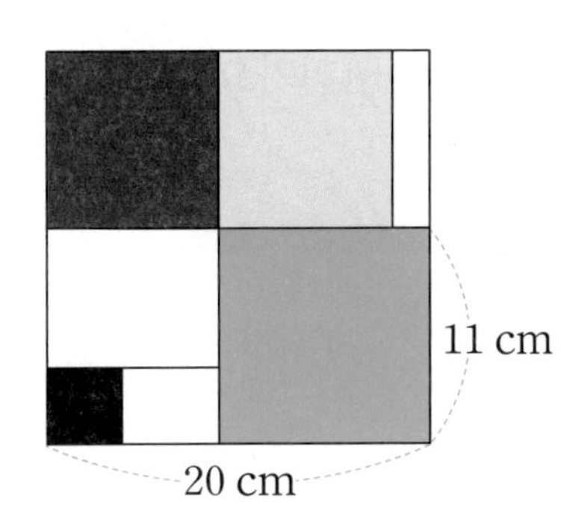

해가 움직이면서 키가 8 m인 나무의 그림자가 다음과 같이 생겼습니다./
㉠은 몇 m인가요?

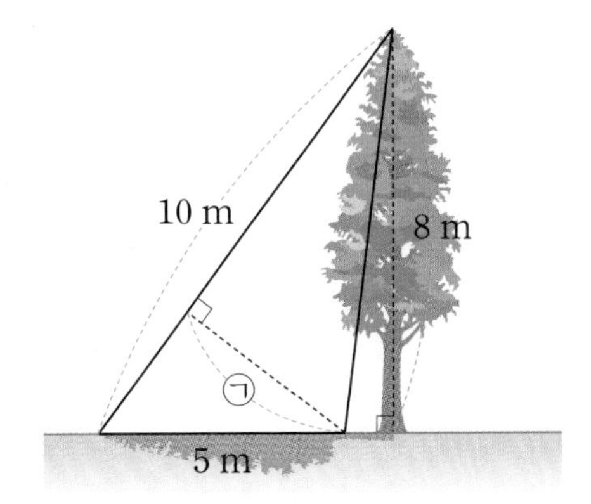

실전 마무리 하기

맞힌 문제 수

개 /10개

정다각형의 한 변의 길이 구하기

1 길이가 90 cm인 철사를 겹치지 않게 모두 사용하여 정육각형 모양 1개를 만들었습니다. 만든 정육각형의 한 변의 길이는 몇 cm인가요?

답

마름모의 넓이 구하기

2 오른쪽 그림과 같이 한 변의 길이가 10 m인 정사각형 안에 각 변의 한가운데를 이어 마름모를 그렸습니다. 마름모의 넓이는 몇 m^2인가요?

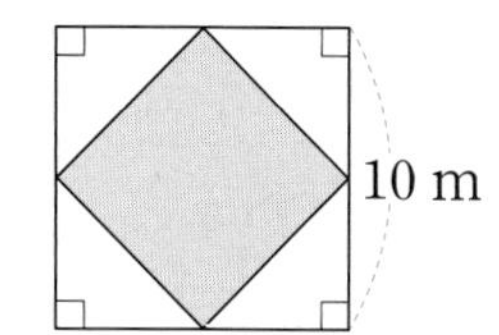

풀이

답

직사각형의 둘레를 이용하여 넓이 구하기 142쪽

3 둘레가 58 cm인 직사각형의 가로가 12 cm일 때 이 직사각형의 넓이는 몇 cm^2인가요?

넓이를 이용하여 한 변의 길이 구하기 148쪽

4 삼각형과 평행사변형의 넓이가 같을 때 평행사변형의 밑변의 길이는 몇 cm인가요?

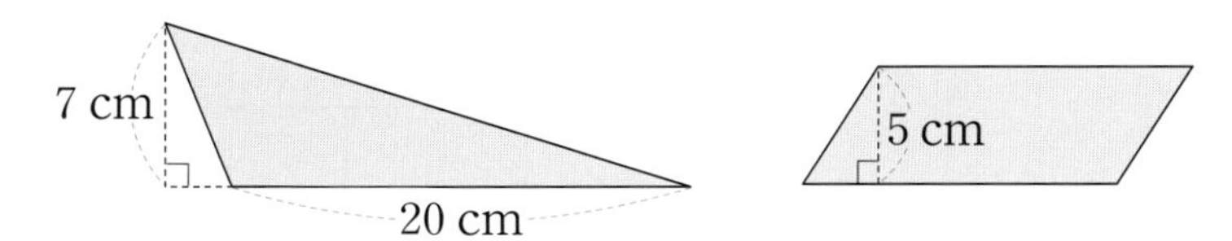

직사각형의 넓이를 이용하여 둘레 구하기 143쪽

5 가로가 25 cm, 세로가 4 cm인 직사각형이 있습니다. 이 직사각형과 넓이가 같은 정사각형을 만들었을 때 정사각형의 둘레는 몇 cm인가요?

답

둘레를 구하기 쉬운 도형으로 만들어 둘레 구하기 146쪽

6 도형의 둘레는 몇 cm인가요?

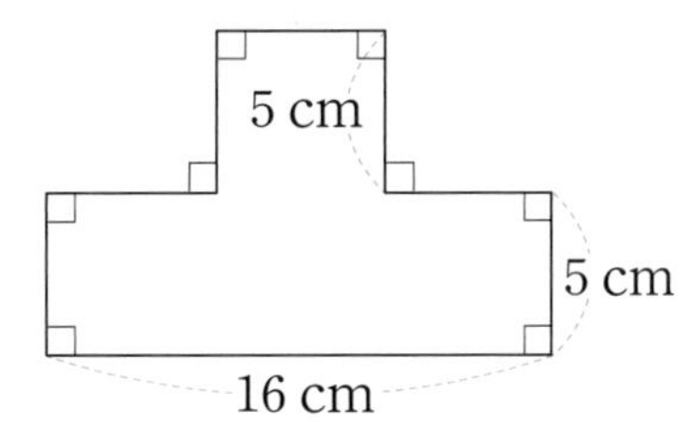

풀이

답

정사각형을 이어 붙인 도형의 둘레 구하기 149쪽

7 한 개의 둘레가 28 cm인 정사각형 5개를 그림과 같이 겹치지 않게 이어 붙였습니다. 이어 붙인 도형의 둘레는 몇 cm인가요?

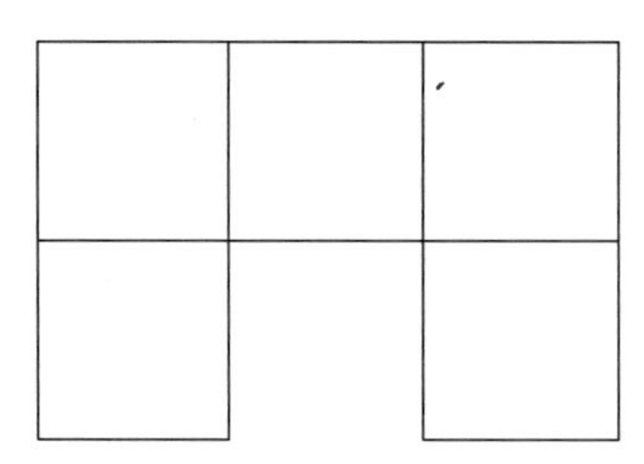

풀이

답 ______

넓이를 이용하여 밑변의 길이(높이) 구하기 145쪽

8 사다리꼴 ㄱㄴㄷㄹ에서 선분 ㄱㅁ은 몇 cm인가요?

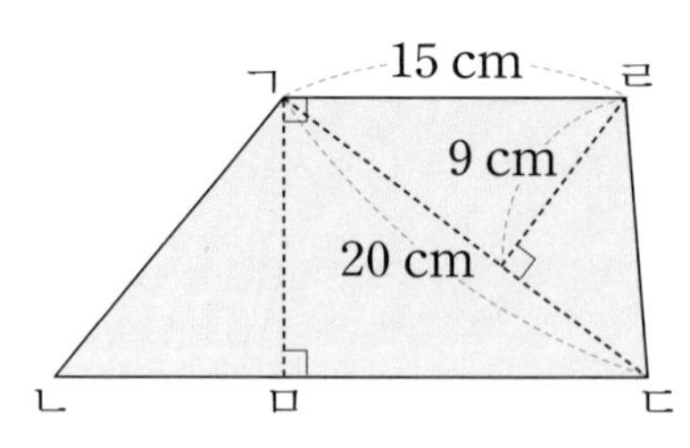

풀이

답 ______

다각형의 넓이 구하기 144쪽

9 사각형의 넓이는 몇 m^2인가요?

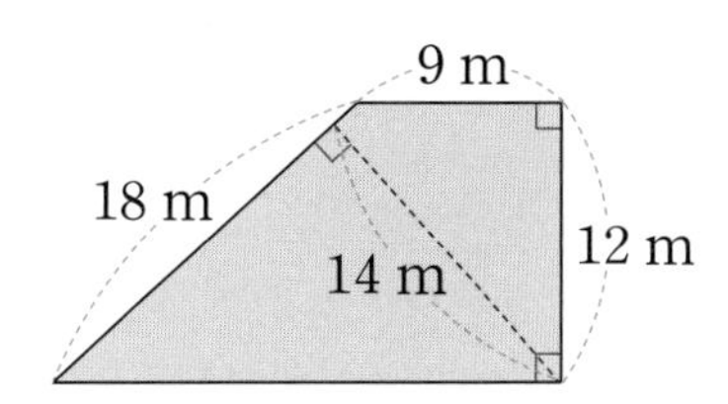

넓이를 구하기 쉬운 도형으로 만들어 넓이 구하기 147쪽

10 색칠한 부분의 넓이는 몇 cm^2인가요?

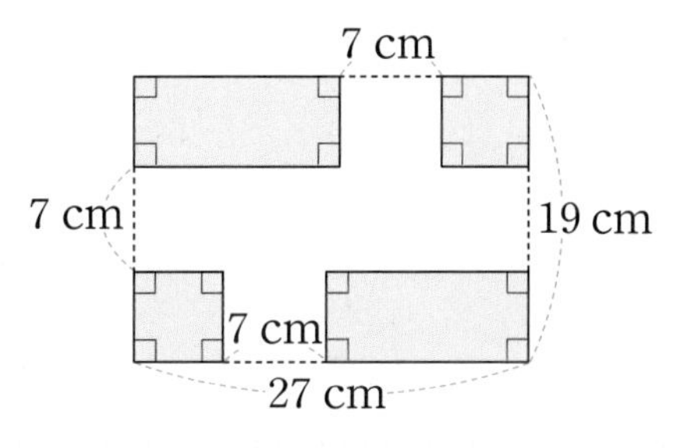

MEMO

www.chunjae.co.kr

힘이 되는 좋은 말

실패는 고통스럽다.
그러나 최선을 다하지 못했음을 깨닫는 것은
몇 배 더 고통스럽다.

Failure hurts, but realizing you didn't do your best
hurts even more.

앤드류 매슈스

살아가면서 실패는 누구나 겪는 감기몸살 같은 것이지만
최선을 다 하지 않은 것은 부끄러운 일이라고 합니다. 만약 최선을 다 하고도
실패했다면 좌절하지 마세요. 언젠가 값진 선물이 되어 다시 돌아올 테니까요.

#사다리타기 #수학핵인싸 #천재로_공부하면_천재되지

#난이도별 #천재되는_수학교재

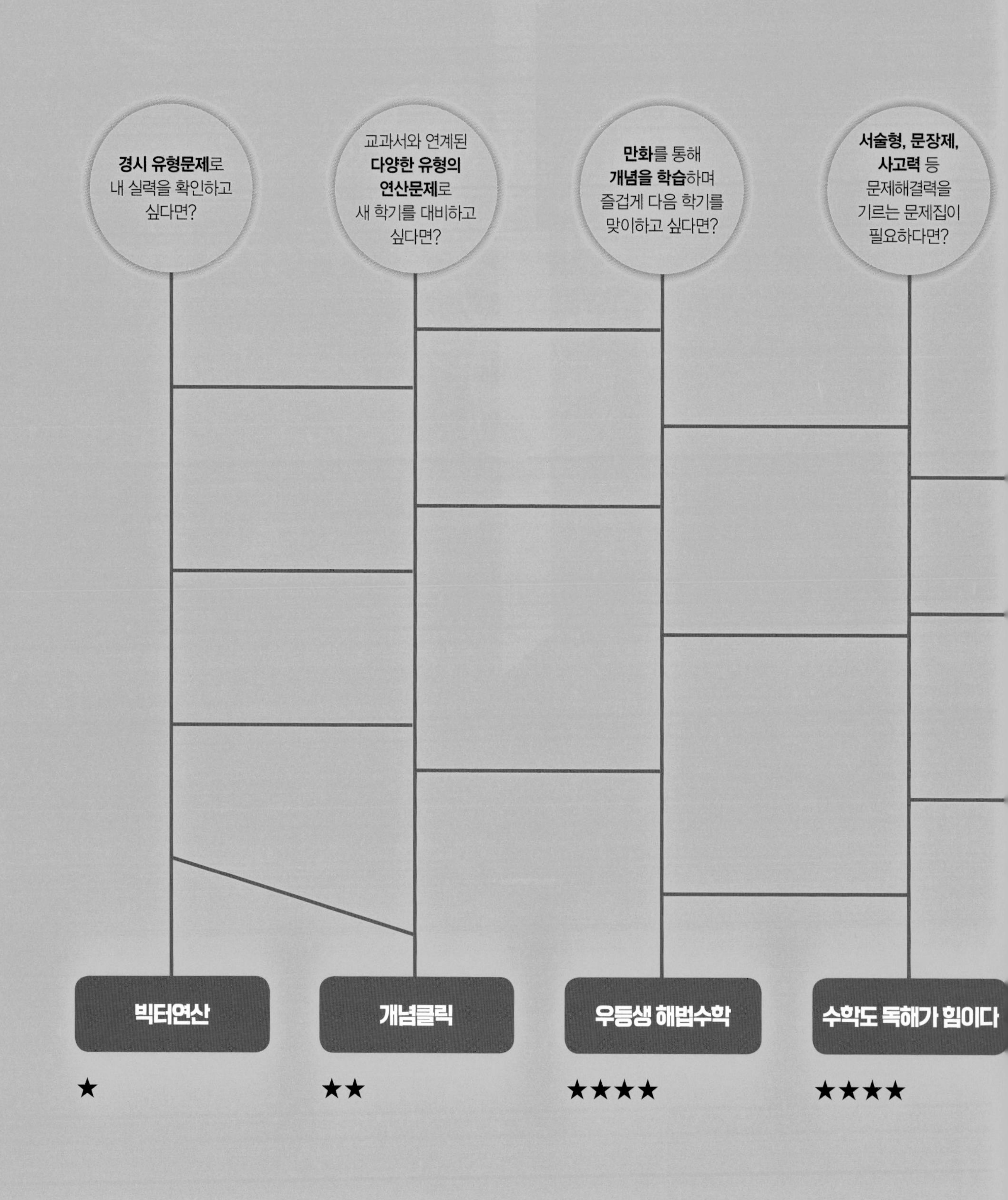

초등 수학 5-1

천재교육

정답과 풀이 포인트 3가지

- 혼자서도 이해할 수 있는 친절한 문제 풀이
- 문제 해결에 꼭 필요한 핵심 전략 제시
- 문제 분석과 쌍둥이 문제로 수학 독해력 완성

정답과 자세한 풀이

CONTENTS

빠른 정답

1 자연수의 혼합 계산

STEP 1 문제 해결력 기르기 6~11쪽

선행 문제 1
(1) 16, 8, 8 / 31
(2) 13, 20, 17 / 37

실행 문제 1
❶ 35, 13 ❷ 35, 13 / 13, 62
답 62개

쌍둥이 문제 1-1
40개

선행 문제 2
(1) 9, $53-(20+9)$
(2) 6, $30\div(5\times6)$

실행 문제 2
❶ 27, 9 ❷ 27, 9, 27 / 3
답 3개

쌍둥이 문제 2-1
8개

선행 문제 3
(1) 작아야에 ○표, 2
(2) 커야에 ○표, 7

실행 문제 3
❶ 작아야에 ○표, 2 /
커야에 ○표, 8
❷ 2, 8, 224
답 224

쌍둥이 문제 3-1
36

선행 문제 4
(1) 72, 8
(2) 8, 10

실행 문제 4
❶ 96, 16 ❷ 16, 16, 10
답 10

쌍둥이 문제 4-1
5

선행 문제 5
(1) 4500+1500
(2) 2000+5500

실행 문제 5
❶ 4000, 2
❷ 4000, 2 / 4000 / 7200, 2800
답 2800원

쌍둥이 문제 5-1
500원

선행 문제 6
(1) 작아져야에 ○표
(2) 커져야에 ○표

실행 문제 6
❶ 9
❷ 커져야에 ○표
❸ $(3+2)\times5-4=21$
답 $(3+2)\times5-4=21$

쌍둥이 문제 6-1
$14+(28-14)\div7=16$

STEP 2 수학 사고력 키우기 12~17쪽

대표 문제 1
구 한
주 18, 9
❶ 18×4÷9 ❷ 8개

쌍둥이 문제 1-1
48개

대표 문제 2
구 20
주 2, 20
❶ 20÷(5×2) ❷ 2개

쌍둥이 문제 2-1
3시간

대표 문제 3
구 작을
❶ 커야에 ○표, 7 /
작아야에 ○표, 3
❷ 18

쌍둥이 문제 3-1
16

대표 문제 4
❶ 9 ❷ 5 ❸ 2

쌍둥이 문제 4-1
4

대표 문제 5
구 남은
주 2, 400, 1400
❶ 400, 2, 2400, 2
❷ 5000
−(400×2+1400+2400÷2)
=1600,
1600원

쌍둥이 문제 5-1
5800원

대표 문제 6
❶ 38
❷ 커져야 한다.
❸ $9\times(3+15-4)=126$

쌍둥이 문제 6-1
$60\div(6-5+4)=12$

STEP 3 수학 독해력 완성하기 18~21쪽

독해 문제 1
❶ 4500+2500
❷ 7500−(4500+2500)=500,
500원

독해 문제 2
❶ 예 떡 50개를 한 상자에 5개씩 2 줄로 담으려고 한다. 떡을 모두 담으려면 필요한 상자는 몇 개인가?
❷ 예 5개

독해 문제 | 3

❶ (48+54)÷6

❷ (48+54)÷6−10=7, 7 kg

독해 문제 | 4

❶ 11+10×11−10 ❷ 111

독해 문제 | 5

주 5, 9, 86

❶ 86, 5

❷ (86−32)×5÷9=30, 30

독해 문제 | 6

주 ÷

❶ 7 ❷ 6 ❸ ×

STEP 4 창의·융합·코딩 체험하기 22~25쪽

융합 1 −, 20

융합 2 −, 0

창의 3 18

코딩 4 있다.

창의 5 243

창의 6 180

융합 7 Q

코딩 8

2	T	Q	4	E	2	W	U
2	×	(	4	+	2	)	=

/ 12

종합 평가 실전 마무리하기 26~29쪽

1 $120\div(6\times5)=4$

2 ㉠

3 41개

4 2시간

5 1000원

6 8

7 1

8 2 kg

9 4900원

10 $(20-5)\times3+14=59$

2 약수와 배수

STEP 1 문제 해결력 기르기 32~37쪽

선행 문제 1

(1) 약수

(2) 48

실행 문제 1

❶ 20 ❷ 4, 10, 20 / 6

답 6개

쌍둥이 문제 1-1

6개

선행 문제 2

21, 28 / 21, 28

실행 문제 2

❶ 14 / 42, 56, 70

❷ 28, 42, 56 ❸ 5

답 5번

쌍둥이 문제 2-1

6번

선행 문제 3

(1) 배수에 ○표 / 20 / 20, 40, 60

(2) 배수 / 24 / 24, 48, 72

실행 문제 3

❶ 40 ❷ 80, 120

❸ 40, 80

답 40, 80

쌍둥이 문제 3-1

12, 24, 36, 48

선행 문제 4

(1) 최대공약수에 ○표

(2) 최소공배수에 ○표

실행 문제 4

❶ 최대공약수에 ○표

❷ 10

❸ 10, 3 / 10, 2

답 3개, 2개

쌍둥이 문제 4-1

10개, 3개

선행 문제 5

(1) 2, 공배수

(2) 6, 2

실행 문제 5

❶ 공배수, 3

❷ 72

❸ 72, 75

답 75

쌍둥이 문제 5-1

17

선행 문제 6

① 27 ② 45 /

27, 45

실행 문제 6

❶ 28, 40 ❷ 28, 40

❸ 2, 4

❹ 4

답 4

쌍둥이 문제 6-1

3, 6

STEP 2 수학 사고력 키우기 38~43쪽

대표 문제 1

주 35

❶ 약수에 ○표

❷ 1, 5, 7, 35

❸ 35, 7, 5

❹ 3가지

쌍둥이 문제 | 1-1

2가지

대표 문제 2

구 4

주 8, 11

❶ 8, 16, 24

❷ 8, 16, 24

❸ 11시 24분

쌍둥이 문제 | 2-1

1시 48분

대표 문제 3

구 9

❶ 공배수 ❷ 45, 90, 135

❸ 90

쌍둥이 문제 3-1

72

대표 문제 4

구 1

주 12, 8

❶ 24분 후 ❷ 24, 48

❸ 2번

쌍둥이 문제 4-1

1번

대표 문제 5

구 작은

주 2, 2

❶ 6, 공배수, 2

❷ 12 ❸ 14

쌍둥이 문제 5-1

51

대표 문제 6

주 3, 2

❶ 35 / 2, 21

❷ 1, 7

❸ 7

쌍둥이 문제 6-1

7, 14

STEP 3 수학 독해력 완성하기 44~47쪽

독해 문제 1

❶ 1, 2, 3, 5, 6, 10, 15, 30

❷ 6, 10, 15

❸ 15

독해 문제 2

❶ 6 cm

❷ 5장, 4장

❸ 20장

독해 문제 3

❶ 4, 3

❷ 12

❸ 3번

독해 문제 4

❶ 3 / 3, 30

❷ 2

❸ 10

독해 문제 5

주 2, 3, 1

❶ 6일

❷ 31일

❸ 7일, 13일, 19일, 25일, 31일

❹ 6일

독해 문제 6

주 4, 4

❶ 9, 공배수, 4

❷ 36, 72

❸ 40, 76

STEP 4 창의·융합·코딩 체험하기 48~51쪽

창의 1 풀이 참고

융합 2 ㄴ

코딩 3 12

코딩 4 21

창의 5 풀이 참고, 4개

융합 6 1011

창의 7 3개

종합평가 실전 마무리하기 52~55쪽

1 1, 2, 3, 4, 6, 8, 12, 24

2 11, 22, 33

3 7번

4 30, 60, 90

5 14

6 5개, 8개

7 3번

8 21

9 87

10 5, 10

3 규칙과 대응

STEP 1 문제 해결력 기르기 58~63쪽

선행 문제 1

(1) ×, ÷ (2) ×, ÷

실행 문제 1

❶ 16, 24, 32 ❷ ■, ▲

식 ■×8=▲ (또는 ▲÷8=■)

쌍둥이 문제 1-1

△×10=☆ (또는 ☆÷10=△)

선행 문제 2

1 / 1 / 1

실행 문제 2

❶ 2, 3, 4, 5 / 1 / 초록, 노란

❷ 1, 31

답 31개

선행 문제 3

1 / 1, 1

실행 문제 3

❶ 3, 4 / 도화지, 누름 못

❷ 1, 8

답 8개

쌍둥이 문제 3-1

7개

선행 문제 4

2009, − / 2009, +

실행 문제 4

❶ 2006, 2006 ❷ 2006, 24

답 24살

쌍둥이 문제 4-1

2028년

선행 문제 5

×, ÷

실행 문제 5

❶ 5, 5 ❷ 5, 4

답 4

쌍둥이 문제 5-1

90

선행 문제 6

3, 3, 3

실행 문제 6

❶ 5, 7 / 2, 1 ❷ 2, 1, 15

답 15개

쌍둥이 문제 6-1

31개

STEP 2 수학 사고력 키우기 64~69쪽

대표 문제 1

주 3000, 2000

❶ (위에서부터) 7000, 4000 / 9000, 6000

❷ △+3000=○, ○−3000=△

쌍둥이 문제 1-1

☆+10=□, □−10=☆

대표 문제 2

❶ 3, 4, 5, 6 / 예 (검은 바둑돌의 수)−1 =(흰 바둑돌의 수)

❷ 14개

쌍둥이 문제 2-1

11개

대표 문제 3

구 10

❶ 2, 3, 4, 5 / 예 (겹친 부분의 수)+1 =(색 테이프의 수)

❷ 11장

쌍둥이 문제 3-1

10번

대표 문제 4

구 20 주 12, 17

❶ 예 (소희의 나이)+5 =(언니의 나이)

❷ 25살

쌍둥이 문제 4-1

12살

대표 문제 5

구 24

주 3, 9

❶ 예 (선주가 말한 수)÷3 =(정훈이가 답한 수)

❷ 8

쌍둥이 문제 5-1

21

대표 문제 6

❶ 5, 7, 9, 11, 13 / 예 (수 카드의 수)×2+1 =(육각형의 수)

❷ 25개

쌍둥이 문제 6-1

31개

STEP 3 수학 독해력 완성하기 70~73쪽

독해 문제 1

❶ 4, 9, 16, 25

❷ 예 (순서)×(순서)=(바둑돌의 수)

❸ 144개

독해 문제 2

❶ 예 △÷2=□

❷ 7층

독해 문제 3

❶ 예 □×5=○

❷ 예 ○+2=△

❸ 예 □×5+2=△

독해 문제 4

❶ 예 (서울의 시각)−7시간 =(베를린의 시각)

❷ 오후 1시

독해 문제 5

구 10

주 10

❶ 6, 8, 10, 12

❷ 예 (도화지의 수)×2+2 =(누름 못의 수)

❸ 22개

독해 문제 6

구 7

주 3, 7

❶ 6번

❷ 예 (자른 횟수)×3 =(걸리는 시간)

❸ 18분

STEP 4 창의·융합·코딩 체험하기 74~77쪽

코딩 1 28

융합 2 □×16=○ (또는 ○÷16=□)

창의 3 65

창의 4 20

창의 5 △−3=☆ (또는 ☆+3=△)

융합 6 오후 6시 50분

창의 7 △×6=○ (또는 ○÷6=△)

융합 8 26 cm

종합 평가 실전 마무리하기 78~81쪽

1 △+3=☆ (또는 ☆−3=△)

2 □×6=○, ○÷6=□

3 예 ◇×45=△, 900 m

4 13개

5 8개

6 19장

7 48살

8 예 □=○×○, 10째

9 8층

10 20개

4 약분과 통분

STEP 1 문제 해결력 기르기 84~89쪽

선행 문제 1

7, 3, $\frac{3}{7}$

실행 문제 1

❶ 39, 39

❷ 3 / 3, 3, $\frac{13}{16}$

답 $\frac{13}{16}$

쌍둥이 문제 1-1

$\frac{2}{3}$

선행 문제 2

최소공배수에 ○표, 14, 14

실행 문제 2

❶ 20 ❷ 20, 40, 60, 80

답 20, 40, 60, 80

쌍둥이 문제 2-1

24, 48, 72, 96

선행 문제 3

(1) 6 / 3, 4, 5, 6 (2) 8 / 6, 7, 8

실행 문제 3

❶ 5, 6, 7 ❷ 5, 7 / 4

답 4개

쌍둥이 문제 3-1

2개

선행 문제 4

(1) 6, 12, 12, 20

(2) 14, 12, 28, 20

(3) 12, 33, 24, 55

실행 문제 4

❶ 15, 20, 25 ❷ 25, $\frac{25}{45}$

답 $\frac{25}{45}$

쌍둥이 문제 4-1

$\frac{30}{65}$

선행 문제 5

(1) 9, 4 (2) 28, 9

실행 문제 5

❶ 21, 4 ❷ 21 ❸ 4, 5, 5

답 5

쌍둥이 문제 5-1

8

선행 문제 6

3 / 3, 6

실행 문제 6

❶ $\frac{2}{5}$ / $\frac{2}{8}$, $\frac{5}{8}$ ❷ $\frac{2}{5}$, $\frac{5}{8}$

답 $\frac{2}{5}$, $\frac{5}{8}$

쌍둥이 문제 6-1

$\frac{3}{7}$, $\frac{7}{9}$

STEP 2 수학 사고력 키우기 90~95쪽

대표 문제 1

구 기약분수 주 21, 14

❶ 35명 ❷ $\frac{14}{35}$ ❸ $\frac{2}{5}$

쌍둥이 문제 1-1

$\frac{9}{20}$

대표 문제 2

구 100 주 $\frac{4}{15}$

❶ 30 ❷ 30, 60, 90, 120

❸ 30, 60, 90

쌍둥이 문제 2-1

42, 84, 126

대표 문제 3

구 10

❶ $\frac{1}{10}$, $\frac{2}{10}$, $\frac{3}{10}$, $\frac{4}{10}$, $\frac{5}{10}$, $\frac{6}{10}$, $\frac{7}{10}$, $\frac{8}{10}$, $\frac{9}{10}$

❷ $\frac{1}{10}$, $\frac{3}{10}$, $\frac{7}{10}$, $\frac{9}{10}$ ❸ 20

쌍둥이 문제 3-1

24

대표 문제 4

구 20, 30

❶ $\frac{6}{16}$, $\frac{9}{24}$, $\frac{12}{32}$, $\frac{15}{40}$, $\frac{18}{48}$

❷ $\frac{15}{40}$

쌍둥이 문제 4-1

$\frac{28}{48}$

대표 문제 5

구 큰

❶ 16, 5, 28 ❷ 5

쌍둥이 문제 5-1

7

대표 문제 6

구 큰

❶ 5, 7, 8

❷ $\frac{1}{5}$, $\frac{1}{7}$, $\frac{5}{7}$, $\frac{1}{8}$, $\frac{5}{8}$, $\frac{7}{8}$ ❸ $\frac{7}{8}$

쌍둥이 문제 6-1

$\frac{2}{9}$

STEP 3 수학 독해력 완성하기 96~99쪽

독해 문제 1

❶ 28 ❷ $\frac{2}{7}$, $\frac{3}{4}$

독해 문제 2

❶ $\frac{42}{90}$, $\frac{50}{90}$ ❷ 7개

독해 문제 3

❶ $\frac{5}{6}$, $\frac{2}{3}$ ❷ $\frac{2}{3}$

독해 문제 4

❶ 45 ❷ $\frac{45}{100}$ ❸ 80

독해 문제 5

구 큰 주 $\frac{2}{5}$, $\frac{8}{11}$

❶ 20, 2 ❷ 6, 7, 8, 9

❸ 9

독해 문제 6

구 큰 주 8, 9

❶ 3, 8, 9

❷ $\frac{2}{3}$, $\frac{2}{8}$, $\frac{3}{8}$, $\frac{2}{9}$, $\frac{3}{9}$, $\frac{8}{9}$ ❸ 2개

4 STEP 창의·융합·코딩 체험하기 100~103쪽

코딩 1 (계산 순서대로) $\frac{2}{5}$, $\frac{8}{20}$, $\frac{10}{25}$

코딩 2 스, 몸, 비

융합 3 $\frac{5}{8}$

창의 4 28, 36

창의 5 토끼

창의 6 주현, 소정, 정수

창의 7 의, 2, 를, 약, 분, 하, 세, 요 / $\frac{1}{4}$

융합 8 잘 어울리는 음에 ○표

종합 평가 실전 마무리하기 104~107쪽

1 $\frac{4}{6}$ 2 도서관 3 $\frac{13}{28}$

4 2개 5 60 6 $\frac{5}{8}$, $\frac{3}{10}$

7 $\frac{30}{66}$ 8 6 9 28

10 0.75

5 분수의 덧셈과 뺄셈

1 STEP 문제 해결력 기르기 110~115쪽

선행 문제 1

$\frac{1}{4}$, 21, $1\frac{1}{20}$

실행 문제 1

❶ $\frac{5}{6}$, 37, $1\frac{7}{30}$

❷ $1\frac{7}{30}$, >, 있다에 ○표

답 탈 수 있다.

쌍둥이 문제 1-1

담을 수 있다.

선행 문제 2

1, 1, 1, $\frac{8}{8}$, $\frac{3}{8}$

실행 문제 2

❶ $\frac{1}{6}$, $\frac{7}{18}$ ❷ $\frac{7}{18}$, $\frac{11}{18}$

답 $\frac{11}{18}$

쌍둥이 문제 2-1

$\frac{1}{12}$

선행 문제 3

9, 10 / $\frac{8}{9}$, $\frac{9}{10}$, $\frac{9}{10}$, $\frac{6}{7}$

실행 문제 3

❶ 8, $\frac{7}{8}$, $\frac{3}{4}$ ❷ $\frac{7}{8}$, $\frac{3}{4}$, $\frac{1}{8}$

답 $\frac{1}{8}$ m

쌍둥이 문제 3-1

$\frac{7}{18}$ L

선행 문제 4

(1) $\square+\frac{9}{20}=\frac{5}{8}$

(2) $\square-\frac{8}{15}=\frac{4}{9}$

실행 문제 4

❶ $2\frac{3}{4}$, $8\frac{3}{8}$ ❷ $8\frac{3}{8}$, $2\frac{3}{4}$, $5\frac{5}{8}$

❸ $5\frac{5}{8}$, $2\frac{7}{8}$

답 $2\frac{7}{8}$

쌍둥이 문제 4-1

$6\frac{7}{10}$

선행 문제 5

50, 100 / 100, 70

실행 문제 5

❶ $1\frac{3}{5}$, $3\frac{1}{5}$ ❷ $3\frac{1}{5}$, $3\frac{1}{30}$

답 $3\frac{1}{30}$ m

쌍둥이 문제 5-1

$5\frac{1}{24}$ m

선행 문제 6

(1) 7, $7\frac{1}{4}$ (2) 1, $1\frac{4}{7}$

실행 문제 6

❶ $4\frac{2}{3}$ ❷ $2\frac{3}{4}$ ❸ $4\frac{2}{3}$, $2\frac{3}{4}$, $7\frac{5}{12}$

답 $7\frac{5}{12}$

쌍둥이 문제 6-1

$4\frac{1}{6}$

2 STEP 수학 사고력 키우기 116~121쪽

대표 문제 1

구 보건소 주 $1\frac{4}{9}$, $1\frac{5}{8}$

❶ $3\frac{5}{72}$ km ❷ 버스

쌍둥이 문제 1-1

상자

대표 문제 2

주 $\frac{3}{10}$, $\frac{1}{4}$

❶ $\frac{11}{20}$ ❷ $\frac{9}{20}$

쌍둥이 문제 2-1

$\frac{1}{24}$

대표 문제 3

구 차 주 $2\frac{1}{2}$, $1\frac{4}{5}$

❶ $2\frac{1}{2}$ kg ❷ $1\frac{2}{3}$ kg ❸ $\frac{5}{6}$ kg

쌍둥이 문제 3-1

$\frac{2}{3}$ m

대표 문제 4

❶ $\square+2\frac{1}{3}=5\frac{5}{9}$ ❷ $3\frac{2}{9}$ ❸ $\frac{8}{9}$

쌍둥이 문제 4-1

$9\frac{1}{4}$

대표 문제 5

주 (위에서부터) $\frac{3}{4}$, $\frac{5}{8}$

❶ $1\frac{2}{3}$ m ❷ $\frac{5}{8}$ m ❸ $1\frac{1}{24}$ m

쌍둥이 문제 5-1

$2\frac{3}{4}$ m

대표 문제 6

구 큰

❶ $8\frac{1}{3}$ ❷ $7\frac{4}{5}$ ❸ $16\frac{2}{15}$

쌍둥이 문제 6-1

$2\frac{4}{45}$

STEP 3 수학 독해력 완성하기 122~125쪽

독해 문제 1

❶ $4\frac{1}{3}$, $3\frac{4}{9}$, $2\frac{5}{6}$

❷ $4\frac{1}{3}+3\frac{4}{9}=7\frac{7}{9}$

독해 문제 2

❶ $3\frac{17}{36}$ km ❷ $\frac{11}{12}$ km ❸ $\frac{11}{12}$ km

독해 문제 3

❶ $2\frac{7}{8}$ kg ❷ $1\frac{7}{8}$ kg

독해 문제 4

❶ $4\frac{1}{3}$ m ❷ 6 m ❸ 은행나무

독해 문제 5

주 $\frac{3}{8}$, 144

❶ $\frac{23}{24}$ ❷ $\frac{1}{24}$ ❸ 6쪽

독해 문제 6

주 $1\frac{1}{6}$, $\frac{3}{8}$

❶ $3\frac{1}{2}$ m ❷ $\frac{3}{4}$ m ❸ $2\frac{3}{4}$ m

STEP 4 창의·융합·코딩 체험하기 126~129쪽

융합 1 $\frac{5}{6}$

융합 2 초록색 물, $2\frac{11}{12}$ kg

코딩 3 $3\frac{2}{9}$, $4\frac{5}{6}$, $8\frac{1}{18}$

코딩 4 $9\frac{3}{5}$, $2\frac{2}{3}$, $12\frac{4}{15}$

융합 5 $1\frac{3}{4}$박

코딩 6 $\frac{2}{3}$

창의 7 $\frac{1}{2}$, $\frac{1}{8}$

창의 8 $\frac{1}{32}$, $\frac{8}{64}$, $\frac{2}{64}$, $\frac{63}{64}$

종합 평가 실전 마무리하기 130~133쪽

1 $2\frac{3}{28}$ L　2 우진, $\frac{5}{12}$시간

3 지하철　4 $\frac{1}{15}$

5 $5\frac{1}{6}-2\frac{3}{4}=2\frac{5}{12}$　6 $2\frac{8}{15}$

7 $\frac{13}{21}$ kg　8 $\frac{5}{9}$ km

9 $1\frac{1}{14}$　10 $1\frac{1}{18}$ m

6 다각형의 둘레와 넓이

STEP 1 문제 해결력 기르기 136~141쪽

선행 문제 1

(1) 40, 20 (2) 82, 41

실행 문제 1

❶ 44, 22 ❷ 22, 14

답 14 cm

쌍둥이 문제 1-1

16 cm

선행 문제 2

(1) 6, 9 (2) 7, 7, 7

실행 문제 2

❶ 9, 9, 9 ❷ 9, 36

답 36 cm

쌍둥이 문제 2-1

28 cm

선행 문제 3

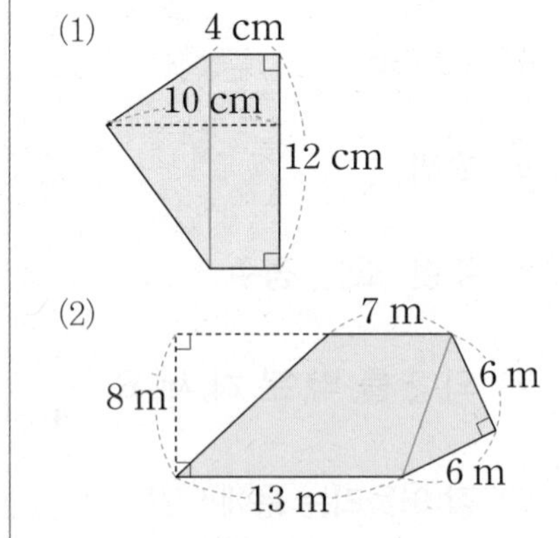

실행 문제 3

❶

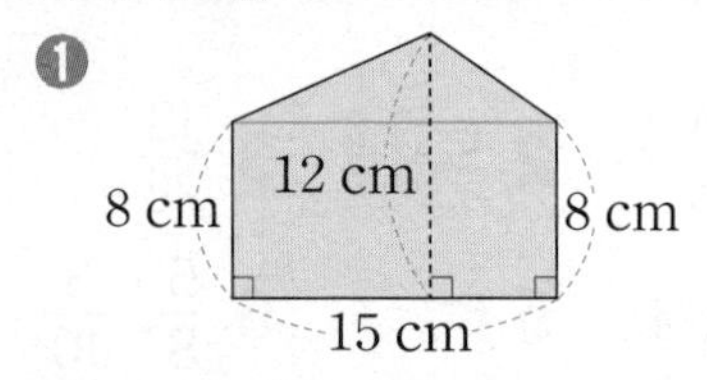

❷ 4, 30 / 15, 120

❸ 30, 120, 150

답 150 cm^2

쌍둥이 문제 3-1

79 m²

선행 문제 4

(1) 10 (2) 12

실행 문제 4

❶ 10, 90
❷ 90, 90, 15
답 15 cm

쌍둥이 문제 4-1

9 cm

선행 문제 5

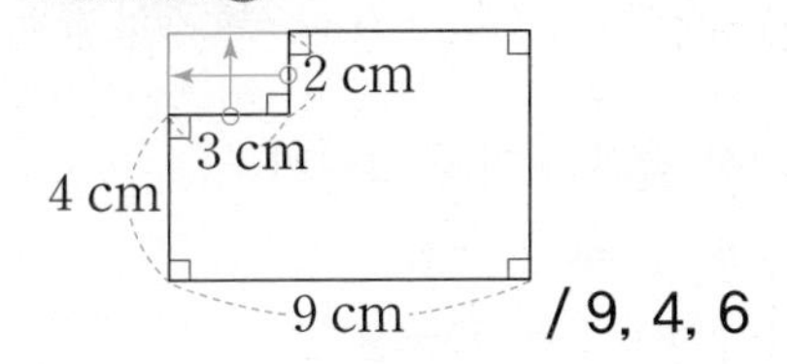

/ 9, 4, 6

실행 문제 5

❶
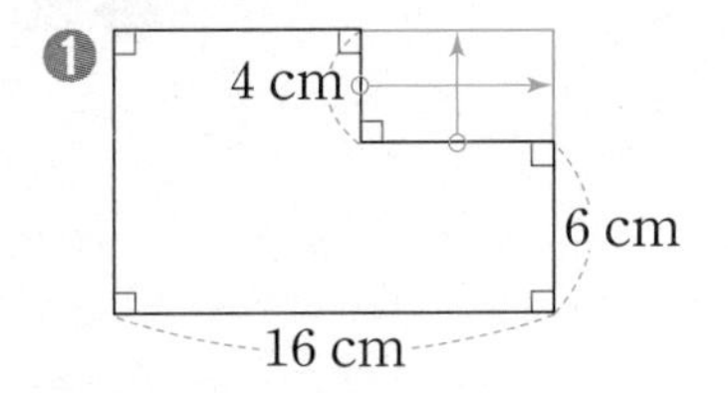

❷ 6, 10
❸ 16, 10, 16, 10, 52
답 52 cm

쌍둥이 문제 5-1

42 cm

선행 문제 6

6, 5 / 2, 3

실행 문제 6

❶ 4, 14
❷ 3, 10
❸ 14, 10, 140
답 140 cm²

쌍둥이 문제 6-1

112 cm²

STEP 2 수학 사고력 키우기 142~147쪽

대표 문제 1

구 넓이 주 58, 14
❶ 29 cm ❷ 15 cm ❸ 210 cm²

쌍둥이 문제 1-1

260 cm²

대표 문제 2

주 12, 8
❶ 144 cm² ❷ 18 cm ❸ 52 cm

쌍둥이 문제 2-1

56 cm

대표 문제 3

❶ 153 cm² ❷ 60 cm²
❸ 93 cm²

쌍둥이 문제 3-1

109 m²

대표 문제 4

❶ 35 cm² ❷ 7 cm ❸ 10 cm

쌍둥이 문제 4-1

6 cm

대표 문제 5

❶
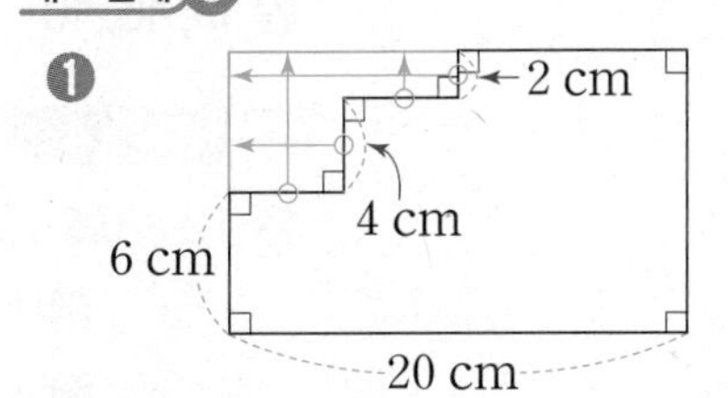

❷ 20 cm, 12 cm
❸ 64 cm

쌍둥이 문제 5-1

50 cm

대표 문제 6

❶ 10 cm ❷ 15 cm ❸ 150 cm²

쌍둥이 문제 6-1

260 m²

STEP 3 수학 독해력 완성하기 148~151쪽

독해 문제 1

❶ 5 cm ❷ 25 cm

독해 문제 2

❶ 72 cm² ❷ 12 cm

독해 문제 3

❶ 12 cm, 12 cm ❷ 72 cm²

독해 문제 4

❶ 5 cm ❷ 8개 ❸ 40 cm

독해 문제 5

구 넓이 주 13, 11
❶ 52 cm ❷ 15 cm ❸ 165 cm²

독해 문제 6

주 24, 6
❶ 90 cm² ❷ 18 cm
❸ 306 cm²

STEP 4 창의·융합·코딩 체험하기 152~155쪽

코딩 1 3, 3, 12

코딩 2 2, 2, 12

창의 3 48 cm

융합 4 20 m²

창의 5 320 cm²

창의 6 14 m

융합 7 81 cm²

융합 8 4 m

종합 평가 실전 마무리 하기 156~159쪽

1 15 cm 2 50 m²
3 204 cm² 4 14 cm
5 40 cm 6 52 cm
7 84 cm 8 12 cm
9 180 m² 10 240 cm²

정답과 자세한 풀이

1 자연수의 혼합 계산

FUN 한 이야기 4~5쪽

12+10−15=7, 7

문제 해결력 기르기 6~11쪽

선행 문제 1

(1) 16, 8, 8 / 31
(2) 13, 20, 17 / 37

실행 문제 1

❶ 35, 13
❷ 35, 13 / 13, 62 답 62개

쌍둥이 문제 1-1

❶ 전략 먹은 귤의 수는 뺄셈으로, 더 사 온 귤의 수는 덧셈으로 계산하자.
하나의 식으로 나타내기: $32-7+15$
❷ 전략 앞에서부터 차례로 계산하자.
(지금 있는 귤의 수)
$=32-7+15$
$=25+15=40$(개) 답 40개

선행 문제 2

(1) 9, $53-(20+9)$
(2) 6, $30\div(5\times6)$

실행 문제 2

❶ 27, 9
❷ 27, 9, 27 / 3 답 3개

쌍둥이 문제 2-1

❶ 전략 지수가 먹은 땅콩의 수에서 수희와 철규가 먹은 땅콩의 수의 합을 빼자.
( )를 사용하여 하나의 식으로 나타내기:
$31-(10+13)$
❷ 전략 ( ) 안을 먼저 계산하자.
$31-(10+13)=31-23$
$=8$(개) 답 8개

선행 문제 3

(1) 작아야에 ○표, 2
(2) 커야에 ○표, 7

실행 문제 3

❶ 작아야에 ○표, 2 /
커야에 ○표, 8
❷ 2, 8, 224 답 224

참고
• 나누어지는 수가 같을 때 나누는 수가 작아지면 몫이 커진다.
• 곱해지는 수가 같을 때 곱하는 수가 커지면 곱이 커진다.

쌍둥이 문제 3-1

❶ 전략 나누는 수가 작을수록, 곱하는 수가 클수록 계산 결과가 커진다.
$12\times㉠\div㉡$의 계산 결과가 가장 크려면
㉠은 가장 커야 한다. ➔ ㉠=6
㉡은 가장 작아야 한다. ➔ ㉡=2
❷ 계산 결과가 가장 클 때의 값:
➔ $12\times6\div2=36$ 답 36

선행 문제 4

(1) 72, 8
(2) 8, 10

실행 문제 4

❶ 96, 16
❷ 16, 16, 10 답 10

쌍둥이 문제 4-1

❶ $12\times(■+2)=84$
$■+2=84\div12$
$■+2=7$
❷ $■+2=7$
$■=7-2$
$■=5$ 답 5

참고
■에 알맞은 수를 구하는 문제가 익숙해지면 단계를 나누지 않고 구하는 연습을 해 본다.
$12\times(■+2)=84$
$■+2=84\div12$
$■+2=7$
$■=7-2$
$■=5$

선행 문제 5

(1) 4500+1500

(2) 2000+5500

실행 문제 5

❶ 4000, 2

❷ 4000, 2 / 4000 / 7200, 2800 답 2800원

쌍둥이 문제 5-1

❶ 전략 (감자 1인분의 값)×3+(양파 3인분의 값)

3인분 재료 값의 합을 구하는 식:

$1000 \times 3 + 1500$

❷ 전략 5000원에서 3인분 재료 값의 합을 빼자.

(3인분 재료를 사고 남은 돈)

$= 5000 - (1000 \times 3 + 1500)$

$= 5000 - (3000 + 1500)$

$= 5000 - 4500$

$= 500$(원) 답 500원

선행 문제 6

(1) **작아져야**에 ○표

(2) **커져야**에 ○표

실행 문제 6

❶ 9

❷ **커져야**에 ○표

❸ $(3+2) \times 5 - 4 = 21$ 답 $(3+2) \times 5 - 4 = 21$

쌍둥이 문제 6-1

❶ ( )가 없을 때의 식:

$14 + 28 - 14 \div 7 = 14 + 28 - 2$

$= 42 - 2$

$= 40$

❷ 전략 계산 결과는 ( )가 없을 때보다 작아져야 한다.

❶의 계산 결과가 16으로 작아지려면

$14 + \underline{28 - 14 \div 7}$에서 밑줄 친 부분이 작아져야 한다.

❸ 전략 $14 + \underline{28 - 14 \div 7}$에서 밑줄 친 부분의 값이 작아지도록 ( )로 묶어 보자.

$14 + (28 - 14) \div 7 = 14 + 14 \div 7$

$= 14 + 2$

$= 16$

답 $14 + (28 - 14) \div 7 = 16$

STEP 2 수학 사고력 키우기 12~17쪽

대표 문제 1

구 한

주 18, 9

해 ❶ (한 판의 만두 수)×(판 수)÷(접시의 수)

$= 18 \times 4 \div 9$ 식 $18 \times 4 \div 9$

❷ $18 \times 4 \div 9 = 72 \div 9 = 8$(개) 답 8개

쌍둥이 문제 1-1

구 필요한 구슬의 수

주 • 민수네 반 학생: 24명

• 한 모둠의 학생: 4명

• 한 모둠에 주려는 구슬: 8개

❶ 전략 한 모둠의 학생 수는 나눗셈으로 계산하고, 주려는 구슬의 수는 곱셈으로 계산하자.

하나의 식으로 나타내기: $24 \div 4 \times 8$

❷ 전략 앞에서부터 차례대로 계산하자.

(필요한 구슬의 수)$= 24 \div 4 \times 8$

$= 6 \times 8 = 48$(개) 답 48개

대표 문제 2

구 20

주 2, 20

해 ❶ (한 번에 구우려는 머핀 수)

÷((오븐에 넣을 수 있는 한 줄의 머핀 수)

×(오븐에 넣을 수 있는 머핀의 줄 수))

$= 20 \div (5 \times 2)$ 식 $20 \div (5 \times 2)$

❷ $20 \div (5 \times 2) = 20 \div 10 = 2$(개) 답 2개

쌍둥이 문제 2-1

구 로봇 5대가 인형 45개를 만드는 데 걸리는 시간

주 • 로봇 한 대가 한 시간에 만드는 인형: 3개

• 인형을 만드는 로봇: 5대

• 만드는 전체 인형: 45개

❶ 전략 로봇 5대가 한 시간에 만들 수 있는 인형의 수를 ( )를 사용하여 나타내자.

하나의 식으로 나타내기: $45 \div (3 \times 5)$

❷ 전략 ( ) 안을 먼저 계산하자.

(걸리는 시간)$= 45 \div (3 \times 5)$

$= 45 \div 15$

$= 3$(시간) 답 3시간

대표 문제 3

구 작을

해 ❶ 계산 결과가 가장 작으려면 $42\div㉠$이 가장 작아야 하므로 ㉠은 가장 큰 수인 7이다.
㉡은 가장 작아야 하므로 3이다.

답 커야에 ○표, 7 / 작아야에 ○표, 3

❷ $42\div7\times3=6\times3$
$=18$

답 18

- 나누어지는 수가 같을 때 나누는 수가 커지면 몫이 작아진다.
- 곱해지는 수가 같을 때 곱하는 수가 작아지면 곱이 작아진다.

쌍둥이 문제 3-1

구 계산 결과가 가장 작을 때의 값

어 1 나누는 수가 커지면 몫이 작아짐을 이용하여 ㉠을 구하고,
2 곱하는 수가 작아지면 곱이 작아짐을 이용하여 ㉡을 구해
3 계산 결과가 가장 작을 때의 값을 구하자.

❶ $40\div㉠\times㉡$의 계산 결과가 가장 작으려면
㉠은 가장 커야 한다. ➔ ㉠=5
㉡은 가장 작아야 한다. ➔ ㉡=2

❷ 계산 결과가 가장 작을 때의 값:
$40\div5\times2=8\times2$
$=16$

답 16

대표 문제 4

해 ❶ $4+45\div(3+■)=13$
$45\div(3+■)=13-4$
$45\div(3+■)=9$

답 9

❷ $45\div(3+■)=9$
$3+■=45\div9$
$3+■=5$

답 5

❸ $3+■=5$
$■=5-3$
$■=2$

답 2

쌍둥이 문제 4-1

구 ▲에 알맞은 수

어 1 $30\div(▲+6)$의 값을 구한 후,
2 $▲+6$의 값을 구하여
3 ▲에 알맞은 수를 구하자.

❶ 전략 $30\div(▲+6)$을 하나의 수로 생각하자.
$15-30\div(▲+6)=12$
$30\div(▲+6)=15-12$
$30\div(▲+6)=3$

❷ 전략 $▲+6$을 하나의 수로 생각하자.
$30\div(▲+6)=3$
$▲+6=30\div3$
$▲+6=10$

❸ $▲+6=10$
$▲=10-6$
$▲=4$

답 4

참고 ▲에 알맞은 수를 구하는 문제가 익숙해지면 단계를 나누지 않고 구하는 연습을 해 본다.
$15-30\div(▲+6)=12$
$30\div(▲+6)=15-12$
$30\div(▲+6)=3$
$▲+6=30\div3$
$▲+6=10$
$▲=10-6$
$▲=4$

대표 문제 5

구 남은

주 2, 400, 1400

해 ❶ 양파 1인분: 400원
➔ 양파 2인분: (400×2)원
면 4인분: 2400원
➔ 면 2인분: $(2400\div2)$원

답 400, 2, 2400, 2

❷ $5000-(400\times2+1400+2400\div2)$
$=5000-(800+1400+2400\div2)$
$=5000-(800+1400+1200)$
$=5000-(2200+1200)$
$=5000-3400$
$=1600$(원)

식 $5000-(400\times2+1400+2400\div2)=1600$

답 1600원

쌍둥이 문제 5-1

구 재료를 사고 남은 돈

주 •만들려는 카레의 양: 3인분

•고기 6인분의 값: 3000원,
감자 3인분의 값: 1200원,
당근 1인분의 값: 500원

❶ 3인분 재료 값의 합을 구하는 식:
$3000 \div 2 + 1200 + 500 \times 3$

❷ 전략 재료 값의 합을 ( )로 묶자.
(3인분 재료를 사고 남은 돈)
$= 10000 - (3000 \div 2 + 1200 + 500 \times 3)$
$= 10000 - (1500 + 1200 + 500 \times 3)$
$= 10000 - (1500 + 1200 + 1500)$
$= 10000 - (2700 + 1500)$
$= 10000 - 4200$
$= 5800$(원)

답 **5800원**

대표 문제 6

해 ❶ $9 \times 3 + 15 - 4 = 27 + 15 - 4$
$= 42 - 4$
$= 38$

답 **38**

❷ $38 < 126$이므로 ❶의 계산 결과보다 커져야 한다.

답 **커져야 한다.**

❸ 답 $9 \times (3 + 15 - 4) = 126$

참고 $9 \times (3 + 15) - 4 = 9 \times 18 - 4$
$= 162 - 4$
$= 158$
계산 결과가 126이 아니므로 [보기]의 식이 성립하지 않는다.

쌍둥이 문제 6-1

❶ ( )가 없을 때의 식:
$60 \div 6 - 5 + 4 = 10 - 5 + 4$
$= 5 + 4$
$= 9$

❷ ❶의 계산 결과가 12로 커져야 하므로 60을 나누는 수가 작아지도록 ( )로 묶는다.

❸ $60 \div (6 - 5 + 4) = 60 \div (1 + 4)$
$= 60 \div 5$
$= 12$

답 $60 \div (6 - 5 + 4) = 12$

STEP 3 수학 독해력 완성하기 18~21쪽

독해 문제 1

구 유라가 기주보다 더 내야 하는 금액

주 •유라가 먹은 메뉴: 볶음밥

•기주가 먹은 메뉴: 자장면, 만두

어 1 먼저 기주가 내야 하는 금액을 식으로 나타내고,
2 하나의 식으로 나타낸 후 계산하여 구하자.

해 ❶ 자장면: 4500원
만두: 2500원
➔ (기주가 내야 하는 금액)
$= 4500 + 2500$

식 **4500+2500**

❷ $7500 - (4500 + 2500)$
$= 7500 - 7000$
$= 500$(원)

식 **7500−(4500+2500)=500**

답 **500원**

독해 문제 1-1 정답에서 제공하는 쌍둥이 문제

분식점에 있는 김밥의 가격을 나타낸 표입니다./
형은 치즈 김밥과 소고기 김밥을 먹었고,/
동생은 김치 김밥을 먹었습니다./
형은 동생보다 얼마를 더 내야 하는지 하나의 식으로 나타내어 구해 보세요.

메뉴	치즈 김밥	김치 김밥	소고기 김밥
가격(원)	3000	3500	4000

구 형이 동생보다 더 내야 하는 금액

주 •형이 먹은 메뉴: 치즈 김밥과 소고기 김밥

•동생이 먹은 메뉴: 김치 김밥

어 1 먼저 형이 내야 하는 금액을 식으로 나타내고,
2 하나의 식으로 나타낸 후 계산하여 구하자.

해 ❶ 치즈 김밥: 3000원
소고기 김밥: 4000원
(형이 내야 하는 금액)$= 3000 + 4000$

❷ (형이 동생보다 더 내야 하는 금액)
$= 3000 + 4000 - 3500$
$= 7000 - 3500$
$= 3500$(원)

답 **3500원**

정답과 풀이

독해 문제 | 2

구 주어진 식에 알맞은 문제를 만들고 답 구하기

주 주어진 식: $50\div(5\times2)$

어 1 식에 알맞은 문제를 만들고

2 식을 계산하여 만든 문제에 맞게 단위를 써서 답을 구하자.

해 ❶ 문제 예 떡 50개를 한 상자에 5개씩 2줄로 담으려고 한다. 떡을 모두 담으려면 필요한 상자는 몇 개인가?

❷ $50\div(5\times2)=50\div10$

$=5$(개)

답 예 5개

독해 문제 | 2-1 정답에서 제공하는 쌍둥이 문제

식에 알맞은 문제를 만들고/
답을 구해 보세요.

$50+18-23$

구 식에 알맞은 문제를 만들고 답 구하기

주 •주어진 식: $50+18-23$

어 1 식에 알맞은 문제를 만들고

2 식을 계산하여 만든 문제에 맞게 단위를 써서 답을 구하자.

해 문제 예 지아는 구슬을 50개 가지고 있었는데 언니에게 18개를 받은 후 친구에게 23개를 줬다. 지아가 지금 가지고 있는 구슬은 몇 개인가?

답 예 45개

독해 문제 | 3

구 달에서 몸무게를 잴 때 준수와 형의 몸무게의 합과 어머니의 몸무게의 차

주 •준수가 지구에서 잰 몸무게: 48 kg

•형이 지구에서 잰 몸무게: 54 kg

•어머니께서 달에서 잰 몸무게: 10 kg

해 ❶ ((지구에서 잰 준수의 몸무게)
+(지구에서 잰 형의 몸무게))$\div6$
$=(48+54)\div6$ 식 $(48+54)\div6$

❷ $(48+54)\div6-10=102\div6-10$
$=17-10=7$ (kg)

식 $(48+54)\div6-10=7$

답 7 kg

독해 문제 | 3-1 정답에서 제공하는 쌍둥이 문제

지구에서 잰 무게는 달에서 잰 무게의 약 6배입니다./
세 사람이 모두 달에서 몸무게를 잰다면/
경수와 동생의 몸무게를 합한 무게가/
할아버지의 몸무게보다 약 몇 kg 더 무거운지 하나의 식으로 나타내어 구해 보세요.

사람	지구에서 잰 몸무게 (kg)	달에서 잰 몸무게 (kg)
경수	54	
동생	30	
할아버지		12

구 달에서 몸무게를 잴 때 경수와 동생의 몸무게의 합과 할아버지의 몸무게의 차

주 •경수가 지구에서 잰 몸무게: 54 kg

•동생이 지구에서 잰 몸무게: 30 kg

•할아버지께서 달에서 잰 몸무게: 12 kg

해 ❶ 달에서 잰 경수와 동생의 몸무게의 합을 구하는 식: $(54+30)\div6$

❷ $(54+30)\div6-12$
$=84\div6-12$
$=14-12$
$=2$ (kg)

답 약 2 kg

독해 문제 | 4

구 11♣10의 값

주 가♣나=가+나×가−나

어 1 11♣10을 약속에 따라 식으로 나타낸 후,

2 계산하여 구하자.

해 ❶ 답 $11+10\times11-10$

❷ 11♣10
$=11+10\times11-10$
$=11+110-10$
$=121-10$
$=111$

답 111

독해 문제 | 4-1 정답에서 제공하는 쌍둥이 문제

기호 ★에 대하여 다음과 같이 약속할 때/
8★7을 계산해 보세요.

가★나=가×나÷나+가

구 8★7의 값
주 가★나=가×나÷나+가
어 1 8★7을 약속에 따라 식으로 나타낸 후,
2 계산하여 구하자.
해 ❶ 8★7=8×7÷7+8
❷ 8×7÷7+8
=56÷7+8
=8+8
=16

답 16

독해 문제 | 5

주 5, 9, 86
해 ❶ 화씨온도를 섭씨온도로 바꾸는 방법:
화씨온도에서 32를 뺀 수에 5를 곱하고 9로 나누기 답 86, 5
❷ (86−32)×5÷9
=54×5÷9
=270÷9
=30 (℃)

식 (86−32)×5÷9=30
답 30

독해 문제 | 5-1 정답에서 제공하는 쌍둥이 문제

온도를 나타내는 단위에는 섭씨(℃)와 화씨(°F)가 있습니다./
다음을 보고 현재 기온을 섭씨로 나타내면 몇 도(℃)인지/
하나의 식으로 나타내어 구해 보세요.

화씨온도를 섭씨온도로 바꾸는 방법	화씨온도에서 32를 뺀 수에 5를 곱하고 9로 나누기
현재 기온	화씨 95도

구 현재 기온을 섭씨로 나타내기
주 •화씨온도를 섭씨온도로 바꾸는 방법:
화씨온도에서 32를 뺀 수에 5를 곱하고 9로 나누기
•현재 기온: 화씨 95도
어 1 화씨 95도를 섭씨 온도로 바꾸는 방법을 알아보고,
2 하나의 식으로 나타낸 후 계산하여 구하자.
해 ❶ 화씨 95도를 섭씨온도로 바꾸는 방법:
95에서 32를 뺀 수에 5를 곱하고 9로 나누기
❷ (95−32)×5÷9=63×5÷9
=315÷9=35 (℃)

답 35 ℃

독해 문제 | 6

주 ÷
해 ❶ 42÷(3○2)−2=5
42÷(3○2)=5+2
42÷(3○2)=7

답 7

❷ 42÷(3○2)=7
3○2=42÷7
3○2=6

답 6

❸ 3○2=6이 되려면 ○ 안에 알맞은 기호는 × 이다.

답 ×

4 STEP 창의·융합·코딩 체험하기 22~25쪽

융합 1

75−25⊕30
➔ 75−25−30=50−30
=20

답 −, 20

융합 2

33⊕18−15
➔ 33−18−15=15−15
=0

답 −, 0

창의 3

계산 결과부터 거꾸로 생각하여 ♥에 알맞은 수를 구한다.

♥ → $\div 2$ → $+5$ → -3 → 11

$11+3=14$, $14-5=9$, $9\times2=18$ ➔ ♥$=18$

답 18

코딩 4

㉠에 93을 넣으면 계산 결과는

$93\div3\times5=31\times5=155$이다.

155는 홀수이므로 선물을 받을 수 있다.

답 있다.

창의 5

(여우의 능력치)$=(0+54)\times3\div2\times3$
$=54\times3\div2\times3$
$=162\div2\times3$
$=81\times3$
$=243$

답 243

주의 출발점에서 여우의 능력치는 0이므로 사과 아이템을 가지면 능력치는 0+54이다.

창의 6

(여우의 능력치)$=(0+60)\div2\times3\times2$
$=60\div2\times3\times2$
$=30\times3\times2$
$=90\times2$
$=180$

답 180

주의 출발점에서 여우의 능력치는 0이므로 사탕 아이템을 가지면 능력치는 0+60이다.

융합 7

$\square-11+1=2$ ➔ $\square-11=1$, $\square=12$

따라서 □ 안에 알맞은 알파벳은 12를 나타내는 Q이다.

답 Q

코딩 8

$2\times(4+2)=2\times6$
$=12$

답

2	T	Q	4	E	2	W	U
2	×	(	4	+	2	)	=

/ 12

종합평가 실전 마무리 하기 26~29쪽

1 ❶ $120\div30=4$의 30 대신 6×5를 넣는다.

❷ $120\div(6\times5)=4$

식 $120\div(6\times5)=4$

참고 $120\div(6\times5)$는 ( ) 안을 먼저 계산한다.
$120\div(6\times5)=120\div30$
$=4$

2 ❶ ㉠ $34-17+10=17+10$
$=27$

㉡ $34-(17+10)=34-27$
$=7$

❷ $27>7$

답 ㉠

3 ❶ 하나의 식으로 나타내기: $24+35-18$

❷ (민아가 지금 가지고 있는 구슬의 수)
$=24+35-18$
$=59-18$
$=41$(개)

답 41개

4 ❶ ( )를 사용하여 하나의 식으로 나타내기:
$120\div(12\times5)$

❷ (걸리는 시간)$=120\div(12\times5)$
$=120\div60$
$=2$(시간)

답 2시간

5 ❶ 선주가 내야 하는 금액을 식으로 나타내기:
$2500+3500$

❷ (영규가 선주보다 더 내야 하는 금액)
$=7000-(2500+3500)$
$=7000-6000$
$=1000$(원)

답 1000원

6 ❶ $28\div$㉠$\times$㉡의 계산 결과가 가장 작으려면

㉠은 가장 커야 한다. ➔ ㉠$=7$

㉡은 가장 작아야 한다. ➔ ㉡$=2$

❷ 계산 결과가 가장 작을 때의 값: $28\div7\times2=8$

답 8

참고 $28\div7\times2=4\times2=8$

7 ❶ $25+5\times(3-\square)=35$

$5\times(3-\square)=35-25$

$5\times(3-\square)=10$

❷ $5\times(3-\square)=10$

$3-\square=10\div5$

$3-\square=2$

❸ $3-\square=2$

$\square=3-2$

$\square=1$

답 1

참고 단계를 나누지 않고 한꺼번에 계산하기

$25+5\times(3-\square)=35$

$5\times(3-\square)=35-25$

$5\times(3-\square)=10$

$3-\square=10\div5$

$3-\square=2$

$\square=3-2$

$\square=1$

8 ❶ 달에서 잰 윤주와 동생의 몸무게의 합을 구하는 식:

$(42+36)\div6$

❷ $15-(42+36)\div6=15-78\div6$

$=15-13$

$=2\,(\text{kg})$

답 2 kg

9 ❶ 6인분 재료 값의 합을 구하는 식:

$1500\times2+2200\div2+1000$

❷ (6인분 재료를 사고 남은 돈)

$=10000-(1500\times2+2200\div2+1000)$

$=10000-(3000+2200\div2+1000)$

$=10000-(3000+1100+1000)$

$=10000-(4100+1000)$

$=10000-5100$

$=4900$(원)

답 4900원

10 ❶ ( )가 없을 때의 식:

$20-5\times3+14=20-15+14$

$=5+14$

$=19$

❷ ❶의 계산 결과가 59로 커져야 하므로 14가 더해지는 값이 커지는 경우를 찾는다.

❸ $(20-5)\times3+14$

$=15\times3+14$

$=45+14=59$

답 $(20-5)\times3+14=59$

2 약수와 배수

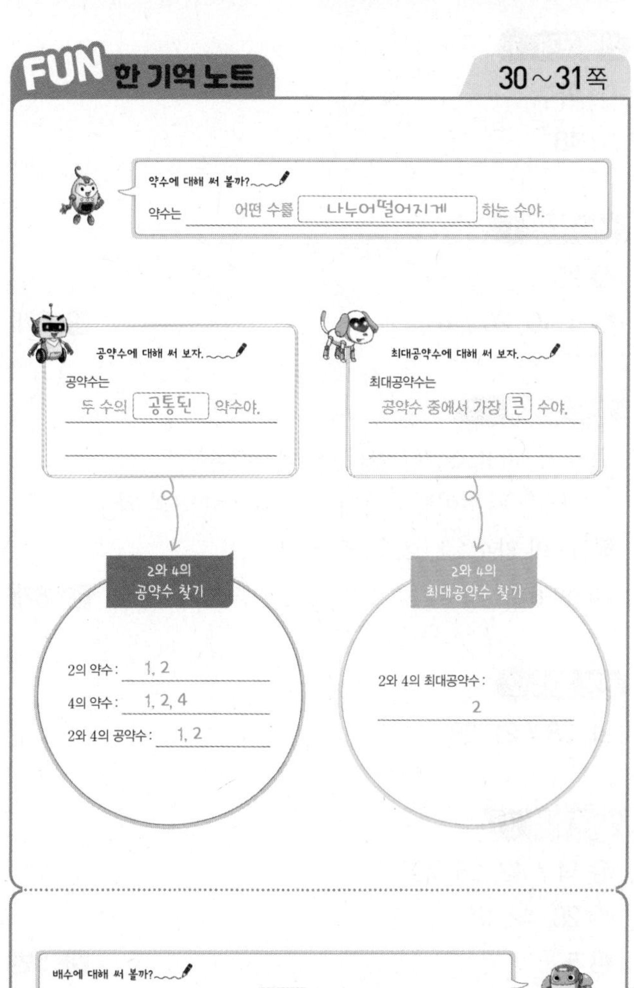

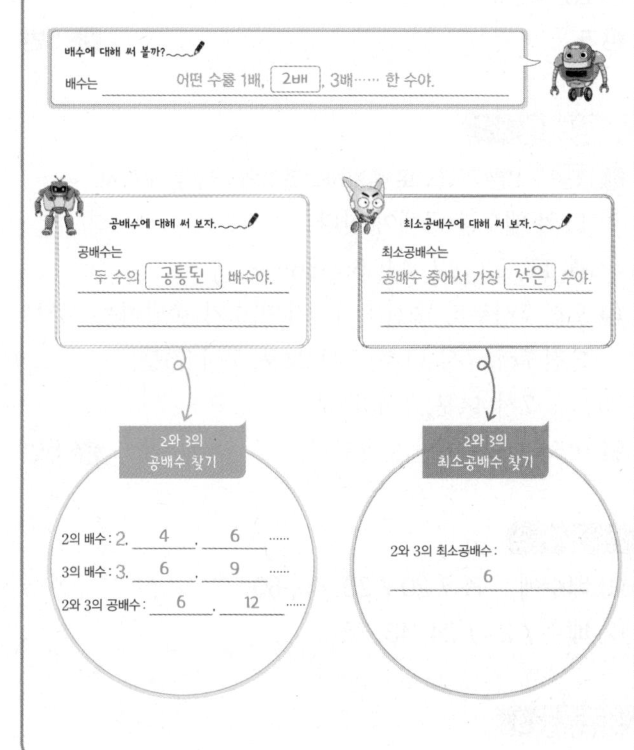

1 STEP 문제 해결력 기르기 32~37쪽

선행 문제 1

(1) **약수**

(2) 48

실행 문제 1

❶ 20

❷ 4, 10, 20 / 6 　답 6개

쌍둥이 문제 1-1

❶ 전략 (나누어떨어지게 하는 수)=(약수)

(18을 나누어떨어지게 하는 수)=(18의 약수)

❷ 18의 약수: 1, 2, 3, 6, 9, 18

➔ 6개 　답 6개

선행 문제 2

21, 28 / 21, 28

실행 문제 2

❶ 14 / 42, 56, 70

❷ 28, 42, 56

❸ 5 　답 5번

쌍둥이 문제 2-1

❶ 전략 11분 간격으로 출발하므로 11의 배수를 구하자.

11의 배수를 구해야 한다.

➔ 11, 22, 33, 44, 55, 66……

❷ 오전 7시부터 오전 8시까지 버스가 출발하는 시각:

오전 7시, 7시 11분, 7시 22분, 7시 33분,

7시 44분, 7시 55분

❸ 버스는 모두 6번 출발한다. 　답 6번

선행 문제 3

(1) **배수**에 ○표 / 20 / 20, 40, 60

(2) **배수** / 24 / 24, 48, 72

실행 문제 3

❶ 40

❷ 80, 120

❸ 40, 80 　답 40, 80

쌍둥이 문제 3-1

❶ 전략 최소공배수를 구하면 공배수를 구하기 쉽다.

4와 6의 최소공배수: 12

❷ 전략 (두 수의 공배수)=(두 수의 최소공배수의 배수)

4와 6의 공배수: 12, 24, 36, 48, 60……

❸ 4와 6의 공배수 중에서 50보다 작은 수:

12, 24, 36, 48 　답 12, 24, 36, 48

선행 문제 4

(1) **최대공약수**에 ○표

(2) **최소공배수**에 ○표

실행 문제 4

❶ **최대공약수**에 ○표

❷ 10

❸ 10, 3 / 10, 2 　답 3개, 2개

쌍둥이 문제 4-1

❶ 전략 최대한 많은 사람에게 남김없이 똑같이 나누어 주어야 한다.

40과 12의 최대공약수를 구한다.

❷ 최대로 나누어 줄 수 있는 사람 수: 4명

❸ 한 명에게 나누어 줄 수 있는

사탕은 $40 \div 4 = 10$(개)

껌은 $12 \div 4 = 3$(개)

답 10개, 3개

선행 문제 5

(1) 2, **공배수**

(2) 6, 2

실행 문제 5

❶ **공배수**, 3

❷ 72

❸ 72, 75 　답 75

쌍둥이 문제 5-1

❶ (어떤 수)=(12와 6의 공배수)+5

❷ 전략 어떤 수 중 가장 작은 수를 구해야 하므로 12와 6의 공배수 중 가장 작은 수를 구하자.

12와 6의 공배수 중 가장 작은 수: 12

❸ 전략 (어떤 수 중 가장 작은 수)=(최소공배수)+(나머지)

어떤 수 중 가장 작은 수: $12+5=17$ 　답 17

선행 문제 6

① 27
② 45 /
27, 45

실행 문제 6

❶ 28, 40
❷ 28, 40
❸ 2, 4
❹ 4

답 4

쌍둥이 문제 6-1

❶ 어떤 수는
┌ 26−2=24의 약수
└ 32−2=30의 약수
❷ 어떤 수는 24와 30의 공약수가 될 수 있다.
❸ 24와 30의 공약수: 1, 2, 3, 6
❹ 어떤 수가 될 수 있는 수는 나머지 2보다 큰 3, 6이다.

답 3, 6

주의 나눗셈에서 나누는 수는 나머지보다 커야 한다.

2 STEP 수학 사고력 키우기 38~43쪽

대표 문제 1

주 35

해 ❶ 답 약수에 ○표

❷ 35÷1=35,
35÷5=7,
35÷7=5,
35÷35=1
➜ 35의 약수: 1, 5, 7, 35

답 1, 5, 7, 35

❸ 답 35, 7, 5

주의 떡 35개를 접시 한 개에 모두 담지 않음에 주의한다.

❹ 35개, 7개, 5개
➜ 3가지

답 3가지

쌍둥이 문제 1-1

구 만두를 접시에 남김없이 똑같이 나누어 담을 수 있는 방법 수

주 접시에 남김없이 똑같이 나누어 담으려는 만두: 49개

해 ❶ 전략 똑같이 나누어 담으려면 약수를 구하자.
접시에 남김없이 똑같이 나누어 담으려면 49의 약수를 구해야 한다.
❷ 49의 약수: 1, 7, 49
❸ 전략 49의 약수 중 될 수 있는 수를 구하자.
만두를 접시에 나누어 담을 수 있는 방법:
만두 1개씩 접시 49개, 만두 7개씩 접시 7개
❹ 접시에 나누어 담을 수 있는 방법: 2가지

답 2가지

대표 문제 2

구 4

주 8, 11

해 ❶ 버스가 8분 간격으로 출발하므로 8의 배수를 구한다.

답 8, 16, 24

❷ 8의 배수: 8, 16, 24……
➜ 버스가 출발하는 시각:
오전 11시, 11시 8분, 11시 16분,
11시 24분……

답 8, 16, 24

❸ 답 11시 24분

쌍둥이 문제 2-1

구 5번째 버스가 출발하는 시각

주 • 버스가 출발하는 시각의 간격: 12분
• 첫 번째 버스가 출발한 시각: 오후 1시

해 ❶ 전략 12분 간격으로 출발하므로 12의 배수를 구하자.
12의 배수: 12, 24, 36, 48……
❷ 전략 첫 번째 버스가 출발한 후부터 버스는 분이 12의 배수일 때 출발한다.
버스가 출발하는 시각:
오후 1시, 1시 12분, 1시 24분, 1시 36분,
1시 48분……
❸ 5번째 버스가 출발하는 시각: 오후 1시 48분

답 1시 48분

대표 문제 3

구 9

해 ❶ 두 수의 공통된 배수 ➔ 공배수

답 공배수

❷ (15와 9의 공배수)
=(15와 9의 최소공배수의 배수)
15와 9의 최소공배수: 45
➔ 45의 배수: 45, 90, 135……

답 45, 90, 135

❸ 45, 90, 135…… 중에서 50부터 100까지의 수에 들어가는 수: 90

답 90

쌍둥이 문제 3-1

구 60부터 90까지의 수 중에서 18의 배수이면서 12의 배수인 수

어 1 18의 배수이면서 12의 배수인 수를 구한 후,
2 1의 수 중 60과 같거나 크고 90과 같거나 작은 수를 찾아보자.

해 ❶ 18의 배수이면서 12의 배수인 수
➔ 18과 12의 공배수

❷ 전략 18과 12의 최소공배수의 배수를 구하자.
18과 12의 최소공배수: 36
➔ 18과 12의 공배수: 36, 72, 108……

❸ 60부터 90까지의 수 중에서 18의 배수이면서 12의 배수인 수: 72

답 72

대표 문제 4

구 1

주 12, 8

해 ❶
$$\begin{array}{r|rr} 2 & 12 & 8 \\ \hline 2 & 6 & 4 \\ \hline & 3 & 2 \end{array}$$
➔ 최소공배수: $2\times2\times3\times2=24$

답 24분 후

❷ 24의 배수: 24, 48, 72……
1시간=60분
➔ 60분 동안 만나는 때는 출발 후 24분 후, 48분 후이다.

답 24, 48

❸ 출발 후 24분 후, 48분 후
➔ 2번

답 2번

쌍둥이 문제 4-1

구 출발 후 1시간 동안 출발점에서 다시 만나는 횟수

주 호수를 한 바퀴 도는 데 걸리는 시간은 진아는 8분, 동주는 7분

해 ❶ 전략 8과 7의 최소공배수를 구하자.
8과 7의 최소공배수: 56
➔ 두 사람이 출발점에서 처음으로 다시 만나는 때는 출발한 지 56분 후이다.

❷ 전략 56의 배수를 구하자.
56의 배수는 56, 112……이므로 출발 후 1시간 동안 출발점에서 다시 만나는 때는 56분 후이다.

참고 1시간=60분이므로 출발 후 1시간 동안 출발점에서 만나는 때는 56분 후 밖에 없다.

❸ 출발 후 56분 후 ➔ 1번

답 1번

대표 문제 5

구 작은

주 2, 2

해 ❶ 답 6, 공배수, 2

❷ 6과 4의 공배수 중 가장 작은 수
➔ 6과 4의 최소공배수: 12

답 12

참고 공배수 중에서 가장 작은 수를 최소공배수라고 한다.

❸ $12+2=14$

답 14

쌍둥이 문제 5-1

구 어떤 수 중 가장 작은 수

주 • 어떤 수를 14로 나누었을 때 나머지: 9
• 어떤 수를 21로 나누었을 때 나머지: 9

해 ❶ (어떤 수)=(14와 21의 공배수)+9

❷ 전략 어떤 수 중 가장 작은 수를 구해야 하므로 14와 21의 공배수 중 가장 작은 수를 구해 보자.
14와 21의 공배수 중 가장 작은 수
➔ 14와 21의 최소공배수: 42

❸ 전략 (어떤 수 중 가장 작은 수)
=(최소공배수)+(나머지)
어떤 수 중 가장 작은 수: $42+9=51$

답 51

대표 문제 6

주 3, 2

해 ❶ $38-3=35$, $23-2=21$

답 35 / 2, 21

❷ 35와 21의 최대공약수: 7

➔ 7의 약수: 1, 7

답 1, 7

❸ 나누는 수는 나머지 3과 2보다 커야 하므로 어떤 수는 7이다.

주의 나눗셈에서 나누는 수는 나머지보다 커야 한다.

답 7

쌍둥이 문제 6-1

구 어떤 수

주 • 46을 어떤 수로 나누었을 때 나머지: 4
• 33을 어떤 수로 나누었을 때 나머지: 5

해 ❶ 어떤 수는 ┌ $46-4=42$의 약수
└ $33-5=28$의 약수

❷ 전략 공약수를 구해야 하므로 최대공약수를 구하자.
42와 28의 공약수: 1, 2, 7, 14

❸ 전략 나누는 수인 어떤 수는 나머지보다 커야 한다.
어떤 수가 될 수 있는 수는 나머지 4와 5보다 큰 7, 14이다.

답 7, 14

STEP 3 수학 독해력 완성하기 44~47쪽

독해 문제 1

구 조건을 모두 만족하는 수

어 1 30의 약수를 구하여
2 5보다 크고 20보다 작은 수를 찾은 후,
3 홀수를 찾는다.

해 ❶ 30의 약수
➔ 1, 2, 3, 5, 6, 10, 15, 30

답 1, 2, 3, 5, 6, 10, 15, 30

❷ 5보다 큰 수에는 5가 포함되지 않는다.

답 6, 10, 15

❸ 6, 10, 15 중 홀수는 15이다.

답 15

독해 문제 1-1 정답에서 제공하는 쌍둥이 문제

조건을 모두 만족하는 수를 구해 보세요.

조건1 18의 약수입니다.
조건2 5보다 크고 10보다 작습니다.
조건3 짝수입니다.

구 조건을 모두 만족하는 수

어 1 18의 약수를 구하여
2 5보다 크고 10보다 작은 수를 찾은 후,
3 짝수를 찾는다.

해 ❶ 18의 약수: 1, 2, 3, 6, 9, 18
❷ 18의 약수 중 5보다 크고 10보다 작은 수: 6, 9
❸ 6, 9 중 짝수: 6

답 6

독해 문제 2

구 가장 큰 정사각형 모양으로 자르면 생기는 정사각형 모양의 종이의 수

주 • 직사각형 모양의 종이의 가로: 30 cm
• 직사각형 모양의 종이의 세로: 24 cm

어 1 직사각형 모양의 종이의 가로와 세로의 최대공약수를 구하여
2 가로와 세로에 생기는 정사각형 모양의 수를 각각 구한 후,
3 자르면 생기는 전체 정사각형 모양의 종이의 수를 구하자.

해 ❶ 2) 30 24
3) 15 12
5 4

➔ 최대공약수: $2\times3=6$
따라서 한 변의 길이는 6 cm이다.

답 6 cm

❷ (가로)$=30\div6=5$(장)
(세로)$=24\div6=4$(장)

답 5장, 4장

❸ $5\times4=20$(장)

답 20장

독해 문제 2-1 정답에서 제공하는 **쌍둥이 문제**

가로가 25 cm, 세로가 35 cm인 직사각형 모양의 종이를/
남는 부분 없이 크기가 같은 정사각형 모양으로 자르려고 합니다./
가장 큰 정사각형 모양으로 자르면 생기는 정사각형 모양의 종이는 모두 몇 장인가요?

구 가장 큰 정사각형 모양으로 자르면 생기는 정사각형 모양의 종이의 수

주 •직사각형 모양의 종이의 가로: 25 cm
•직사각형 모양의 종이의 세로: 35 cm

어 1 직사각형 모양의 종이의 가로와 세로의 최대공약수를 구하여 2 가로와 세로에 생기는 정사각형 모양의 수를 각각 구한 후,
3 자르면 생기는 전체 정사각형 모양의 종이의 수를 구하자.

해 ❶ 25와 35의 최대공약수는 5이므로 가장 큰 정사각형 모양으로 자르면 한 변의 길이를 5 cm로 잘라야 한다.
❷ (가로에 생기는 정사각형의 수)
$=25\div5=5$(장)
(세로에 생기는 정사각형의 수)
$=35\div5=7$(장)
❸ $5\times7=35$(장) 답 35장

독해 문제 3

구 같은 자리에 검은 바둑돌을 놓는 경우의 수

주 •가희와 재준이가 규칙적으로 놓은 바둑돌
•각각 바둑돌을 40개씩 놓음.

어 1 가희와 재준이는 검은 바둑돌을 각각 어떤 수의 배수 자리에 놓는지 구하여
2 그 두 수의 최소공배수를 구한 후
3 최소공배수의 배수를 구하여 같은 자리에 검은 바둑돌을 놓는 경우를 구하자.

해 ❶ 검은 바둑돌을 놓은 자리를 살펴보자. 답 4, 3
❷ 4와 3의 최소공배수: 12 답 12
❸ 12의 배수: 12, 24, 36, 48……
바둑돌을 40개씩 놓을 때 같은 자리에 검은 바둑돌을 놓는 위치: 12번째, 24번째, 36번째 → 3번
답 3번

독해 문제 4

주 •15와 어떤 수의 최대공약수: 5
•15와 어떤 수의 최소공배수: 30

해 ❶ 답 3 / 3, 30
❷ $5\times3\times▲=30$, $15\times▲=30$, $▲=30\div15$, $▲=2$ 답 2
❸ (어떤 수)$\div5=2$
→ (어떤 수)$=2\times5$, (어떤 수)$=10$ 답 10

독해 문제 5

주 2, 3, 1

해 ❶ 2와 3의 최소공배수: 6 → 6일 답 6일
❷ 5월은 31일까지 있다. 답 31일
❸ 5월 1일에 함께 갔고 그 다음번부터 함께 가는 날은 $1+6=7$(일), $7+6=13$(일), $13+6=19$(일), $19+6=25$(일), $25+6=31$(일)이다.
답 7일, 13일, 19일, 25일, 31일
❹ 1일, 7일, 13일, 19일, 25일, 31일 → 6일
답 6일

독해 문제 5-1 정답에서 제공하는 **쌍둥이 문제**

민경이는 4일마다, 석주는 3일마다 공원에 갑니다./
두 사람이 4월 1일에 공원에 함께 간다면/
4월 한 달 동안 공원에 함께 가는 날은 모두 며칠인가요?

구 두 사람이 4월 한 달 동안 공원에 함께 가는 날수

주 •민경이는 4일마다, 석주는 3일마다 공원에 감.
•두 사람이 공원에 4월에 처음 함께 간 날: 4월 1일

어 1 최소공배수를 이용하여 두 사람이 공원에 며칠마다 함께 가는지 구하고,
2 4월은 며칠까지 있는지 생각한 후,
3 4월 한 달 동안 두 사람이 공원에 함께 가는 날을 구하여
4 모두 며칠인지 구하자.

해 ❶ 4와 3의 최소공배수: 12
→ 두 사람은 공원에 12일마다 함께 간다.
❷ 4월은 30일까지 있다.
❸ 4월 한 달 동안 두 사람이 공원에 함께 가는 날짜는 1일, 13일, 25일이다.
❹ 1일, 13일, 25일 → 3일 답 3일

독해 문제 6

주 4, 4

해 ❶ 답 9, 공배수, 4

❷ (9와 12의 공배수)

=(9와 12의 최소공배수의 배수)

=(36의 배수)

→ 36, 72, 108……

답 36, 72

❸ $36+4=40$, $72+4=76$

답 40, 76

독해 문제 6-1 정답에서 제공하는 쌍둥이 문제

어떤 수를 10으로 나누어도 나머지가 3이고, 15로 나누어도 나머지가 3입니다./
어떤 수 중 50보다 작은 수를 구해 보세요.

구 어떤 수 중 50보다 작은 수

주 • 어떤 수를 10으로 나누었을 때 나머지: 3

• 어떤 수를 15로 나누었을 때 나머지: 3

어 1 나누는 수의 공배수 중

2 50보다 작은 수를 찾아

3 나머지를 더한 수가 50보다 작은 수를 구하자.

해 ❶ (어떤 수)=(10과 15의 공배수)+3

❷ 10과 15의 공배수 중 50보다 작은 수: 30

❸ 어떤 수 중 50보다 작은 수: 33

답 33

STEP 4 창의·융합·코딩 체험하기 48~51쪽

창의 1

15의 약수: 1, 3, 5, 15

→ 딸 수 있는 과일: 바나나, 귤, 오렌지, 복숭아

답
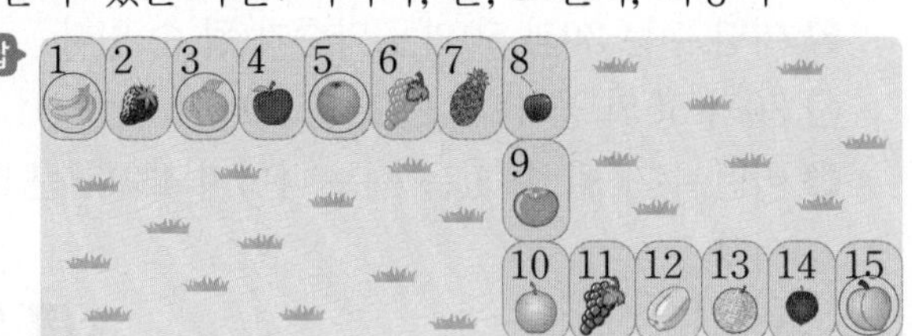

융합 2

36의 약수: 1, 2, 3, 4, 6, 9, 12, 18, 36

22	3	11	30	21	17
29	1	14	28	7	31
5	4	26	20	35	24
16	18	34	8	32	13
25	9	36	6	2	12
19	10	23	15	33	27

→ ㄴ

답 ㄴ

코딩 3

96은 8로 나누어떨어지므로 8의 배수이다.

→ $96\div8=12$

답 12

코딩 4

46의 약수: 1, 2, 23, 46

7은 46의 약수가 아니다.

→ $7\times3=21$

답 21

창의 5

2와 4의 공배수: 4, 8, 12, 16

→ 개구리와 토끼의 발자국이 모두 찍힌 돌은 4개이다.

답
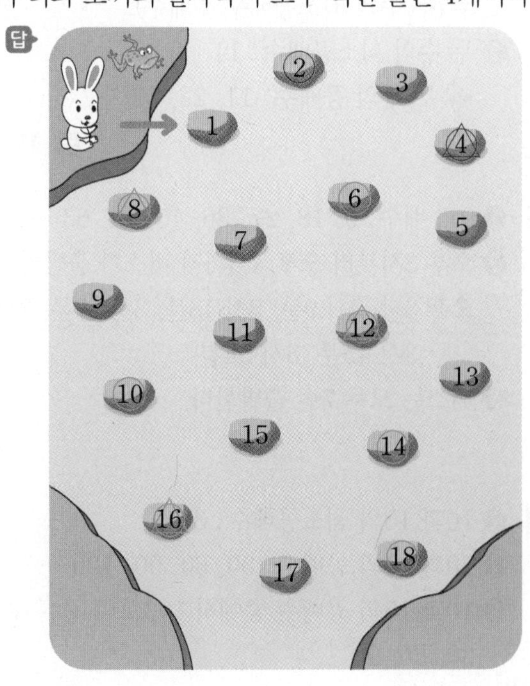

/ 4개

융합 6

55와 44의 최대공약수: 11 → ㉠: 1, ㉡: 1

➔ 금고의 비밀번호: 10㉠㉡=1011

답 1011

창의 7

2의 배수: 2, 4

다영이가 문을 모두 지나간 후 열려 있는 문과 닫혀 있는 문을 표로 나타내면 다음과 같다.

문 번호	1	2	3	4	5
지나가기 전	닫힘	닫힘	닫힘	닫힘	닫힘
지나간 후	닫힘	열림	닫힘	열림	닫힘

다영이가 지나간 후 닫혀 있는 문 번호: 1, 3, 5

➔ 3개

답 3개

종합평가 실전 마무리 하기 52~55쪽

1 ❶ (24를 나누어떨어지게 하는 수)

=(24의 약수)

❷ 24의 약수: 1, 2, 3, 4, 6, 8, 12, 24

답 1, 2, 3, 4, 6, 8, 12, 24

2 ❶ (두 수의 공배수)

=(두 수의 최소공배수의 배수)

❷ 두 수의 최소공배수: 11

➔ 두 수의 공배수: 11, 22, 33……

답 11, 22, 33

3 ❶ 9의 배수: 9, 18, 27, 36, 45, 54, 63……

❷ 오후 3시부터 오후 4시까지 버스가 출발하는 시각: 오후 3시, 3시 9분, 3시 18분, 3시 27분, 3시 36분, 3시 45분, 3시 54분

❸ 버스는 모두 7번 출발한다.

답 7번

4 ❶ 10과 15의 최소공배수: 30

❷ 10과 15의 공배수: 30, 60, 90, 120……

❸ 10과 15의 공배수 중에서 100보다 작은 수: 30, 60, 90

답 30, 60, 90

5 ❶ 28의 약수: 1, 2, 4, 7, 14, 28

❷ ❶ 중 5보다 크고 15보다 작은 수: 7, 14

❸ ❷에서 구한 수 중 짝수: 14

답 14

6 ❶ 20과 32의 최대공약수를 구한다.

❷ 최대로 나누어 줄 수 있는 친구 수: 4명

❸ 한 명에게 나누어 줄 수 있는 바나나는 $20 \div 4 = 5$(개), 귤은 $32 \div 4 = 8$(개)이다.

답 5개, 8개

7 ❶ 검은 바둑돌을 놓는 자리:

민주는 3의 배수의 자리, 정아는 5의 배수의 자리

❷ 3과 5의 공배수: 15

❸ 15의 배수: 15, 30, 45, 60……

➔ 바둑돌을 50개씩 놓을 때 같은 자리에 검은 바둑돌을 놓는 위치는 15번째, 30번째, 45번째이므로 모두 3번이다.

답 3번

8 ❶ 3) (어떤 수) 9

□ 3

❷ 최소공배수가 63이므로 $3 \times \square \times 3 = 63$, $9 \times \square = 63$, $\square = 7$이다.

❸ (어떤 수)$\div 3 = 7$

➔ (어떤 수)$= 7 \times 3$

(어떤 수)$= 21$

답 21

9 ❶ (어떤 수)=(16과 20의 공배수)+7

❷ 16과 20의 공배수 중 가장 작은 수

➔ 16과 20의 최소공배수: 80

❸ 어떤 수 중 가장 작은 수: $80 + 7 = 87$

답 87

10 ❶ 어떤 수는 $34 - 4 = 30$의 약수, $54 - 4 = 50$의 약수

❷ 어떤 수는 30과 50의 공약수가 될 수 있다.

❸ 30과 50의 공약수: 1, 2, 5, 10

❹ 어떤 수가 될 수 있는 수는 나머지 4보다 큰 5, 10이다.

답 5, 10

3 규칙과 대응

FUN 한 이야기 56~57쪽

52, 52, 52 / 52, 70

문제 해결력 기르기 58~63쪽

선행 문제 1

(1) ×, ÷

(2) ×, ÷

실행 문제 1

❶ 16, 24, 32

❷ ■, ▲ 식 ■×8=▲ (또는 ▲÷8=■)

쌍둥이 문제 1-1

❶ 전략 수도에서 물이 나오는 시간이 1분씩 늘어날 때 나오는 물의 양은 몇 L씩 늘어나는지 알아보자.

수도에서 물이 나오는 시간(분)	1	2	3	4	……
나오는 물의 양(L)	10	20	30	40	……

❷ △와 ☆ 사이의 대응 관계를 식으로 나타내기: △×10=☆

식 △×10=☆ (또는 ☆÷10=△)

선행 문제 2

1 / 1 / 1

실행 문제 2

❶ 2, 3, 4, 5 / 1 / 초록, 노란

❷ 1, 31 답 31개

선행 문제 3

1 / 1, 1

실행 문제 3

❶ 3, 4 / 도화지, 누름 못

❷ 1, 8 답 8개

쌍둥이 문제 3-1

❶ 전략 줄의 수와 매듭의 수 사이의 대응 관계를 알아보자.

줄의 수(개)	1	2	3	4	……
매듭의 수(개)	0	1	2	3	……

➔ (줄의 수)−1=(매듭의 수)

❷ 줄 8개를 묶으면 (매듭의 수)=8−1=7(개)이다.

답 7개

선행 문제 4

2009, − / 2009, +

실행 문제 4

❶ 2006, 2006

❷ 2006, 24 답 24살

쌍둥이 문제 4-1

❶ 전략 연도와 정수의 나이 사이의 대응 관계를 식으로 나타내자.

연도는 정수의 나이보다 2008 크다.

➔ (정수의 나이)+2008=(연도)

❷ 전략 ❶에서 구한 대응 관계 식을 이용하자.

정수가 20살일 때 연도: 20+2008=2028(년)

답 2028년

선행 문제 5

×, ÷

실행 문제 5

❶ 5, 5

❷ 5, 4 답 4

쌍둥이 문제 5-1

❶ 전략 준희가 말한 수와 우석이가 답한 수 사이의 대응 관계를 식으로 나타내자.

준희가 말한 수는 우석이가 답한 수의 6배이다.

➔ (우석이가 답한 수)×6=(준희가 말한 수)

❷ 우석이가 15라고 답했을 때

(준희가 말한 수)=15×6=90 답 90

선행 문제 6

3, 3, 3

실행 문제 6

❶ 5, 7 / 2, 1

❷ 2, 1, 15 답 15개

쌍둥이 문제 6-1

❶ 전략 사각형의 수와 면봉의 수 사이의 대응 관계를 식으로 나타내자.

사각형의 수(개)	1	2	3	……
면봉의 수(개)	4	7	10	……

➔ (사각형의 수)×3+1=(면봉의 수)

❷ (사각형 10개를 만들 때 필요한 면봉의 수)
=10×3+1=31(개)

답 31개

수학 사고력 키우기 64~69쪽

대표 문제 1

주 3000, 2000

해 ❶ (위에서부터) 7000, 4000 / 9000, 6000

❷ 지안이가 모은 돈(◯)은 동생이 모은 돈(△)보다 3000원 더 많다.

식 1 △+3000=◯ 식 2 ◯−3000=△

쌍둥이 문제 1-1

구 인혜가 모은 동전의 수와 시우가 모은 동전의 수 사이의 대응 관계를 2가지 식으로 나타내기

어 1 인혜가 모은 동전의 수와 시우가 모은 동전의 수 사이의 대응 관계를 표를 이용하여 알아보고

2 대응 관계를 식으로 나타내자.

❶

	인혜가 모은 동전의 수(개)	시우가 모은 동전의 수(개)
동전을 모으기 시작했을 때	10	0
1주일 후	40	30
2주일 후	70	60
3주일 후	100	90
⋮	⋮	⋮

❷ 인혜가 모은 동전의 수와 시우가 모은 동전의 수 사이의 대응 관계를 식으로 나타내기:
☆+10=□, □−10=☆

식 1 ☆+10=□ 식 2 □−10=☆

대표 문제 2

해 ❶ 흰 바둑돌은 검은 바둑돌보다 1개 적다.

답 3, 4, 5, 6 /
예 (검은 바둑돌의 수)−1=(흰 바둑돌의 수)

❷ 15−1=14(개)

답 14개

쌍둥이 문제 2-1

어 1 흰 바둑돌의 수와 검은 바둑돌의 수 사이의 대응 관계를 표와 식으로 나타내고

2 흰 바둑돌이 13개일 때, 필요한 검은 바둑돌의 수를 구하자.

❶ 전략 흰 바둑돌이 1개씩 늘어날 때 검은 바둑돌은 몇 개씩 늘어나는지 알아보자.

흰 바둑돌의 수와 검은 바둑돌의 수 사이의 대응 관계를 표와 식으로 나타내기:

흰 바둑돌의 수(개)	3	4	5	6	……
검은 바둑돌의 수(개)	1	2	3	4	……

➔ (흰 바둑돌의 수)−2=(검은 바둑돌의 수)

❷ 흰 바둑돌이 13개일 때,
(검은 바둑돌의 수)=13−2=11(개)

답 11개

대표 문제 3

구 10

해 ❶ 색 테이프의 수는 겹친 부분의 수보다 1 크다.

답 2, 3, 4, 5 /
예 (겹친 부분의 수)+1=(색 테이프의 수)

❷ 10+1=11(장)

답 11장

쌍둥이 문제 3-1

구 11도막으로 자를 때, 자른 횟수

어 1 끈을 자른 횟수와 도막의 수 사이의 대응 관계를 표와 식으로 나타내고

2 11도막으로 자를 때, 자른 횟수를 구하자.

❶ 전략 자른 횟수가 1번씩 늘어날 때 도막은 몇 도막씩 늘어나는지 알아보자.

자른 횟수와 도막의 수 사이의 대응 관계를 표와 식으로 나타내기:

자른 횟수(번)	1	2	3	4	……
도막의 수(도막)	2	3	4	5	……

➔ (도막의 수)−1=(자른 횟수)

❷ 11도막으로 자를 때, 자른 횟수: 11−1=10(번)

답 10번

대표 문제 4

구 20

주 12, 17

해 ① 언니의 나이는 소희의 나이보다 5살 많다.

식 예 (소희의 나이)+5=(언니의 나이)

② (소희의 나이)+5=20+5=25(살) 답 25살

쌍둥이 문제 4-1

구 진호가 18살이 될 때, 동생의 나이

주 • 진호의 나이: 12살
• 동생의 나이: 6살

어 1 진호의 나이와 동생의 나이 사이의 대응 관계를 식으로 나타내고

2 진호가 18살이 될 때, 동생의 나이를 구하자.

① 전략 나이는 한 살씩 늘어나므로 진호의 나이와 동생의 나이의 차는 일정하다.

진호의 나이와 동생의 나이 사이의 대응 관계를 식으로 나타내기:

(진호의 나이)−6=(동생의 나이)

② 진호가 18살이 될 때, 동생의 나이: 18−6=12(살)

답 12살

대표 문제 5

구 24

주 3, 9

해 ① 선주가 말한 수를 3으로 나누면 정훈이가 답한 수이다.

식 예 (선주가 말한 수)÷3=(정훈이가 답한 수)

② (선주가 말한 수)÷3=24÷3=8 답 8

쌍둥이 문제 5-1

구 민서가 28을 답했을 때, 현호가 말한 수

① 전략 현호가 말한 수는 민서가 답한 수보다 작다.

현호가 말한 수와 민서가 답한 수 사이의 대응 관계를 식으로 나타내기:

(민서가 답한 수)−7=(현호가 말한 수)

② 민서가 28을 답했을 때 현호가 말한 수:

28−7=21 답 21

대표 문제 6

해 ① 맨 앞의 육각형 1개는 변하지 않는 부분이다.

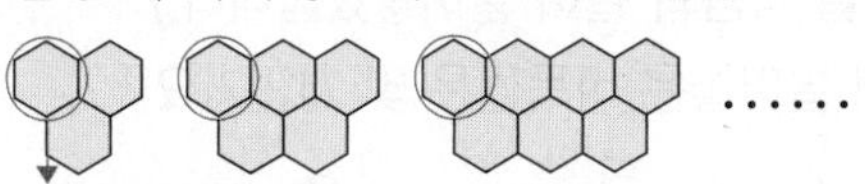

답 5, 7, 9, 11, 13 /

예 (수 카드의 수)×2+1=(육각형의 수)

② 12×2+1=25(개) 답 25개

쌍둥이 문제 6-1

구 수 카드의 수가 15일 때, 필요한 사각형의 수

① 전략 도형의 배열에서 변하는 부분과 변하지 않는 부분을 알아보자.

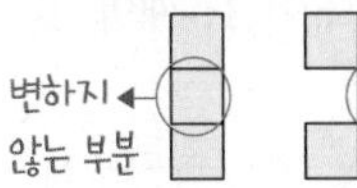

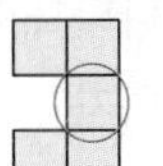
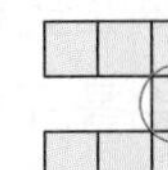
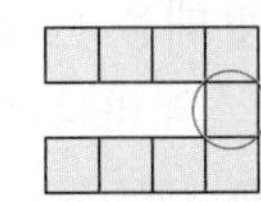

수 카드의 수와 사각형의 수 사이의 대응 관계를 표와 식으로 나타내기:

수 카드의 수	1	2	3	4	······
사각형의 수(개)	3	5	7	9	······

➔ (수 카드의 수)×2+1=(사각형의 수)

② 수 카드의 수가 15일 때, 필요한 사각형의 수:

15×2+1=31(개) 답 31개

STEP 3 수학 독해력 완성하기 70~73쪽

독해 문제 1

구 12째에 늘어놓은 바둑돌의 수

주 셋째까지 늘어놓은 바둑돌의 모양

어 1 순서와 바둑돌의 수 사이의 대응 관계를 표를 이용하여 알아보고

2 대응 관계를 식으로 나타내어 12째에 늘어놓은 바둑돌의 수를 구하자.

해 ① 답 4, 9, 16, 25

② (한 변에 놓여 있는 바둑돌의 수)

×(한 변에 놓여 있는 바둑돌의 수)

=(순서)×(순서)

=(바둑돌의 수)

식 예 (순서)×(순서)=(바둑돌의 수)

③ 12×12=144(개) 답 144개

독해 문제 | 1-1 정답에서 제공하는 쌍둥이 문제

바둑돌을 다음과 같이 늘어놓았습니다./
15째에 늘어놓은 바둑돌은 몇 개인가요?

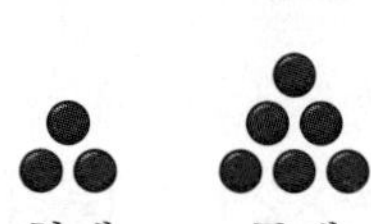

구 15째에 늘어놓은 바둑돌의 수
주 셋째까지 늘어놓은 바둑돌의 모양
어 1 순서와 바둑돌의 수 사이의 대응 관계를 표를 이용하여 알아보고
2 대응 관계를 식으로 나타내어 15째에 늘어놓은 바둑돌의 수를 구하자.

해 ❶

순서(째)	1	2	3	4	……
바둑돌의 수(개)	3	6	9	12	……

❷ 순서와 바둑돌의 수 사이의 대응 관계를 식으로 나타내기:
(순서)×3=(바둑돌의 수)

❸ 전략 ❷에서 구한 대응 관계 식을 이용하자.
(15째에 늘어놓은 바둑돌의 수)
=(순서)×3
=15×3
=45(개)

답 45개

독해 문제 | 2-1 정답에서 제공하는 쌍둥이 문제

이쑤시개를 이용하여 다음과 같은 방법으로 탑을 쌓고 있습니다./
이쑤시개 27개로는 몇 층까지 쌓을 수 있나요?

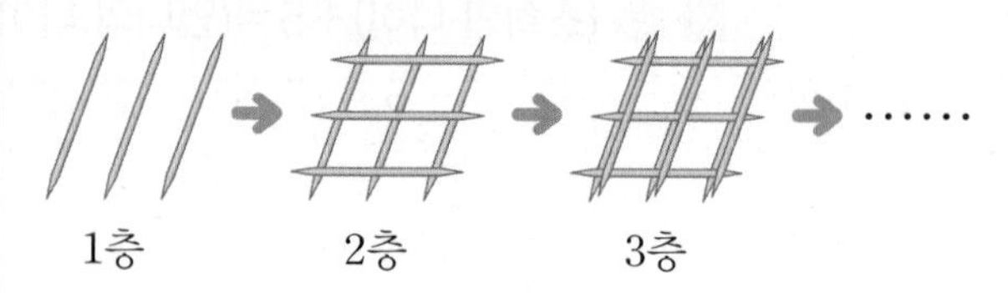

구 이쑤시개 27개로 쌓을 수 있는 탑의 층수
주 3층까지 쌓은 탑의 모양
어 1 탑의 층수와 이쑤시개의 수 사이의 대응 관계를 식으로 나타낸 다음,
2 이쑤시개 27개로 쌓을 수 있는 탑의 층수를 구하자.

해 ❶

탑의 층수(층)	1	2	3	4	……
이쑤시개의 수(개)	3	6	9	12	……

탑의 층수와 이쑤시개의 수 사이의 대응 관계를 식으로 나타내기:
(이쑤시개의 수)÷3=(탑의 층수)

❷ 27÷3=9(층)

답 9층

독해 문제 | 2

구 이쑤시개 14개로 쌓을 수 있는 탑의 층수
주 3층까지 쌓은 탑의 모양
어 1 탑의 층수와 이쑤시개의 수 사이의 대응 관계를 기호를 사용하여 식으로 나타낸 다음,
2 이쑤시개 14개로 쌓을 수 있는 탑의 층수를 구하자.

해 ❶

탑의 층수(층)	1	2	3	4	……
이쑤시개의 수(개)	2	4	6	8	……

→ 이쑤시개의 수(△)를 2로 나누면 탑의 층수(□)이다.

식 예 △÷2=□

❷ 14÷2=7(층)

답 7층

독해 문제 | 3

구 □와 △ 사이의 대응 관계를 하나의 식으로 나타내기
주 □, ○, △ 사이의 대응 관계를 나타낸 표
어 1 □와 ○, ○와 △ 사이의 대응 관계를 알아보고 각각 식으로 나타낸 다음,
2 1에서 나타낸 식을 이용하여 □와 △ 사이의 대응 관계를 하나의 식으로 나타내자.

해 ❶ 전략

□	3	4	5	6	7	8	……
○	15	20	25	30	35	40	……
△	17	22	27	32	37	42	……

(×5, +2)

○는 □의 5배이다.

식 예 □×5=○

❷ △는 ○보다 2 크다.

식 예 ○+2=△

❸ 식 예 □×5+2=△

독해 문제 3-1 정답에서 제공하는 쌍둥이 문제

□와 △와 , △와 ○ 사이의 대응 관계를 나타낸 표 입니다./
□와 ○ 사이의 대응 관계를 하나의 식으로 나타내어 보세요.

□	4	5	6	7	8	9	……
△	12	15	18	21	24	27	……
○	8	11	14	17	20	23	……

구 □와 ○ 사이의 대응 관계를 하나의 식으로 나타내기

주 □, △, ○ 사이의 대응 관계를 나타낸 표

어 1 □와 △, △와 ○ 사이의 대응 관계를 알아보고 각각 식으로 나타낸 다음,

2 1에서 나타낸 식을 이용하여 □와 ○ 사이의 대응 관계를 하나의 식으로 나타내자.

해 ❶ 전략

□	4	5	6	7	8	9	……
△	12	15	18	21	24	27	……
○	8	11	14	17	20	23	……

(□→△: ×3, △→○: −4)

□와 △ 사이의 대응 관계를 식으로 나타내기: □×3=△

❷ △와 ○ 사이의 대응 관계를 식으로 나타내기: △−4=○

❸ □와 ○ 사이의 대응 관계를 하나의 식으로 나타내기: □×3−4=○

답 예 □×3−4=○

독해 문제 4

구 서울에 사는 효진이가 오후 8시에 아버지께 전화를 했을 때 베를린에서 아버지가 전화를 받는 시각

주 서울의 시각과 베를린의 시각

어 1 서울의 시각과 베를린의 시각 사이의 대응 관계를 알아보고 식으로 나타낸 다음,

2 1에서 나타낸 식을 이용하여 서울에 사는 효진이가 오후 8시에 아버지께 전화를 하면 베를린에서 아버지가 전화를 받는 시각을 구하자.

해 ❶ 오전 10시−오전 3시=7시간이므로 베를린의 시각은 서울의 시각보다 7시간 느리다.

식 예 (서울의 시각)−7시간=(베를린의 시각)

❷ (베를린의 시각)=오후 8시−7시간=오후 1시

답 오후 1시

독해 문제 4-1 정답에서 제공하는 쌍둥이 문제

어느 날 서울과 모스크바의 시각을 나타낸 표입니다./
서울에 사는 주영이가 오후 7시에 모스크바로 출장을 간 아버지께 전화를 하면/
아버지는 모스크바의 시각으로 몇 시에 전화를 받나요?

서울의 시각	오전 11시	낮 12시	오후 1시	오후 2시	……
모스크바의 시각	오전 5시	오전 6시	오전 7시	오전 8시	……

주 서울의 시각과 모스크바의 시각

어 1 서울의 시각과 모스크바의 시각 사이의 대응 관계를 알아보고 식으로 나타낸 다음,

2 1에서 나타낸 식을 이용하여 서울에 사는 주영이가 오후 7시에 아버지께 전화를 하면 모스크바에서 아버지가 전화를 받는 시각을 구하자.

해 ❶ 오전 11시−오전 5시=6시간이므로 모스크바의 시각은 서울의 시각보다 6시간 느리다.
서울의 시각과 모스크바의 시각 사이의 대응 관계를 식으로 나타내기:
(서울의 시각)−6시간=(모스크바의 시각)

❷ (모스크바의 시각)=오후 7시−6시간
=오후 1시

답 오후 1시

독해 문제 5

구 10

주 10

해 ❶ 답 6, 8, 10, 12

❷ 맨 앞의 누름 못 2개는 변하지 않는 부분이다.

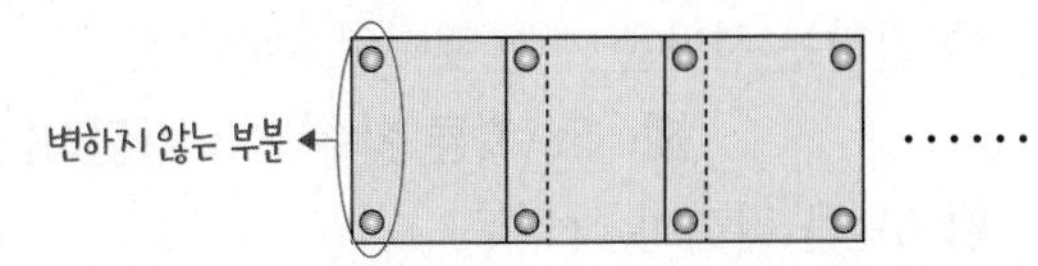

식 예 (도화지의 수)×2+2=(누름 못의 수)

❸ 10×2+2=22(개)

답 22개

독해 문제 | 5-1 정답에서 제공하는 쌍둥이 문제

누름 못을 사용하여 다음과 같이 도화지를 붙이고 있습니다./
도화지 15장을 붙이려면 누름 못은 몇 개 필요한가요?

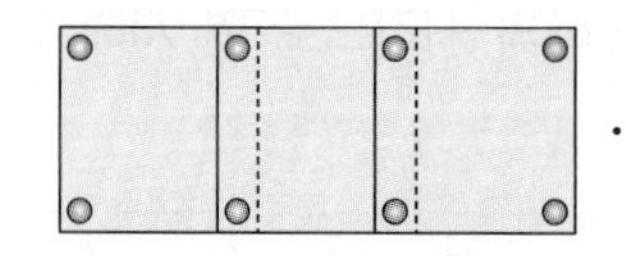

구 도화지 15장을 붙일 때, 필요한 누름 못의 수

주 누름 못을 사용하여 붙이려는 도화지: 15장

어 ❶ 도화지의 수와 누름 못의 수 사이의 대응 관계를 표를 이용하여 알아보고
❷ 대응 관계를 식으로 나타낸 다음,
❸ 도화지 15장을 붙일 때, 필요한 누름 못의 수를 구하자.

해 ①

도화지의 수(장)	1	2	3	4	……
누름 못의 수(개)	4	6	8	10	……

② 전략 맨 앞의 누름 못 2개는 변하지 않는 부분이다.
도화지의 수와 누름 못의 수 사이의 대응 관계를 식으로 나타내기:
(도화지의 수)$\times 2+2=$(누름 못의 수)

③ $15\times 2+2=32$(개)

답 32개

독해 문제 | 6-1 정답에서 제공하는 쌍둥이 문제

굵기가 일정한 통나무를 1번 자르는 데 2분이 걸립니다./
통나무 1개를 10도막으로 자르는 데 몇 분이 걸리나요? (단, 쉬는 시간은 생각하지 않습니다.)

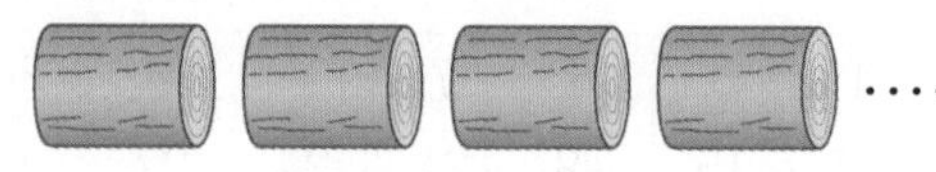

구 통나무 1개를 10도막으로 자르는 데 걸리는 시간

주 • 통나무를 1번 자르는 데 걸리는 시간: 2분
• 통나무 1개를 자르려는 도막의 수: 10도막

어 ❶ 통나무 1개를 10도막으로 자르려면 몇 번을 잘라야 하는지 구한 다음,
❷ 통나무를 자른 횟수와 걸리는 시간 사이의 대응 관계를 알아보고 10도막으로 자르는 데 걸리는 시간을 구하자.

해 ① (도막의 수)$-1=$(자른 횟수)이므로 10도막으로 자르려면 $10-1=9$(번) 잘라야 한다.

② 걸리는 시간은 자른 횟수의 2배이다.
통나무를 자른 횟수와 걸리는 시간 사이의 대응 관계를 식으로 나타내기:
(자른 횟수)$\times 2=$(걸리는 시간)

③ 9번을 잘라야 하므로
(걸리는 시간)$=9\times 2=18$(분)이다.

답 18분

독해 문제 | 6

구 7

주 3, 7

해 ① 7도막으로 자르려면 $7-1=6$(번) 잘라야 한다.

답 6번

주의 통나무를 자른 횟수와 도막의 수 사이의 대응 관계를 알아보자.
→ (도막의 수)$-1=$(자른 횟수)

② 걸리는 시간은 자른 횟수의 3배이다.

식 예 (자른 횟수)$\times 3=$(걸리는 시간)

③ 6번을 잘라야 하므로
(걸리는 시간)$=6\times 3=18$(분)이다.

답 18분

4 STEP 창의·융합·코딩 체험하기 74~77쪽

코딩 1

$2 \xrightarrow{\times 2} 4$

$4 \xrightarrow{\times 2} 8$

$6 \xrightarrow{\times 2} 12$

아래에 연결되어 있는 수는 위에 연결되어 있는 수의 2배이다.
→ 14와 연결되어 있는 수는 $14\times 2=28$이다.

답 28

융합 2

사용한 달 수(개월)	1	2	3	4	……
소비전력량(kWh)	16	32	48	64	……

소비전력량은 사용한 달 수에 16을 곱한다.
➔ □×16=○ 식 □×16=○ (또는 ○÷16=□)

창의 3

2 —×10→ 20
4 —×10→ 40
13 —×10→ 130
➔ 둥근 모양 거울에 나타난 수는 비춘 수의 10배이다.
5.5 —−5→ 0.5
8 —−5→ 3
11 —−5→ 6
➔ 네모 모양 거울에 나타난 수는 비춘 수보다 5 작다.
7을 둥근 모양 거울에 비추면 7×10=70이 나타나고, 70을 네모 모양 거울에 비추면 70−5=65가 나타난다.
답 65

창의 4

7을 네모 모양 거울에 비추면 7−5=2가 나타나고, 2를 둥근 모양 거울에 비추면 2×10=20이 나타난다.
답 20

창의 5

변의 수(개)	4	5	6	7	……
한 꼭짓점에서 그을 수 있는 대각선의 수(개)	1	2	3	4	……

(−3)

한 꼭짓점에서 그을 수 있는 대각선의 수는 변의 수보다 3 작다. ➔ △−3=☆
식 △−3=☆ (또는 ☆+3=△)

융합 6

영화의 시작 시각과 끝나는 시각은 2시간 차이가 난다.
16시 50분=오후 4시 50분
(끝나는 시각)=오후 4시 50분+2시간
=오후 6시 50분 답 오후 6시 50분

창의 7

시간이 1초씩 늘어나면서 움직인 거리도 6 cm씩 늘어난다. ➔ △×6=○
식 △×6=○ (또는 ○÷6=△)

융합 8

매단 추의 무게(kg)	1	2	3	4	……
전체 용수철의 길이(cm)	12	14	16	18	……

➔ 10+(추의 무게)×2=(전체 용수철의 길이)
매단 추의 무게가 8 kg일 때,
(전체 용수철의 길이)=10+8×2=26(cm)
답 26 cm

종합평가 실전 마무리 하기 78~81쪽

1 ☆은 △보다 3 크다. ➔ △+3=☆
식 △+3=☆ (또는 ☆−3=△)

2 ❶

육각형의 수(개)	1	2	3	4	……
변의 수(개)	6	12	18	24	……

(×6)

❷ ○는 □의 6배이다. ➔ □×6=○
식1 □×6=○ 식2 ○÷6=□

3 ❶

걸은 시간(분)	1	2	3	4	……
걸은 거리(m)	45	90	135	180	……

(×45)

❷ 걸은 거리는 걸은 시간의 45배이다.
➔ ◇×45=△
❸ 정화가 20분 걸었을 때,
(걸은 거리)=20×45=900 (m)
식 예 ◇×45=△ 답 900 m

4 ❶

수 카드의 수	1	2	3	4	……
사각형의 수(개)	4	5	6	7	……

(+3)

❷ 사각형의 수는 수 카드의 수보다 3 크다.
➔ (수 카드의 수)+3=(사각형의 수)
❸ 수 카드의 수가 10일 때,
(사각형의 수)=10+3=13(개) 답 13개

5 ❶

노란색 사각판의 수(개)	1	2	3	4	……
초록색 사각판의 수(개)	3	4	5	6	……

(−2)

❷ 노란색 사각판의 수는 초록색 사각판의 수보다 2 작다.
➔ (초록색 사각판의 수)−2=(노란색 사각판의 수)
❸ 초록색 사각판이 10개일 때,
(노란색 사각판의 수)=10−2=8(개) 답 8개

6 ❶

그림의 수(장)	1	2	3	4	⋯⋯
누름 못의 수(개)	2	3	4	5	⋯⋯

(−1)

❷ 그림의 수는 누름 못의 수보다 1 작다.
➔ (누름 못의 수)−1=(그림의 수)

❸ 누름 못 20개를 사용했을 때,
(그림의 수)=20−1
=19(장)

답 19장

7 ❶ 어머니의 나이는 주희의 나이보다
41−12=29(살) 많다.
➔ (주희의 나이)+29=(어머니의 나이)

❷ 주희가 19살이 될 때,
(어머니의 나이)=19+29=48(살)

답 48살

8 ❶

순서(째)	1	2	3	4	⋯⋯
바둑돌의 수(개)	1	4	9	16	⋯⋯

❷ 두 양 사이의 대응 관계를 식으로 나타내기:
□=○×○

❸ □=100일 때, ○×○=100이므로 두 수를 곱해서 100이 나오는 수는 ○=10이다.

식 예 □=○×○ 답 10째

9 ❶

탑의 층수(층)	1	2	3	4	⋯⋯
이쑤시개의 수(개)	4	8	12	16	⋯⋯

(÷4)

❷ 이쑤시개의 수를 4로 나누면 탑의 층수이다.
➔ (이쑤시개의 수)÷4=(탑의 층수)

❸ 이쑤시개가 32개일 때,
(탑의 층수)=32÷4=8(층)

답 8층

10 ❶

식탁의 수(개)	1	2	3	4	⋯⋯
의자의 수(개)	4	6	8	10	⋯⋯

❷ 식탁의 수와 의자의 수 사이의 대응 관계를 식으로 나타내기: (식탁의 수)×2+2=(의자의 수)

❸ 식탁을 9개 놓으려면
(필요한 의자의 수)=9×2+2=20(개)이다.

답 20개

4 약분과 통분

FUN한 이야기 82~83쪽

$\frac{6}{15}$ / 3 / $\frac{2}{5}$

1 STEP 문제 해결력 기르기 84~89쪽

선행 문제 1

7, 3, $\frac{3}{7}$

실행 문제 1

❶ 39, 39

❷ 3 / 3, 3, $\frac{13}{16}$

참고
3) 39 48
13 16 ➔ 최대공약수: 3

답 $\frac{13}{16}$

쌍둥이 문제 1-1

❶ 전략 $\frac{(\text{사용한 색종이 수})}{(\text{전체 색종이 수})}$로 나타내자.

전체 색종이 수: 24장
사용한 색종이 수: 16장

➔ 사용한 색종이: 전체의 $\frac{16}{24}$

❷ 전략 ❶에서 구한 분수의 분모와 분자를 각각 두 수의 최대공약수로 나누자.

분모와 분자의 최대공약수: 8

기약분수: $\frac{16\div8}{24\div8}=\frac{2}{3}$

참고
2) 16 24
2) 8 12
2) 4 6
2 3 ➔ 최대공약수: 2×2×2=8

답 $\frac{2}{3}$

선행 문제 2

최소공배수에 ○표, 14, 14

참고 7) 7 14 / 1 2 → 최소공배수: $7 \times 1 \times 2 = 14$

실행 문제 2

❶ 20

참고 5) 5 20 / 1 4 → 최소공배수: $5 \times 1 \times 4 = 20$

❷ 20, 40, 60, 80 답 20, 40, 60, 80

쌍둥이 문제 2-1

❶ 전략 공통분모 중에서 가장 작은 수인 두 분모의 최소공배수를 구하자.

8과 24의 최소공배수: 24

❷ 전략 두 수의 최소공배수의 배수를 이용하여 구하자.

공통분모가 될 수 있는 수를 작은 수부터 4개 쓰기: 24, 48, 72, 96

답 24, 48, 72, 96

선행 문제 3

(1) 6 / 3, 4, 5, 6

(2) 8 / 6, 7, 8

실행 문제 3

❶ 5, 6, 7

❷ 5, 7, 4 답 4개

쌍둥이 문제 3-1

❶ 전략 분자에는 6보다 작은 수를 쓰자.

분모가 6인 진분수: $\frac{1}{6}$, $\frac{2}{6}$, $\frac{3}{6}$, $\frac{4}{6}$, $\frac{5}{6}$

❷ 전략 ❶에서 구한 진분수 중에서 분모와 분자의 공약수가 1뿐인 분수를 찾자.

기약분수: $\frac{1}{6}$, $\frac{5}{6}$ → 2개

답 2개

선행 문제 4

(1) 6, 12, 12, 20

(2) 14, 12, 28, 20

(3) 12, 33, 24, 55

실행 문제 4

❶ 15, 20, 25

❷ 25, $\frac{25}{45}$ 답 $\frac{25}{45}$

쌍둥이 문제 4-1

❶ 예 $\frac{6}{13} = \frac{12}{26} = \frac{18}{39} = \frac{24}{52} = \frac{30}{65} = \cdots\cdots$

❷ 전략 ❶에서 구한 분수의 분모와 분자의 차를 구하자.

$65 - 30 = 35$이므로 분모와 분자의 차가 35인

분수: $\frac{30}{65}$ 답 $\frac{30}{65}$

참고 분모와 분자의 차 구하기:
$\frac{6}{13}$ → 7, $\frac{12}{26}$ → 14, $\frac{18}{39}$ → 21, $\frac{24}{52}$ → 28, $\frac{30}{65}$ → 35……

다르게 풀기

$\frac{6}{13}$의 분모와 분자의 차: $13 - 6 = 7$

35는 7의 5배이므로 분모와 분자의 차가 35인 분수 :

$\frac{6 \times 5}{13 \times 5} = \frac{30}{65}$ 답 $\frac{30}{65}$

선행 문제 5

(1) 9, 4

(2) 28, 9

실행 문제 5

❶ 21, 4

❷ 21

❸ 4, 5, 5 답 5

쌍둥이 문제 5-1

❶ 전략 두 분모의 곱을 공통분모로 하여 통분하자.

두 분수를 통분하여 나타내기:

$\frac{4}{5} < \frac{●}{9}$ → $\frac{36}{45} < \frac{● \times 5}{45}$

❷ 분자의 크기 비교: $36 < ● \times 5$

❸ ●에 알맞은 자연수는 8, 9, 10, 11……이다.

→ 가장 작은 수: 8

답 8

선행 문제 6

3 / 3, 6

실행 문제 6

❶ $\frac{2}{5}$ / $\frac{2}{8}$, $\frac{5}{8}$

❷ $\frac{2}{5}$, $\frac{5}{8}$ 답 $\frac{2}{5}$, $\frac{5}{8}$

쌍둥이 문제 6-1

❶ 전략 분모에 3, 7, 9를 놓을 때 만들 수 있는 진분수를 알아보자.

- 분모가 3일 때: 만들 수 없다.
- 분모가 7일 때: $\frac{3}{7}$
- 분모가 9일 때: $\frac{3}{9}$, $\frac{7}{9}$

❷ 전략 ❶에서 구한 분수 중 분모와 분자의 공약수가 1뿐인 분수를 찾자.

기약분수: $\frac{3}{7}$, $\frac{7}{9}$

답 $\frac{3}{7}$, $\frac{7}{9}$

STEP 2 수학 사고력 키우기 90~95쪽

대표 문제 1

구 기약분수

주 21, 14

해 ❶ $21+14=35$(명) 답 35명

❷ $\frac{(\text{여학생 수})}{(\text{전체 학생 수})}=\frac{14}{35}$ 답 $\frac{14}{35}$

❸ 14와 35의 최대공약수: 7

$\frac{14}{35}=\frac{14\div7}{35\div7}=\frac{2}{5}$ 답 $\frac{2}{5}$

쌍둥이 문제 1-1

구 흰 바둑돌은 가지고 있는 바둑돌 전체의 몇 분의 몇인지 기약분수로 나타내기

❶ 전략 흰 바둑돌 수와 검은 바둑돌 수를 더하자.

(전체 바둑돌 수)$=45+55=100$(개)

❷ 전략 $\frac{(\text{흰 바둑돌의 수})}{(\text{전체 바둑돌의 수})}$로 나타내자.

흰 바둑돌: 전체의 $\frac{45}{100}$

❸ 전략 분모와 분자를 두 수의 최대공약수로 나누자.

45와 100의 최대공약수: 5

기약분수로 나타내기: $\frac{45}{100}=\frac{45\div5}{100\div5}=\frac{9}{20}$

참고

$$\begin{array}{r|rr} 5 & 45 & 100 \\ \hline & 9 & 20 \end{array}$$

→ 최대공약수: 5

답 $\frac{9}{20}$

대표 문제 2

구 100

주 $\frac{4}{15}$

해 ❶ 10과 15의 최소공배수: 30 답 30

❷ 30의 배수: 30, 60, 90, 120…… 답 30, 60, 90, 120

❸ 답 30, 60, 90

쌍둥이 문제 2-1

❶ 전략 14와 21의 최소공배수를 구하자.

공통분모가 될 수 있는 수 중 가장 작은 수: 42

참고 공통분모가 될 수 있는 수 중 가장 작은 수는 14와 21의 최소공배수이다.

$$\begin{array}{r|rr} 7 & 14 & 21 \\ \hline & 2 & 3 \end{array}$$

→ 최소공배수: $7\times2\times3=42$

❷ 전략 ❶에서 구한 최소공배수의 배수를 구하자.

공통분모가 될 수 있는 수: 42, 84, 126, 168……

❸ ❷에서 구한 수 중 150보다 작은 수: 42, 84, 126

답 42, 84, 126

대표 문제 3

구 10

해 ❶ 분자는 1부터 9까지의 수이다.

답 $\frac{1}{10}$, $\frac{2}{10}$, $\frac{3}{10}$, $\frac{4}{10}$, $\frac{5}{10}$, $\frac{6}{10}$, $\frac{7}{10}$, $\frac{8}{10}$, $\frac{9}{10}$

❷ 10과 공약수가 1뿐인 수는 1, 3, 7, 9이다.

답 $\frac{1}{10}$, $\frac{3}{10}$, $\frac{7}{10}$, $\frac{9}{10}$

❸ $1+3+7+9=20$ 답 20

쌍둥이 문제 3-1

❶ 전략 분자에는 12보다 작은 수를 쓰자.

분모가 12인 진분수: $\frac{1}{12}$, $\frac{2}{12}$, $\frac{3}{12}$, $\frac{4}{12}$, $\frac{5}{12}$, $\frac{6}{12}$, $\frac{7}{12}$, $\frac{8}{12}$, $\frac{9}{12}$, $\frac{10}{12}$, $\frac{11}{12}$

❷ 전략 ❶에서 구한 분수 중에서 분모와 분자의 공약수가 1뿐인 분수를 찾자.

기약분수: $\frac{1}{12}$, $\frac{5}{12}$, $\frac{7}{12}$, $\frac{11}{12}$

❸ 분자의 합: $1+5+7+11=24$

답 24

대표 문제 4

구 20, 30

해 ❶ $\frac{3}{8}=\frac{3\times2}{8\times2}=\frac{3\times3}{8\times3}=\frac{3\times4}{8\times4}=\frac{3\times5}{8\times5}=\frac{3\times6}{8\times6}$

답 $\frac{6}{16}, \frac{9}{24}, \frac{12}{32}, \frac{15}{40}, \frac{18}{48}$

❷ $\frac{3}{8}$과 크기가 같은 분수의 분모와 분자의 차 구하기:

$\frac{6}{16}\to10$, $\frac{9}{24}\to15$, $\frac{12}{32}\to20$, $\frac{15}{40}\to25$,

$\frac{18}{48}\to30$

답 $\frac{15}{40}$

쌍둥이 문제 4-1

❶ 예 $\frac{7}{12}=\frac{14}{24}=\frac{21}{36}=\frac{28}{48}=\frac{35}{60}=\frac{42}{72}=\cdots\cdots$

❷ 분모와 분자의 합 구하기:

$\frac{14}{24}\to38$, $\frac{21}{36}\to57$, $\frac{28}{48}\to76$, $\frac{35}{60}\to95$,

$\frac{42}{72}\to114$

➔ 합이 60보다 크고 80보다 작은 분수: $\frac{28}{48}$

답 $\frac{28}{48}$

대표 문제 5

구 큰

해 ❶ 답 16, 5, 28

❷ $16<●\times5<28$이므로 ●에 알맞은 자연수는 4, 5이다.

➔ 가장 큰 수: 5

답 5

쌍둥이 문제 5-1

❶ 전략 12, 16, 6의 최소공배수 48을 공통분모로 하여 통분하자.

세 분수를 통분하여 나타내기:

$\frac{5}{12}<\frac{●}{16}<\frac{5}{6}$ ➔ $\frac{20}{48}<\frac{●\times3}{48}<\frac{40}{48}$

참고 12와 16의 최소공배수: 48, 48과 6의 최소공배수: 48
➔ 12, 16, 6의 최소공배수: 48

❷ 전략 ❶에서 통분한 분수의 분자끼리 비교하자.

분자의 크기 비교: $20<●\times3<40$이므로

●에 알맞은 자연수는 7, 8, 9, 10, 11, 12, 13이다.

➔ 가장 작은 수: 7

답 7

대표 문제 6

구 큰

해 ❶ 답 5, 7, 8

❷ • 분모가 5인 진분수: $\frac{1}{5}$

• 분모가 7인 진분수: $\frac{1}{7}, \frac{5}{7}$

• 분모가 8인 진분수: $\frac{1}{8}, \frac{5}{8}, \frac{7}{8}$

답 $\frac{1}{5}, \frac{1}{7}, \frac{5}{7}, \frac{1}{8}, \frac{5}{8}, \frac{7}{8}$

❸ $\frac{1}{7}<\frac{5}{7}$, $\frac{1}{8}<\frac{5}{8}<\frac{7}{8}$이므로

$\frac{1}{5}, \frac{5}{7}, \frac{7}{8}$의 크기를 비교하면

$\frac{1}{5}\left(=\frac{7}{35}\right)<\frac{5}{7}\left(=\frac{25}{35}\right)$이고

$\frac{5}{7}\left(=\frac{40}{56}\right)<\frac{7}{8}\left(=\frac{49}{56}\right)$이다.

➔ $\frac{1}{5}<\frac{5}{7}<\frac{7}{8}$

답 $\frac{7}{8}$

쌍둥이 문제 6-1

❶ 전략 진분수는 분자가 분모보다 작은 분수이다.

진분수의 분모가 될 수 있는 수: 4, 6, 9

❷ 전략 ❶에서 구한 수를 분모에 놓고 진분수를 만들자.

만들 수 있는 진분수: $\frac{2}{4}, \frac{2}{6}, \frac{4}{6}, \frac{2}{9}, \frac{4}{9}, \frac{6}{9}$

❸ 전략 분모가 같은 분수는 분자의 크기를 비교하고 분자가 같은 분수는 분모가 클수록 작음을 이용하여 비교한다.

$\frac{2}{6}<\frac{4}{6}$, $\frac{2}{9}<\frac{4}{9}<\frac{6}{9}$이므로

$\frac{2}{4}, \frac{2}{6}, \frac{2}{9}$의 크기를 비교하면 $\frac{2}{4}>\frac{2}{6}>\frac{2}{9}$이다.

참고 분모가 다른 분수는 통분하여 크기를 비교한다.
$\frac{2}{4}, \frac{2}{6}, \frac{2}{9}$의 크기를 비교하면
$\frac{2}{4}\left(=\frac{6}{12}\right)>\frac{2}{6}\left(=\frac{4}{12}\right)$이고
$\frac{2}{6}\left(=\frac{6}{18}\right)>\frac{2}{9}\left(=\frac{4}{18}\right)$이다.
➔ $\frac{2}{4}>\frac{2}{6}>\frac{2}{9}$

답 $\frac{2}{9}$

STEP 3 수학 독해력 완성하기 96~99쪽

독해 문제 1

주 통분한 두 분수: $\frac{8}{28}$, $\frac{21}{\square}$

어 1 □ 안에 알맞은 수를 구하고
2 분모와 분자의 최대공약수로 약분하여 기약분수를 구하자.

해 ❶ 통분한 두 분수의 분모는 같다. ➔ □=28

답 28

❷ $\frac{8}{28}=\frac{8\div4}{28\div4}=\frac{2}{7}$, $\frac{21}{28}=\frac{21\div7}{28\div7}=\frac{3}{4}$

답 $\frac{2}{7}$, $\frac{3}{4}$

독해 문제 1-1 정답에서 제공하는 쌍둥이 문제

어떤 두 기약분수를 통분한 것입니다./
통분하기 전의 두 기약분수를 구해 보세요.

$\frac{18}{\square}$ $\frac{25}{60}$

어 1 □ 안에 알맞은 수를 구하고
2 분모와 분자의 최대공약수로 약분하여 기약분수를 구하자.

해 ❶ 통분한 두 분수의 분모는 같다. ➔ □=60

❷ $\frac{18}{60}$의 기약분수: $\frac{18\div6}{60\div6}=\frac{3}{10}$

$\frac{25}{60}$의 기약분수: $\frac{25\div5}{60\div5}=\frac{5}{12}$

답 $\frac{3}{10}$, $\frac{5}{12}$

독해 문제 2

구 $\frac{7}{15}$과 $\frac{5}{9}$ 사이에 있는 분수 중에서 분모가 90인 분수의 개수

해 ❶ $\frac{7}{15}=\frac{7\times6}{15\times6}=\frac{42}{90}$, $\frac{5}{9}=\frac{5\times10}{9\times10}=\frac{50}{90}$

답 $\frac{42}{90}$, $\frac{50}{90}$

❷ $\frac{43}{90}$, $\frac{44}{90}$, $\frac{45}{90}$, $\frac{46}{90}$, $\frac{47}{90}$, $\frac{48}{90}$, $\frac{49}{90}$ ➔ 7개

답 7개

독해 문제 2-1 정답에서 제공하는 쌍둥이 문제

$\frac{8}{15}$과 $\frac{7}{12}$ 사이에 있는 분수 중에서/
분모가 120인 분수는 모두 몇 개인가요?

구 $\frac{8}{15}$과 $\frac{7}{12}$ 사이에 있는 분수 중에서 분모가 120인 분수의 개수

주 $\frac{8}{15}<\frac{●}{120}<\frac{7}{12}$

어 1 두 분수를 분모가 120인 분수로 통분하고
2 두 분수 사이에 있는 분수의 개수를 구하자.

해 ❶ $\frac{8}{15}=\frac{8\times8}{15\times8}=\frac{64}{120}$,

$\frac{7}{12}=\frac{7\times10}{12\times10}=\frac{70}{120}$

❷ $\frac{65}{120}$, $\frac{66}{120}$, $\frac{67}{120}$, $\frac{68}{120}$, $\frac{69}{120}$ ➔ 5개

답 5개

독해 문제 3

구 [조건]을 모두 만족하는 분수 찾기

주 •주어진 세 분수: $\frac{5}{6}$, $\frac{2}{3}$, $\frac{1}{4}$

•[조건 ㉠]: $\frac{1}{2}$보다 크다.

•[조건 ㉡]: $\frac{5}{7}$보다 작다.

어 1 세 분수 중 $\frac{1}{2}$보다 큰 분수를 찾고

2 1에서 구한 분수 중 $\frac{5}{7}$보다 작은 분수를 찾자.

해 ❶ $\frac{1}{2}\left(=\frac{3}{6}\right)<\frac{5}{6}$, $\frac{1}{2}\left(=\frac{3}{6}\right)<\frac{2}{3}\left(=\frac{4}{6}\right)$,

$\frac{1}{2}\left(=\frac{2}{4}\right)>\frac{1}{4}$

➔ $\frac{1}{2}$보다 큰 분수: $\frac{5}{6}$, $\frac{2}{3}$

답 $\frac{5}{6}$, $\frac{2}{3}$

❷ $\frac{5}{7}\left(=\frac{30}{42}\right)<\frac{5}{6}\left(=\frac{35}{42}\right)$,

$\frac{5}{7}\left(=\frac{15}{21}\right)>\frac{2}{3}\left(=\frac{14}{21}\right)$

➔ $\frac{5}{7}$보다 작은 분수: $\frac{2}{3}$

답 $\frac{2}{3}$

독해 문제 3-1 정답에서 제공하는 쌍둥이 문제

[조건]을 모두 만족하는 분수를 찾아 쓰세요.

$\frac{7}{8}$ $\frac{2}{9}$ $\frac{11}{16}$

[조건]
㉠ $\frac{1}{2}$보다 큽니다.
㉡ $\frac{3}{4}$보다 작습니다.

어 1 세 분수 중 $\frac{1}{2}$보다 큰 분수를 찾고

2 1에서 구한 분수 중 $\frac{3}{4}$보다 작은 분수를 찾자.

해 ❶ $\frac{1}{2}\left(=\frac{4}{8}\right)<\frac{7}{8}$, $\frac{1}{2}\left(=\frac{9}{18}\right)>\frac{2}{9}\left(=\frac{4}{18}\right)$, $\frac{1}{2}\left(=\frac{8}{16}\right)<\frac{11}{16}$

➔ $\frac{1}{2}$보다 큰 분수: $\frac{7}{8}$, $\frac{11}{16}$

❷ $\frac{3}{4}\left(=\frac{6}{8}\right)<\frac{7}{8}$, $\frac{3}{4}\left(=\frac{12}{16}\right)>\frac{11}{16}$

➔ $\frac{3}{4}$보다 작은 분수: $\frac{11}{16}$

답 $\frac{11}{16}$

독해 문제 4

구 $\frac{9}{20}$의 분자에 36을 더했을 때 분수의 크기가 변하지 않으려면 분모에 더해야 할 수

어 1 $\frac{9}{20}$의 분자에 36을 더했을 때 분자를 구하고

2 $\frac{9}{20}$와 크기가 같은 분수 중 1에서 구한 수가 분자인 분수를 구한 다음,

3 2에서 구한 분수가 되려면 $\frac{9}{20}$의 분모에 더해야 할 수를 구하자.

해 ❶ $9+36=45$ 답 45

❷ 45는 9의 5배이므로 $\frac{9}{20}=\frac{9\times5}{20\times5}=\frac{45}{100}$

답 $\frac{45}{100}$

❸ 분모에 더해야 할 수를 □라 하면

$\frac{45}{20+□}=\frac{45}{100}$ ➔ $20+□=100$, $□=80$

답 80

독해 문제 4-1 정답에서 제공하는 쌍둥이 문제

$\frac{7}{15}$의 분자에 28을 더했을 때/
분모에 얼마를 더해야 분수의 크기가 변하지 않나요?

구 $\frac{7}{15}$의 분자에 28을 더했을 때 분수의 크기가 변하지 않으려면 분모에 더해야 할 수

주 $\frac{7}{15}$의 분자에 더한 수: 28

어 1 $\frac{7}{15}$의 분자에 28을 더했을 때 분자를 구하고

2 $\frac{7}{15}$과 크기가 같은 분수 중 1에서 구한 수가 분자인 분수를 구한 다음,

3 2에서 구한 분수가 되려면 $\frac{7}{15}$의 분모에 더해야 할 수를 구하자.

해 ❶ $7+28=35$

❷ 35는 7의 5배이므로

$\frac{7}{15}=\frac{7\times5}{15\times5}=\frac{35}{75}$

❸ 분모에 더해야 할 수를 □라 하면

$\frac{35}{15+□}=\frac{35}{75}$

➔ $15+□=75$, $□=60$

답 60

독해 문제 5

구 큰

주 $\frac{2}{5}$, $\frac{8}{11}$

해 ❶ $\frac{2}{5}<\frac{4}{●}<\frac{8}{11}$ ➔ $\frac{2\times4}{5\times4}<\frac{4\times2}{●\times2}<\frac{8}{11}$

답 20, 2

❷ 분모의 크기를 비교하면 $11<●\times2<20$이다.

➔ ●에 알맞은 자연수: 6, 7, 8, 9

답 6, 7, 8, 9

주의 분자가 같을 때에는 분모가 작을수록 큰 분수이다.

$\frac{8}{20}<\frac{8}{●\times2}<\frac{8}{11}$ ➔ $11<●\times2<20$

❸ 답 9

정답과 풀이

독해 문제 5-1 | 정답에서 제공하는 쌍둥이 문제

●에 알맞은 자연수 중 가장 큰 수를 구해 보세요.

$$\frac{2}{7}<\frac{4}{●}<\frac{10}{13}$$

어 **1** 세 분수의 분자 2, 4, 10을 최소공배수인 20으로 분자를 같게 만들고
2 분모의 크기를 비교하여 ●에 알맞은 자연수 중 가장 큰 수를 구하자.

해 ❶ $\frac{2}{7}<\frac{4}{●}<\frac{10}{13}$ → $\frac{20}{70}<\frac{20}{●\times5}<\frac{20}{26}$
❷ 분모의 크기를 비교하면 분자가 같을 때에는 분모가 작을수록 큰 분수이므로 $26<●\times5<70$이다.
→ ●에 알맞은 자연수: 6, 7, 8, 9, 10, 11, 12, 13
❸ 가장 큰 수: 13

답 13

독해 문제 6

구 큰　　주 8, 9

해 ❶ 답 3, 8, 9
❷ 분모가 3인 진분수: $\frac{2}{3}$
분모가 8인 진분수: $\frac{2}{8}$, $\frac{3}{8}$
분모가 9인 진분수: $\frac{2}{9}$, $\frac{3}{9}$, $\frac{8}{9}$

답 $\frac{2}{3}$, $\frac{2}{8}$, $\frac{3}{8}$, $\frac{2}{9}$, $\frac{3}{9}$, $\frac{8}{9}$

❸ 분자를 2배 한 수가 분모보다 크면 $\frac{1}{2}$보다 큰 수이다. → $\frac{2}{3}$, $\frac{8}{9}$로 모두 2개

답 2개

참고 분자를 2배하여
- $\frac{2}{3}$ → $4>3$이므로 $\frac{2}{3}>\frac{1}{2}$
- $\frac{2}{8}$ → $4<8$이므로 $\frac{2}{8}<\frac{1}{2}$
- $\frac{3}{8}$ → $6<8$이므로 $\frac{3}{8}<\frac{1}{2}$
- $\frac{2}{9}$ → $4<9$이므로 $\frac{2}{9}<\frac{1}{2}$
- $\frac{3}{9}$ → $6<9$이므로 $\frac{3}{9}<\frac{1}{2}$
- $\frac{8}{9}$ → $16>9$이므로 $\frac{8}{9}>\frac{1}{2}$

독해 문제 6-1 | 정답에서 제공하는 쌍둥이 문제

4장의 수 카드 중에서 2장을 뽑아 한 번씩만 사용하여 진분수를 만들려고 합니다./
만들 수 있는 진분수 중/ $\frac{1}{2}$보다 작은 분수는 모두 몇 개인가요?

1　4　5　7

구 만들 수 있는 진분수 중 $\frac{1}{2}$보다 작은 분수의 개수

주 • 수 카드: 1, 4, 5, 7
• 2장을 뽑아 한 번씩만 사용

어 **1** 진분수의 분모가 될 수 있는 수를 모두 찾고,
2 분모보다 작은 수를 분자에 놓아 진분수를 모두 만든 다음,
3 **2**에서 만든 분수와 $\frac{1}{2}$의 크기를 비교하자.

해 ❶ 진분수의 분모가 될 수 있는 수는 4, 5, 7이다.
❷ 분모가 4인 진분수: $\frac{1}{4}$
분모가 5인 진분수: $\frac{1}{5}$, $\frac{4}{5}$
분모가 7인 진분수: $\frac{1}{7}$, $\frac{4}{7}$, $\frac{5}{7}$
❸ 분자를 2배 한 수가 분모보다 작으면 $\frac{1}{2}$보다 작은 수이다.
$\frac{1}{4}$ → $2<4$이므로 $\frac{1}{4}<\frac{1}{2}$
$\frac{1}{5}$ → $2<5$이므로 $\frac{1}{5}<\frac{1}{2}$
$\frac{4}{5}$ → $8>5$이므로 $\frac{4}{5}>\frac{1}{2}$
$\frac{1}{7}$ → $2<7$이므로 $\frac{1}{7}<\frac{1}{2}$
$\frac{4}{7}$ → $8>7$이므로 $\frac{4}{7}>\frac{1}{2}$
$\frac{5}{7}$ → $10>7$이므로 $\frac{5}{7}>\frac{1}{2}$
→ $\frac{1}{4}$, $\frac{1}{5}$, $\frac{1}{7}$로 모두 3개

답 3개

4 STEP 창의·융합·코딩 체험하기 100~103쪽

코딩 1

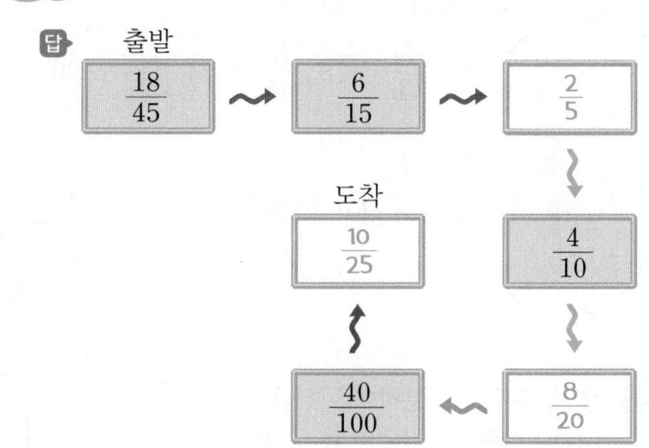

코딩 2

$\frac{2}{3}=\frac{2\times10}{3\times10}=\frac{20}{30}$, $\frac{20}{30}=\frac{20\div5}{30\div5}=\frac{4}{6}$,

$\frac{4}{6}=\frac{4\times4}{6\times4}=\frac{16}{24}$

답 스, 몸, 비

융합 3

오전 5시부터 오후 8시까지는 15시간이고 하루는 24시간이므로 낮의 길이는 하루의 $\frac{15}{24}=\frac{15\div3}{24\div3}=\frac{5}{8}$이다.

답 $\frac{5}{8}$

창의 4

$\left(\frac{5}{12}, \frac{13}{18}\right)$에서 분모 12와 18의 최소공배수: 36

$\left(\frac{3}{4}, \frac{9}{14}\right)$에서 분모 4와 14의 최소공배수: 28

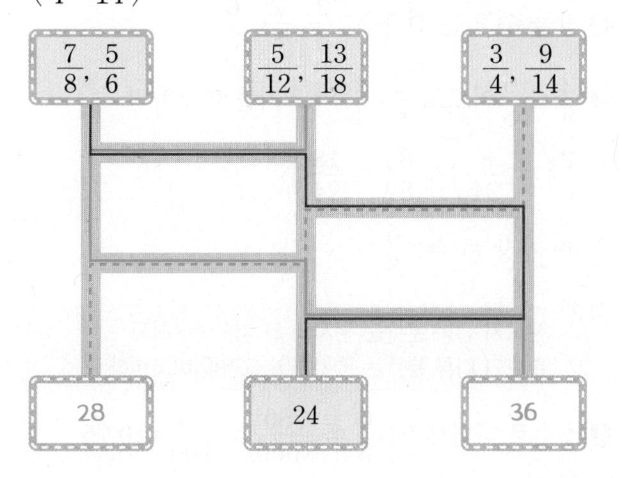

답 28, 36

창의 5

$3.7=3\frac{7}{10}$이고, 분자가 같은 분수는 분모가 작을수록 크므로 $3\frac{7}{20}<3\frac{7}{10}$이다.

$\left(\frac{11}{16}, \frac{7}{12}\right)$ ➔ $\left(\frac{33}{48}, \frac{28}{48}\right)$ ➔ $\frac{11}{16}>\frac{7}{12}$

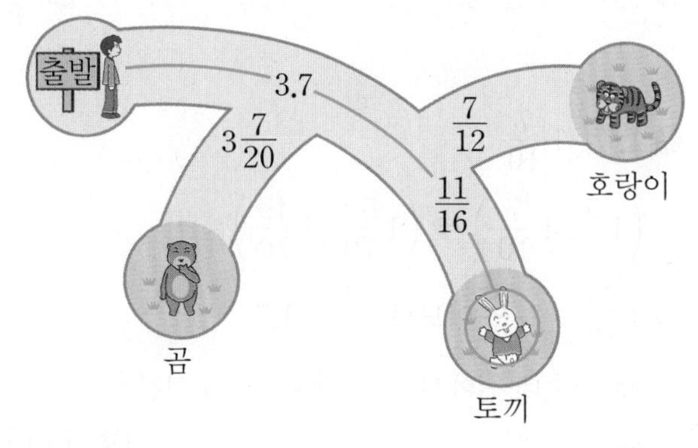

답 토끼

창의 6

소정: $\frac{7}{8}$, 정수: $\frac{5}{6}$, 주현: $\frac{9}{10}$

분자가 분모보다 1만큼 더 작은 분수는 분모가 클수록 크다. ➔ $\frac{9}{10}>\frac{7}{8}>\frac{5}{6}$

답 주현, 소정, 정수

창의 7

격자 암호

해독판

9	8	7	6	5
을	를	분	하	의
4	3	2	1	0
를	통	약	에	분
보	하	분	세	요

$\frac{2}{8}=\frac{2\div2}{8\div2}=\frac{1}{4}$

평문 의, 2, 를, 약, 분, 하, 세, 요 답 $\frac{1}{4}$

융합 8

'파'와 '라'로 진분수를 만들고 기약분수로 나타내면 $\frac{352}{440}=\frac{352\div88}{440\div88}=\frac{4}{5}$이다.

➔ 분모와 분자가 모두 7보다 작으므로 잘 어울리는 음이다.

답 잘 어울리는 음에 ○표

종합평가 실전 마무리 하기 104~107쪽

1 ❶ $\frac{32}{48}=\frac{\square}{6}$

❷ $48\div8=6$이므로 $\square=32\div8=4$

❸ 분모가 6인 분수: $\frac{4}{6}$

답 $\frac{4}{6}$

2 ❶ $1.7=1\frac{7}{10}$

$\left(1\frac{5}{7}, 1\frac{7}{10}\right)$ ➔ $\left(1\frac{50}{70}, 1\frac{49}{70}\right)$

❷ $1\frac{50}{70}>1\frac{49}{70}$이므로 $1\frac{5}{7}>1.7$

➔ 지수네 집에서 더 가까운 곳: 도서관

답 도서관

3 ❶ (여학생 수)$=168-90=78$(명)

❷ 여학생: 전체 학생의 $\frac{78}{168}=\frac{78\div6}{168\div6}=\frac{13}{28}$

답 $\frac{13}{28}$

4 ❶ 9와 12의 최소공배수: 36

❷ 공통분모가 될 수 있는 수 :

36, 72, 108, 144……

❸ 공통분모가 될 수 있는 수 중 100보다 작은 수:

36, 72 ➔ 2개

답 2개

5 ❶ 분모가 15인 진분수: $\frac{1}{15}, \frac{2}{15}, \frac{3}{15}$……$\frac{14}{15}$

❷ 기약분수: $\frac{1}{15}, \frac{2}{15}, \frac{4}{15}, \frac{7}{15}, \frac{8}{15}, \frac{11}{15}, \frac{13}{15}, \frac{14}{15}$

❸ 분자의 합: $1+2+4+7+8+11+13+14=60$

답 60

참고 15와 공약수가 1뿐인 수: 1, 2, 4, 7, 8, 11, 13, 14

6 ❶ 통분한 두 분수의 분모는 같다. ➔ $\square=40$

❷ $\frac{25}{40}=\frac{25\div5}{40\div5}=\frac{5}{8}$, $\frac{12}{40}=\frac{12\div4}{40\div4}=\frac{3}{10}$

답 $\frac{5}{8}, \frac{3}{10}$

7 ❶ 예 $\frac{5}{11}=\frac{10}{22}=\frac{15}{33}=\frac{20}{44}=\frac{25}{55}$

$=\frac{30}{66}=\frac{35}{77}=$……

❷ 분모와 분자의 차 구하기:

$\frac{10}{22}\rightarrow12$, $\frac{15}{33}\rightarrow18$, $\frac{20}{44}\rightarrow24$, $\frac{25}{55}\rightarrow30$,

$\frac{30}{66}\rightarrow36$, $\frac{35}{77}\rightarrow42$

➔ 차가 30보다 크고 40보다 작은 분수: $\frac{30}{66}$

답 $\frac{30}{66}$

8 ❶ 세 분수를 통분하여 나타내기:

$\frac{1}{5}<\frac{●}{15}<\frac{4}{9}$ ➔ $\frac{9}{45}<\frac{●\times3}{45}<\frac{20}{45}$

❷ 분자의 크기 비교: $9<●\times3<20$이므로

●에 알맞은 자연수는 4, 5, 6이다.

➔ 가장 큰 수: 6

답 6

9 ❶ 분자에 더해야 할 수를 □라 하면

$\frac{7}{8}=\frac{7+\square}{8+32}=\frac{7+\square}{40}$

❷ 40은 8의 5배이므로 $\frac{7}{8}=\frac{7\times5}{8\times5}=\frac{35}{40}$

❸ $\frac{7+\square}{40}=\frac{35}{40}$ ➔ $7+\square=35$, $\square=28$

답 28

10 ❶ $2<6<8$이므로

진분수의 분모가 될 수 있는 수: 6, 8

❷ 만들 수 있는 진분수: $\frac{2}{6}, \frac{2}{8}, \frac{6}{8}$

❸ $\frac{2}{8}<\frac{6}{8}$이므로 $\frac{2}{6}, \frac{6}{8}$의 크기를 비교하면

$\frac{2}{6}\left(=\frac{8}{24}\right)<\frac{6}{8}\left(=\frac{18}{24}\right)$

➔ 가장 큰 수: $\frac{6}{8}$

참고 분모가 같은 분수는 분자의 크기를 비교하고
분모가 다른 분수는 통분하여 크기를 비교한다.

❹ 소수로 나타내기: $\frac{6}{8}=\frac{750}{1000}=\frac{75}{100}=0.75$

답 0.75

5 분수의 덧셈과 뺄셈

FUN 한 이야기 108~109쪽

$1\frac{3}{20}$, >/ 킥보드를 타고 간다.

문제 해결력 기르기 110~115쪽

선행 문제 1

$\frac{1}{4}$, 21, $1\frac{1}{20}$

실행 문제 1

❶ $\frac{5}{6}$, 37, $1\frac{7}{30}$

참고 두 분모의 곱을 공통분모로 하여 통분한 후 분자끼리 더한다.

$\frac{2}{5}+\frac{5}{6}=\frac{12}{30}+\frac{25}{30}=\frac{37}{30}=1\frac{7}{30}$ (km)

가분수를 대분수로 나타낸다.

❷ $1\frac{7}{30}$, >, 있다에 ○표

답 탈 수 있다.

쌍둥이 문제 1-1

❶ 전략 (정아가 딴 딸기의 양)+(수호가 딴 딸기의 양)

(두 사람이 딴 딸기의 양)

$=\frac{1}{2}+\frac{5}{8}=\frac{4}{8}+\frac{5}{8}=\frac{9}{8}=1\frac{1}{8}$ (kg)

참고 두 분모의 최소공배수를 공통분모로 하여 통분한 후 분자끼리 더한다.

$\frac{1}{2}+\frac{5}{8}=\frac{4}{8}+\frac{5}{8}=\frac{9}{8}=1\frac{1}{8}$ (kg)

가분수를 대분수로 나타낸다.

❷ ❶에서 구한 수와 1의 크기 비교:

$1\frac{1}{8}>1$이므로 상자에 담을 수 있다.

답 담을 수 있다.

선행 문제 2

1, 1, 1, $\frac{8}{8}$, $\frac{3}{8}$

실행 문제 2

❶ $\frac{1}{6}$, $\frac{7}{18}$

❷ $\frac{7}{18}$, $\frac{11}{18}$

답 $\frac{11}{18}$

쌍둥이 문제 2-1

❶ 전략 (지은이가 먹은 양)+(동생이 먹은 양)

두 사람이 먹은 양:

전체의 $\frac{2}{3}+\frac{1}{4}=\frac{8}{12}+\frac{3}{12}=\frac{11}{12}$

❷ 전략 1−(두 사람이 먹은 양)

두 사람이 먹고 남은 양:

전체의 $1-\frac{11}{12}=\frac{12}{12}-\frac{11}{12}=\frac{1}{12}$

답 $\frac{1}{12}$

선행 문제 3

9, 10 / $\frac{8}{9}$, $\frac{9}{10}$, $\frac{9}{10}$, $\frac{6}{7}$

실행 문제 3

❶ 8, $\frac{7}{8}$, $\frac{3}{4}$

참고 분자가 분모보다 1 작은 분수는 분모가 클수록 큰 분수이다.

❷ $\frac{7}{8}$, $\frac{3}{4}$, $\frac{1}{8}$

답 $\frac{1}{8}$ m

쌍둥이 문제 3-1

❶ 전략 $\frac{6}{7}$, $\frac{1}{2}$, $\frac{8}{9}$은 분자가 분모보다 1 작은 분수이다.

마신 주스의 양의 분모의 크기를 비교하면

$2<7<9$이므로

➜ 가장 많이 마신 주스의 양: $\frac{8}{9}$ L

가장 적게 마신 주스의 양: $\frac{1}{2}$ L

❷ 전략 (가장 많이 마신 주스의 양) −(가장 적게 마신 주스의 양)

마신 주스의 양의 차: $\frac{8}{9}-\frac{1}{2}=\frac{16}{18}-\frac{9}{18}=\frac{7}{18}$ (L)

답 $\frac{7}{18}$ L

선행 문제 4

(1) $\square+\frac{9}{20}=\frac{5}{8}$

(2) $\square-\frac{8}{15}=\frac{4}{9}$

실행 문제 4

❶ $2\frac{3}{4}$, $8\frac{3}{8}$

❷ $8\frac{3}{8}$, $2\frac{3}{4}$, $5\frac{5}{8}$

❸ $5\frac{5}{8}$, $2\frac{7}{8}$

답 $2\frac{7}{8}$

참고 분수 부분끼리 뺄 수 없으면 자연수 부분에서 1을 받아 내림한다.

❷ $\square=8\frac{3}{8}-2\frac{3}{4}=8\frac{3}{8}-2\frac{6}{8}=7\frac{11}{8}-2\frac{6}{8}=5\frac{5}{8}$

❸ $5\frac{5}{8}-2\frac{3}{4}=5\frac{5}{8}-2\frac{6}{8}=4\frac{13}{8}-2\frac{6}{8}=2\frac{7}{8}$

쌍둥이 문제 4-1

❶ 어떤 수를 □라 하여 잘못 계산한 식 세우기:

$\square-1\frac{1}{5}=4\frac{3}{10}$

❷ 전략 ❶의 식을 덧셈식으로 나타내어 □의 값을 구하자.

□의 값: $\square=4\frac{3}{10}+1\frac{1}{5}$

$=4\frac{3}{10}+1\frac{2}{10}=5\frac{5}{10}=5\frac{1}{2}$

주의 계산 결과가 약분이 되면 약분한다.

$4\frac{3}{10}+1\frac{1}{5}=4\frac{3}{10}+1\frac{2}{10}=5\frac{\cancel{5}^{1}}{\cancel{10}_{2}}=5\frac{1}{2}$

❸ 바르게 계산한 값:

$5\frac{1}{2}+1\frac{1}{5}=5\frac{5}{10}+1\frac{2}{10}=6\frac{7}{10}$

답 $6\frac{7}{10}$

선행 문제 5

50, 100 / 100, 70

실행 문제 5

❶ $1\frac{3}{5}$, $3\frac{1}{5}$

주의 분수 부분의 합이 가분수이면 대분수로 나타낸다.

$1\frac{3}{5}+1\frac{3}{5}=2+\frac{6}{5}=2+1\frac{1}{5}=3\frac{1}{5}$ (m)

가분수를 대분수로 나타낸다.

❷ $3\frac{1}{5}$, $3\frac{1}{30}$

답 $3\frac{1}{30}$ m

쌍둥이 문제 5-1

❶ 전략 두 색 테이프의 길이를 더하자.

(색 테이프 2장의 길이의 합)

$=2\frac{7}{8}+2\frac{1}{4}=2\frac{7}{8}+2\frac{2}{8}=5\frac{1}{8}$ (m)

❷ 전략 (❶에서 구한 길이) − (겹친 부분의 길이)

(이어 붙인 색 테이프의 전체 길이)

$=5\frac{1}{8}-\frac{1}{12}=5\frac{3}{24}-\frac{2}{24}=5\frac{1}{24}$ (m)

답 $5\frac{1}{24}$ m

선행 문제 6

(1) 7, $7\frac{1}{4}$

(2) 1, $1\frac{4}{7}$

실행 문제 6

❶ $4\frac{2}{3}$

❷ $2\frac{3}{4}$

❸ $4\frac{2}{3}$, $2\frac{3}{4}$, $7\frac{5}{12}$

참고 통분한 후 자연수는 자연수끼리, 분수는 분수끼리 더한다.

$4\frac{2}{3}+2\frac{3}{4}=4\frac{8}{12}+2\frac{9}{12}=(4+2)+\left(\frac{8}{12}+\frac{9}{12}\right)$

$=6+\frac{17}{12}=6+1\frac{5}{12}=7\frac{5}{12}$

답 $7\frac{5}{12}$

쌍둥이 문제 6-1

❶ 전략 자연수 부분에 가장 큰 수를 놓고 남은 두 수로 진분수를 만들자.

만들 수 있는 가장 큰 대분수: $9\frac{5}{6}$

❷ 전략 자연수 부분에 가장 작은 수를 놓고 남은 두 수로 진분수를 만들자.

만들 수 있는 가장 작은 대분수: $5\frac{6}{9}$

❸ 전략 (만들 수 있는 가장 큰 대분수) − (만들 수 있는 가장 작은 대분수)

두 대분수의 차:

$9\frac{5}{6}-5\frac{6}{9}=9\frac{15}{18}-5\frac{12}{18}=4\frac{3}{18}=4\frac{1}{6}$

답 $4\frac{1}{6}$

수학 사고력 키우기 116~121쪽

대표 문제 1

구 보건소

주 $1\frac{4}{9}$, $1\frac{5}{8}$

해 ❶ (현서네 집~보건소)+(보건소~할머니 댁)

$=1\frac{4}{9}+1\frac{5}{8}=1\frac{32}{72}+1\frac{45}{72}$

$=2+\frac{77}{72}=3\frac{5}{72}$ (km) 답 $3\frac{5}{72}$ km

❷ $3\frac{5}{72}>3$이므로 현서는 버스를 타야 한다.

답 버스

쌍둥이 문제 1-1

❶ 전략 (준수가 캔 감자의 양)+(우진이가 캔 감자의 양)

(두 사람이 캔 감자의 양)

$=2\frac{7}{12}+2\frac{5}{6}=2\frac{7}{12}+2\frac{10}{12}=5\frac{5}{12}$ (kg)

❷ 전략 ❶에서 구한 무게와 5 kg을 비교하자.

$5\frac{5}{12}>5$이므로 상자에 담아야 한다.

답 상자

대표 문제 2

주 $\frac{3}{10}$, $\frac{1}{4}$

해 ❶ 위인전과 동화책의 양:

전체의 $\frac{3}{10}+\frac{1}{4}=\frac{6}{20}+\frac{5}{20}=\frac{11}{20}$ 답 $\frac{11}{20}$

❷ 책 전체를 1이라 하면 동시집의 양:

전체의 $1-\frac{11}{20}=\frac{20}{20}-\frac{11}{20}=\frac{9}{20}$ 답 $\frac{9}{20}$

쌍둥이 문제 2-1

❶ 전략 (오이를 심은 부분)+(고추를 심은 부분)

오이와 고추를 심은 부분:

전체의 $\frac{3}{8}+\frac{7}{12}=\frac{9}{24}+\frac{14}{24}=\frac{23}{24}$

❷ 전략 채소밭 전체가 1이므로 1−(❶에서 구한 분수)로 구하자.

채소밭 전체를 1이라 하면 호박을 심은 부분:

전체의 $1-\frac{23}{24}=\frac{24}{24}-\frac{23}{24}=\frac{1}{24}$ 답 $\frac{1}{24}$

대표 문제 3

구 차

주 $2\frac{1}{2}$, $1\frac{4}{5}$

해 ❶ $1\frac{2}{3}$, $2\frac{1}{2}$, $1\frac{4}{5}$ 중 자연수 부분이 2인 $2\frac{1}{2}$이 가장 큰 분수이다. 답 $2\frac{1}{2}$ kg

❷ $1\frac{2}{3}$와 $1\frac{4}{5}$를 비교하면 자연수 부분이 같고 분자가 분모보다 1 작은 분수는 분모가 작을수록 작으므로 $1\frac{2}{3}<1\frac{4}{5}$이다. 답 $1\frac{2}{3}$ kg

❸ $2\frac{1}{2}-1\frac{2}{3}=2\frac{3}{6}-1\frac{4}{6}=1\frac{9}{6}-1\frac{4}{6}=\frac{5}{6}$ (kg)

답 $\frac{5}{6}$ kg

쌍둥이 문제 3-1

구 가장 긴 철사와 가장 짧은 철사의 길이의 차

❶ 전략 세 대분수의 자연수 부분을 비교하자.

가장 긴 철사의 길이: $3\frac{1}{2}$ m

❷ 전략 대분수의 자연수 부분이 같으면 분수 부분을 비교하자.

가장 짧은 철사의 길이: $2\frac{5}{6}$ m

참고 분자가 분모보다 1 작은 분수는 분모가 작을수록 작다.
➜ $\frac{5}{6}<\frac{7}{8}$

❸ 가장 긴 철사와 가장 짧은 철사의 길이의 차:

$3\frac{1}{2}-2\frac{5}{6}=3\frac{3}{6}-2\frac{5}{6}=2\frac{9}{6}-2\frac{5}{6}=\frac{4}{6}=\frac{2}{3}$ (m)

답 $\frac{2}{3}$ m

대표 문제 4

해 ❶ 식 $\square+2\frac{1}{3}=5\frac{5}{9}$

❷ $\square+2\frac{1}{3}=5\frac{5}{9}$,

$\square=5\frac{5}{9}-2\frac{1}{3}=5\frac{5}{9}-2\frac{3}{9}=3\frac{2}{9}$ 답 $3\frac{2}{9}$

❸ $3\frac{2}{9}-2\frac{1}{3}=3\frac{2}{9}-2\frac{3}{9}=2\frac{11}{9}-2\frac{3}{9}=\frac{8}{9}$

답 $\frac{8}{9}$

쌍둥이 문제 4-1

구 바르게 계산한 값

❶ 전략 잘못 계산한 뺄셈식을 세우자.

어떤 수를 □라 하여 잘못 계산한 식 세우기:

$□-3\frac{5}{6}=1\frac{7}{12}$

❷ 전략 ❶의 식을 덧셈식으로 나타내어 □의 값을 구하자.

어떤 수: $□=1\frac{7}{12}+3\frac{5}{6}=1\frac{7}{12}+3\frac{10}{12}=5\frac{5}{12}$

❸ 전략 (어떤 수)$+3\frac{5}{6}$

바르게 계산한 값:

$5\frac{5}{12}+3\frac{5}{6}=5\frac{5}{12}+3\frac{10}{12}=9\frac{3}{12}=9\frac{1}{4}$

답 $9\frac{1}{4}$

대표 문제 5

주 (위에서부터) $\frac{3}{4}$, $\frac{5}{8}$

해 ❶ $\frac{11}{12}+\frac{3}{4}=\frac{11}{12}+\frac{9}{12}=\frac{20}{12}=1\frac{\overset{2}{\cancel{8}}}{\underset{3}{\cancel{12}}}=1\frac{2}{3}$ (m)

답 $1\frac{2}{3}$ m

❷ (두 번 더해진 거리)

=(ⓛ에서 ⓒ까지의 거리)$=\frac{5}{8}$ m　답 $\frac{5}{8}$ m

❸ $1\frac{2}{3}-\frac{5}{8}=1\frac{16}{24}-\frac{15}{24}=1\frac{1}{24}$ (m)　답 $1\frac{1}{24}$ m

쌍둥이 문제 5-1

구 ㉠에서 ㉣까지의 거리

주

❶ (㉠~㉢)+(㉡~㉣)

$=2\frac{3}{10}+1\frac{1}{4}=2\frac{6}{20}+1\frac{5}{20}=3\frac{11}{20}$ (m)

❷ 전략 (❶에서 두 번 더해진 거리)=(㉡~㉢)

❶에서 두 번 더해진 거리: $\frac{4}{5}$ m

❸ 전략 (㉠~㉢)+(㉡~㉣)−(㉡~㉢)

$(㉠\sim㉣)=3\frac{11}{20}-\frac{4}{5}=3\frac{11}{20}-\frac{16}{20}=2\frac{31}{20}-\frac{16}{20}$

$=2\frac{15}{20}=2\frac{3}{4}$ (m)　답 $2\frac{3}{4}$ m

다르게 풀기

전략 (㉠~㉣)=(㉠~㉢)+(㉢~㉣)

❶ (㉢에서 ㉣까지의 거리)

=(㉡~㉣)−(㉡~㉢)

$=1\frac{1}{4}-\frac{4}{5}=1\frac{5}{20}-\frac{16}{20}$

$=\frac{25}{20}-\frac{16}{20}=\frac{9}{20}$ (m)

❷ (㉠에서 ㉣까지의 거리)

=(㉠~㉢)+(㉢~㉣)

$=2\frac{3}{10}+\frac{9}{20}=2\frac{6}{20}+\frac{9}{20}$

$=2\frac{\overset{3}{\cancel{15}}}{\underset{4}{\cancel{20}}}=2\frac{3}{4}$ (m)　답 $2\frac{3}{4}$ m

대표 문제 6

구 큰

해 ❶ 8>3>1이므로 가장 큰 수 8을 자연수 부분에 놓고 3과 1로 진분수를 만든다.　답 $8\frac{1}{3}$

❷ 7>5>4이므로 가장 큰 수 7을 자연수 부분에 놓고 5와 4로 진분수를 만든다.　답 $7\frac{4}{5}$

❸ $8\frac{1}{3}+7\frac{4}{5}=8\frac{5}{15}+7\frac{12}{15}=15+\frac{17}{15}=16\frac{2}{15}$

답 $16\frac{2}{15}$

쌍둥이 문제 6-1

구 정희와 준서가 만들 수 있는 가장 작은 대분수의 차

주 정희가 가지고 있는 수 카드: 1, 4, 5

준서가 가지고 있는 수 카드: 3, 8, 9

전략 자연수 부분에 가장 작은 수를 놓자.

❶ 정희가 만들 수 있는 가장 작은 대분수: $1\frac{4}{5}$

❷ 준서가 만들 수 있는 가장 작은 대분수: $3\frac{8}{9}$

❸ 두 대분수의 차: $3\frac{8}{9}-1\frac{4}{5}=3\frac{40}{45}-1\frac{36}{45}=2\frac{4}{45}$

참고 두 대분수의 크기를 비교하면 $3\frac{8}{9}>1\frac{4}{5}$이므로 두 대분수의 차는 $3\frac{8}{9}-1\frac{4}{5}$이다.

답 $2\frac{4}{45}$

3 STEP 수학 독해력 완성하기 122~125쪽

독해 문제 1

구 두 수의 합이 가장 크게 되는 식과 계산 결과

주 세 대분수: $4\frac{1}{3}$, $2\frac{5}{6}$, $3\frac{4}{9}$

어 1 세 대분수의 크기를 비교하여 가장 큰 수부터 차례로 쓰고

2 가장 큰 수와 두 번째로 큰 수의 합을 구하자.

해 ❶ 세 대분수의 자연수 부분을 비교한다.

답 $4\frac{1}{3}$, $3\frac{4}{9}$, $2\frac{5}{6}$

❷ 합이 가장 크게 되려면 가장 큰 수와 두 번째로 큰 수의 합을 구한다.

$4\frac{1}{3}+3\frac{4}{9}=4\frac{3}{9}+3\frac{4}{9}=7\frac{7}{9}$

식 $4\frac{1}{3}+3\frac{4}{9}=7\frac{7}{9}$

참고 세 대분수의 크기 비교
❶ 자연수의 크기가 클수록 큰 분수이다.
❷ 분수를 통분한다.
❸ 분자의 크기가 클수록 큰 분수이다.

독해 문제 1-1 정답에서 제공하는 쌍둥이 문제

차가 가장 크게 되는 두 수를 골라 식을 만들고/ 계산해 보세요.

$5\frac{1}{6}$ $2\frac{7}{8}$ $3\frac{3}{10}$

구 두 수의 차가 가장 크게 되는 식과 계산 결과

해 ❶ 가장 큰 수부터 차례로 쓰면

$5\frac{1}{6}$, $3\frac{3}{10}$, $2\frac{7}{8}$

❷ 차가 가장 크게 되려면 가장 큰 수와 가장 작은 수의 차를 구한다.

$5\frac{1}{6}-2\frac{7}{8}=5\frac{4}{24}-2\frac{21}{24}$

$=4\frac{28}{24}-2\frac{21}{24}=2\frac{7}{24}$

식 $5\frac{1}{6}-2\frac{7}{8}=2\frac{7}{24}$

독해 문제 2

어 1 집에서 보건소까지의 거리와 보건소에서 학교까지의 거리의 합을 구하고

2 1에서 구한 거리와 집에서 학교까지 새로 만든 길의 거리의 차를 구하여 몇 km가 가까워졌는지 구하자.

해 ❶ $1\frac{13}{18}+1\frac{3}{4}=1\frac{26}{36}+1\frac{27}{36}=2+\frac{53}{36}$

$=3\frac{17}{36}$ (km) 답 $3\frac{17}{36}$ km

❷ $3\frac{17}{36}-2\frac{5}{9}=3\frac{17}{36}-2\frac{20}{36}=2\frac{53}{36}-2\frac{20}{36}$

$=\frac{\overset{11}{\cancel{33}}}{\underset{12}{\cancel{36}}}=\frac{11}{12}$ (km) 답 $\frac{11}{12}$ km

❸ 답 $\frac{11}{12}$ km

독해 문제 2-1 정답에서 제공하는 쌍둥이 문제

집에서 병원을 거쳐 학교까지 가는 길이 너무 멀어서 집에서 학교까지 바로 갈 수 있는 길을 새로 만들었습니다./
몇 km가 가까워졌나요?

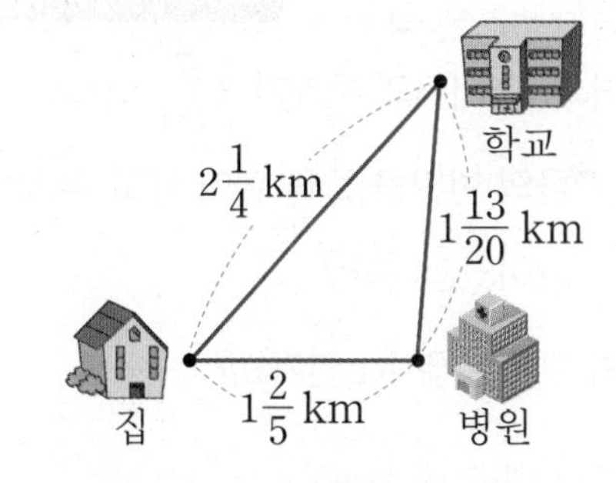

해 ❶ (집~병원~학교)

$=1\frac{2}{5}+1\frac{13}{20}=1\frac{8}{20}+1\frac{13}{20}=2+\frac{21}{20}$

$=3\frac{1}{20}$ (km)

❷ (집~병원~학교)−(집~학교)

$=3\frac{1}{20}-2\frac{1}{4}=3\frac{1}{20}-2\frac{5}{20}$

$=2\frac{21}{20}-2\frac{5}{20}=\frac{\overset{4}{\cancel{16}}}{\underset{5}{\cancel{20}}}=\frac{4}{5}$ (km)

❸ 새로 만든 길은 $\frac{4}{5}$ km가 가까워졌다.

답 $\frac{4}{5}$ km

독해 문제 3

주 •(덜어 내기 전 물의 무게)+(빈 통의 무게)$=7\frac{5}{8}$ kg

•(덜어 낸 후 남은 물의 무게)+(빈 통의 무게)

$=4\frac{3}{4}$ kg

해 ❶ (덜어 낸 물의 무게)

=(물을 덜어 내기 전 통의 무게)

−(물을 덜어 낸 후 통의 무게)

$=7\frac{5}{8}-4\frac{3}{4}=7\frac{5}{8}-4\frac{6}{8}=6\frac{13}{8}-4\frac{6}{8}$

$=2\frac{7}{8}$ (kg) 답 $2\frac{7}{8}$ kg

❷ (빈 통의 무게)

=(물을 덜어 낸 후 통의 무게)

−(덜어 낸 후 남은 물의 무게)

$=4\frac{3}{4}-2\frac{7}{8}=4\frac{6}{8}-2\frac{7}{8}=3\frac{14}{8}-2\frac{7}{8}$

$=1\frac{7}{8}$ (kg) 답 $1\frac{7}{8}$ kg

독해 문제 3-1 정답에서 제공하는 쌍둥이 문제

물이 들어 있는 비커의 무게가 $3\frac{7}{20}$ kg입니다./

들어 있던 물의 반만큼 물을 덜어 내고 무게를 재어 보니 $1\frac{4}{5}$ kg이었습니다./

빈 비커의 무게는 몇 kg인가요?

해 ❶ (덜어 낸 물의 무게)

=(물을 덜어 내기 전 비커의 무게)

−(물을 덜어 낸 후 비커의 무게)

$=3\frac{7}{20}-1\frac{4}{5}=3\frac{7}{20}-1\frac{16}{20}$

$=2\frac{27}{20}-1\frac{16}{20}=1\frac{11}{20}$ (kg)

❷ (빈 비커의 무게)

=(물을 덜어 낸 후 비커의 무게)

−(덜어 낸 후 남은 물의 무게)

$=1\frac{4}{5}-1\frac{11}{20}=1\frac{16}{20}-1\frac{11}{20}$

$=\frac{5}{20}=\frac{1}{4}$ (kg) 답 $\frac{1}{4}$ kg

독해 문제 4

구 키가 가장 큰 나무

어 1 소나무와 은행나무의 키를 구한 다음,

2 세 나무의 키를 비교하여 키가 가장 큰 나무를 찾자.

해 ❶ (밤나무의 키)$-1\frac{7}{15}$

$=5\frac{4}{5}-1\frac{7}{15}=5\frac{12}{15}-1\frac{7}{15}=4\frac{5}{15}=4\frac{1}{3}$ (m)

답 $4\frac{1}{3}$ m

❷ (소나무의 키)$+1\frac{2}{3}=4\frac{1}{3}+1\frac{2}{3}$

$=5+\frac{3}{3}=6$ (m) 답 6 m

❸ $6>5\frac{4}{5}>4\frac{1}{3}$이므로 키가 가장 큰 나무는 은행나무이다. 답 은행나무

독해 문제 4-1 정답에서 제공하는 쌍둥이 문제

대추나무의 키는 $2\frac{5}{6}$ m이고/

감나무는 대추나무보다 $1\frac{4}{9}$ m 더 큽니다./

단풍나무는 감나무보다 $1\frac{1}{2}$ m 더 작을 때/

대추나무, 감나무, 단풍나무 중 키가 가장 작은 나무를 구해 보세요.

구 키가 가장 작은 나무

해 ❶ (감나무의 키)

=(대추나무의 키)$+1\frac{4}{9}=2\frac{5}{6}+1\frac{4}{9}$

$=2\frac{15}{18}+1\frac{8}{18}=3+\frac{23}{18}=4\frac{5}{18}$ (m)

❷ (단풍나무의 키)

=(감나무의 키)$-1\frac{1}{2}=4\frac{5}{18}-1\frac{1}{2}$

$=4\frac{5}{18}-1\frac{9}{18}=3\frac{23}{18}-1\frac{9}{18}$

$=2\frac{14}{18}=2\frac{7}{9}$ (m)

❸ $2\frac{7}{9}\left(=2\frac{14}{18}\right)<2\frac{5}{6}\left(=2\frac{15}{18}\right)<4\frac{5}{18}$

이므로 키가 가장 작은 나무는 단풍나무이다.

답 단풍나무

독해 문제 5

주 $\frac{3}{8}$, 144

해 ❶ 전체의 $\frac{7}{12}+\frac{3}{8}=\frac{14}{24}+\frac{9}{24}=\frac{23}{24}$ 답 $\frac{23}{24}$

❷ 동화책 전체를 1이라 하면
오늘까지 읽고 남은 양:
전체의 $1-\frac{23}{24}=\frac{24}{24}-\frac{23}{24}=\frac{1}{24}$

답 $\frac{1}{24}$

❸ $\frac{1}{24}=\frac{6}{144}$이므로 오늘까지 읽고 남은 쪽수는 6쪽이다. 답 6쪽

독해 문제 5-1 정답에서 제공하는 **쌍둥이 문제**

동화책을 어제까지 전체의 $\frac{3}{4}$을 읽고,/
오늘은 전체의 $\frac{1}{6}$을 읽었습니다./
동화책 전체가 120쪽일 때 오늘까지 읽고 남은 쪽수는 몇 쪽인가요?

구 동화책을 오늘까지 읽고 남은 쪽수

주 • 어제까지 읽은 양: 전체의 $\frac{3}{4}$
• 오늘 읽은 양: 전체의 $\frac{1}{6}$
• 동화책 전체 쪽수: 120쪽

어 1 오늘까지 읽은 양은 전체의 얼마인지 구하고,
2 오늘까지 읽고 남은 양은 전체의 얼마인지 구한 다음,
3 2에서 구한 분수와 크기가 같은 분수 중 분모가 120인 분수를 만들어 오늘까지 읽고 남은 쪽수를 구하자.

해 ❶ 오늘까지 읽은 양:
전체의 $\frac{3}{4}+\frac{1}{6}=\frac{9}{12}+\frac{2}{12}=\frac{11}{12}$

❷ 동화책 전체를 1이라 하면
오늘까지 읽고 남은 양:
전체의 $1-\frac{11}{12}=\frac{12}{12}-\frac{11}{12}=\frac{1}{12}$

❸ $\frac{1}{12}=\frac{10}{120}$이므로 오늘까지 읽고 남은 쪽수는 10쪽이다. 답 10쪽

독해 문제 6

주 $1\frac{1}{6}$, $\frac{3}{8}$

해 ❶ $1\frac{1}{6}+1\frac{1}{6}+1\frac{1}{6}=3\frac{\overset{1}{\cancel{3}}}{\underset{2}{\cancel{6}}}=3\frac{1}{2}$ (m)

답 $3\frac{1}{2}$ m

❷ $\frac{3}{8}+\frac{3}{8}=\frac{\overset{3}{\cancel{6}}}{\underset{4}{\cancel{8}}}=\frac{3}{4}$ (m) 답 $\frac{3}{4}$ m

❸ $3\frac{1}{2}-\frac{3}{4}=3\frac{2}{4}-\frac{3}{4}=2\frac{6}{4}-\frac{3}{4}=2\frac{3}{4}$ (m)

답 $2\frac{3}{4}$ m

4 STEP 창의·융합·코딩 체험하기 126~129쪽

융합 1

(그림): $\frac{2}{3}$ (그림): $\frac{1}{6}$

$\frac{2}{3}+\frac{1}{6}=\frac{4}{6}+\frac{1}{6}=\frac{5}{6}$

답 $\frac{5}{6}$

융합 2

$7\frac{1}{4}>4\frac{1}{3}$이므로 초록색 물을

$7\frac{1}{4}-4\frac{1}{3}=7\frac{3}{12}-4\frac{4}{12}=6\frac{15}{12}-4\frac{4}{12}$
$=2\frac{11}{12}$ (kg) 더 넣어야 한다.

답 초록색 물, $2\frac{11}{12}$ kg

코딩 3

$3\frac{2}{9}+4\frac{5}{6}=3\frac{4}{18}+4\frac{15}{18}=7+\frac{19}{18}=8\frac{1}{18}$

답 $3\frac{2}{9}$, $4\frac{5}{6}$, $8\frac{1}{18}$

코딩 4

$9\frac{3}{5}+2\frac{2}{3}=9\frac{9}{15}+2\frac{10}{15}=11+\frac{19}{15}=12\frac{4}{15}$

답 $9\frac{3}{5}$, $2\frac{2}{3}$, $12\frac{4}{15}$

융합 5

$\frac{1}{4}+1+\frac{1}{2}=1\frac{1}{4}+\frac{1}{2}=1\frac{1}{4}+\frac{2}{4}=1\frac{3}{4}$(박)

답 $1\frac{3}{4}$박

코딩 6

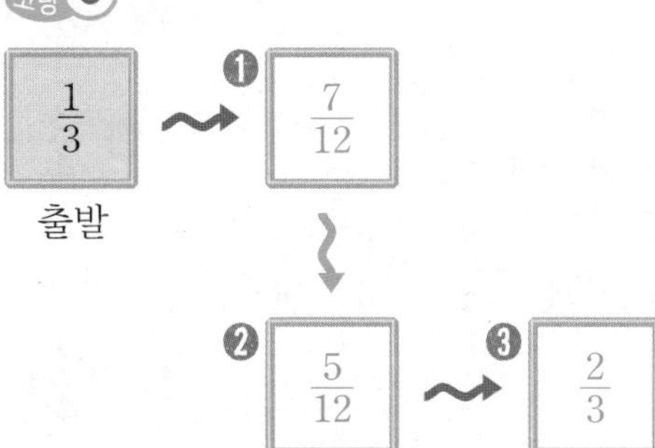

❶ $\frac{1}{3}+\frac{1}{4}=\frac{4}{12}+\frac{3}{12}=\frac{7}{12}$

❷ $\frac{7}{12}-\frac{1}{6}=\frac{7}{12}-\frac{2}{12}=\frac{5}{12}$

❸ $\frac{5}{12}+\frac{1}{4}=\frac{5}{12}+\frac{3}{12}=\frac{\cancel{8}^{2}}{\cancel{12}_{3}}=\frac{2}{3}$

답 $\frac{2}{3}$

창의 7

8의 약수: 1, 2, 4, 8 중 더해서 5가 되는 두 수는 1과 4이다.

$\frac{5}{8}=\frac{1}{8}+\frac{\cancel{4}^{1}}{\cancel{8}_{2}}=\frac{1}{8}+\frac{1}{2}$

답 $\frac{1}{2}$, $\frac{1}{8}$

창의 8

공통분모를 64로 하여 통분한다.

$\frac{1}{2}+\frac{1}{4}+\frac{1}{8}+\frac{1}{16}+\frac{1}{32}+\frac{1}{64}$

$=\frac{32}{64}+\frac{16}{64}+\frac{8}{64}+\frac{4}{64}+\frac{2}{64}+\frac{1}{64}$

$=\frac{63}{64}$

답 $\frac{1}{32}$, $\frac{8}{64}$, $\frac{2}{64}$, $\frac{63}{64}$

종합평가 실전 마무리 하기 130~133쪽

1 (처음에 들어 있던 주스의 양)+(더 넣은 주스의 양)

$=1\frac{3}{4}+\frac{5}{14}=1\frac{21}{28}+\frac{10}{28}=1+\frac{31}{28}=2\frac{3}{28}$ (L)

답 $2\frac{3}{28}$ L

2 ❶ $2\frac{1}{6}\left(=2\frac{2}{12}\right)<2\frac{7}{12}$이므로

운동을 더 많이 한 사람: 우진

❷ 더 많이 한 시간: $2\frac{7}{12}-2\frac{1}{6}=2\frac{7}{12}-2\frac{2}{12}$

$=\frac{5}{12}$(시간)

답 우진, $\frac{5}{12}$시간

3 ❶ (집~마트~이모 댁)

$=2\frac{7}{8}+2\frac{1}{4}=2\frac{7}{8}+2\frac{2}{8}=4+\frac{9}{8}=5\frac{1}{8}$ (km)

❷ $5\frac{1}{8}>5$이므로 지하철을 타야 한다.

답 지하철

4 ❶ 달걀흰자와 설탕의 양:

전체의 $\frac{3}{5}+\frac{1}{3}=\frac{9}{15}+\frac{5}{15}=\frac{14}{15}$

❷ 전체를 1이라 하면

레몬즙의 양: 전체의 $1-\frac{14}{15}=\frac{15}{15}-\frac{14}{15}=\frac{1}{15}$

답 $\frac{1}{15}$

5 ❶ $5\frac{1}{6}>3\frac{2}{9}>2\frac{3}{4}$

❷ 차가 가장 큰 식:

$5\frac{1}{6}-2\frac{3}{4}=5\frac{2}{12}-2\frac{9}{12}=4\frac{14}{12}-2\frac{9}{12}=2\frac{5}{12}$

식 $5\frac{1}{6}-2\frac{3}{4}=2\frac{5}{12}$

참고 차가 가장 크려면 가장 큰 수에서 가장 작은 수를 뺀다.

6 ❶ 어떤 수를 □라 하여 잘못 계산한 식 세우기:

$\square+2\frac{5}{6}=8\frac{1}{5}$

❷ 어떤 수: $\square=8\frac{1}{5}-2\frac{5}{6}=8\frac{6}{30}-2\frac{25}{30}$

$=7\frac{36}{30}-2\frac{25}{30}=5\frac{11}{30}$

❷ 바르게 계산한 값:

$5\frac{11}{30}-2\frac{5}{6}=5\frac{11}{30}-2\frac{25}{30}=4\frac{41}{30}-2\frac{25}{30}$

$=2\frac{\cancel{16}^{8}}{\cancel{30}_{15}}=2\frac{8}{15}$

답 $2\frac{8}{15}$

7 ❶ 먹은 고구마의 무게:

$4\frac{5}{7}-2\frac{2}{3}=4\frac{15}{21}-2\frac{14}{21}=2\frac{1}{21}$ (kg)

❷ 빈 바구니의 무게:

$2\frac{2}{3}-2\frac{1}{21}=2\frac{14}{21}-2\frac{1}{21}=\frac{13}{21}$ (kg)

답 $\frac{13}{21}$ kg

참고 (먹은 고구마의 무게)=(먹고 남은 고구마의 무게)
(빈 바구니의 무게)
=(고구마를 먹고 난 후 바구니의 무게)
−(먹고 남은 고구마의 무게)

8 ❶ (서호네 집~문구점~학교)

$=2\frac{7}{9}+1\frac{17}{18}=2\frac{14}{18}+1\frac{17}{18}=3+\frac{31}{18}$

$=4\frac{13}{18}$ (km)

❷ 가까워진 거리:

$4\frac{13}{18}-4\frac{1}{6}=4\frac{13}{18}-4\frac{3}{18}=\frac{10}{18}=\frac{5}{9}$ (km)

답 $\frac{5}{9}$ km

9 ❶ 수현이가 만들 수 있는 가장 큰 대분수: $8\frac{3}{7}$

❷ 진수가 만들 수 있는 가장 큰 대분수: $9\frac{1}{2}$

❸ 두 대분수의 차:

$9\frac{1}{2}-8\frac{3}{7}=9\frac{7}{14}-8\frac{6}{14}=1\frac{1}{14}$

답 $1\frac{1}{14}$

10 ❶ (㉠~㉢)+(㉡~㉣)

$=2\frac{5}{6}+3\frac{8}{9}=2\frac{15}{18}+3\frac{16}{18}=5+\frac{31}{18}=6\frac{13}{18}$ (m)

❷ (㉡~㉢)$=6\frac{13}{18}-5\frac{2}{3}=6\frac{13}{18}-5\frac{12}{18}=1\frac{1}{18}$ (m)

답 $1\frac{1}{18}$ m

주의 (㉡~㉢)은 (㉠~㉢)+(㉡~㉣)에서 두 번 더해진 거리이다.

6 다각형의 둘레와 넓이

FUN 한 기억 노트 134~135쪽

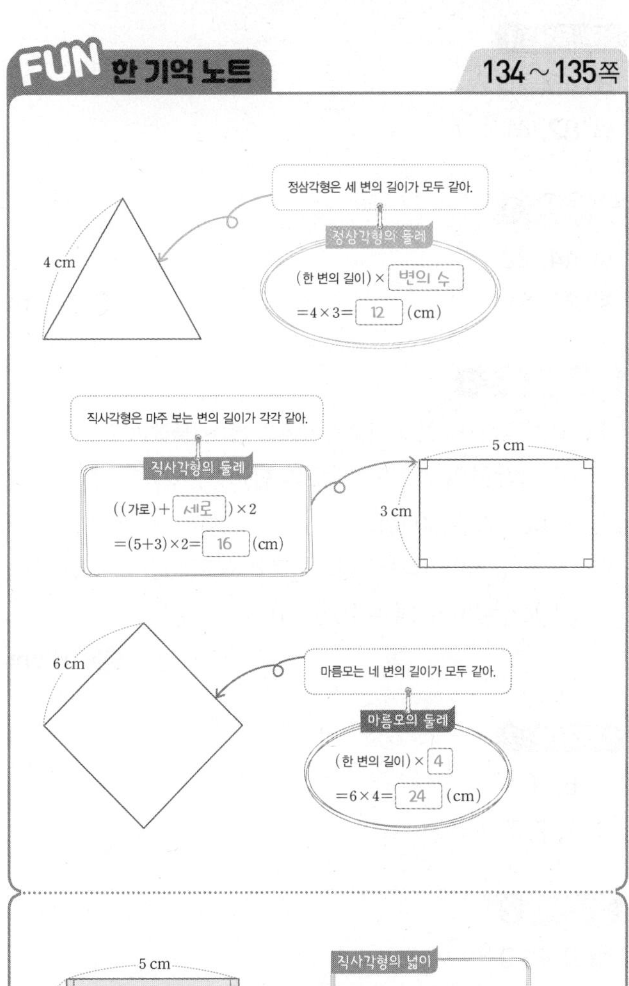

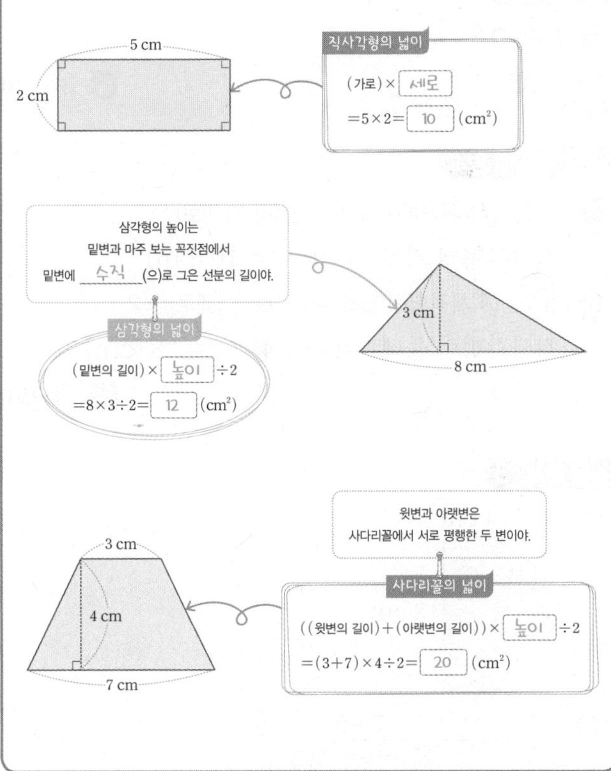

1 STEP 문제 해결력 기르기 136~141쪽

선행 문제 1

(1) 40, 20

(2) 82, 41

실행 문제 1

❶ 44, 22

❷ 22, 14

답 14 cm

쌍둥이 문제 1-1

❶ 전략 (직사각형의 가로와 세로의 합)=(둘레)÷2

(직사각형의 가로와 세로의 합)

$=60\div2=30$ (cm)

❷ 전략 (가로)=(직사각형의 가로와 세로의 합)−(세로)

(가로)$=30-14=16$ (cm)

답 16 cm

선행 문제 2

(1) 6, 9

(2) 7, 7, 7

실행 문제 2

❶ 9, 9, 9

❷ 9, 36

답 36 cm

쌍둥이 문제 2-1

❶ 전략 (직사각형의 가로)=(넓이)÷(세로)

(직사각형의 가로)$=40\div4=10$ (cm)

❷ 전략 (직사각형의 둘레)=((가로)+(세로))×2

(직사각형의 둘레)$=(10+4)\times2=28$ (cm)

답 28 cm

선행 문제 3

(1)

(2)

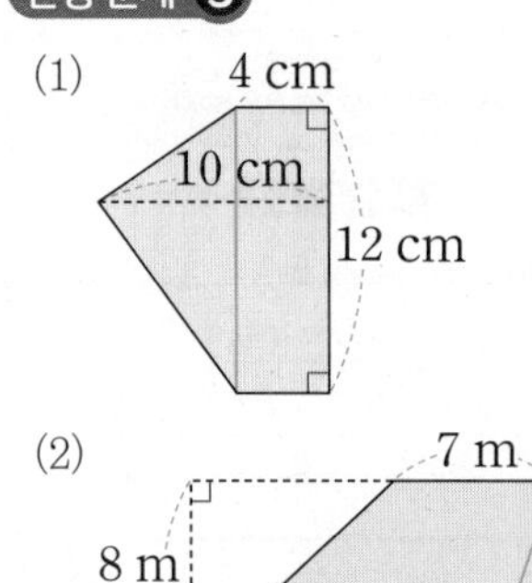

실행 문제 3

❶

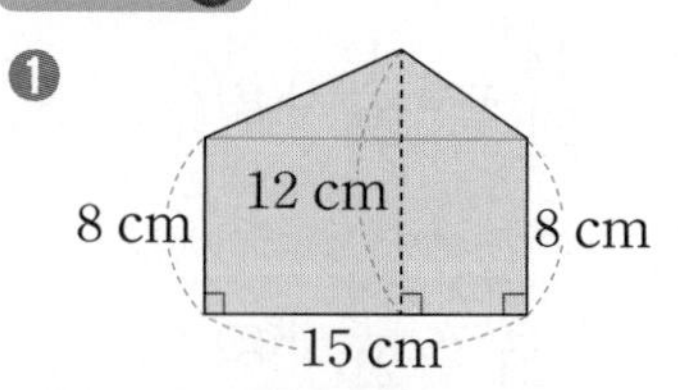

❷ 4, 30 / 15, 120

❸ 30, 120, 150

답 150 cm²

쌍둥이 문제 3-1

❶ 다각형을 삼각형과 사다리꼴로 나누는 선 긋기

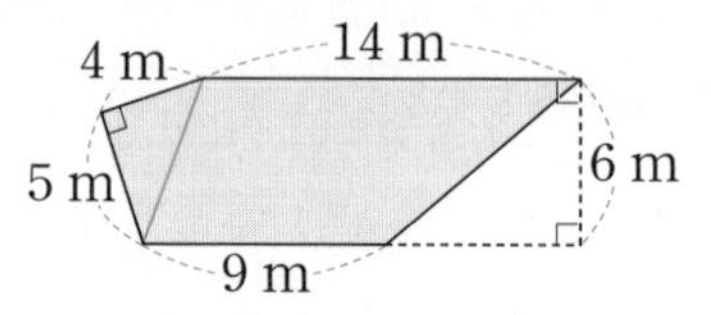

❷ 전략 (삼각형의 넓이)=(밑변의 길이)×(높이)÷2

(사다리꼴의 넓이)

=((윗변의 길이)+(아랫변의 길이))×(높이)÷2

(삼각형의 넓이)$=5\times4\div2=10$ (m^2)

(사다리꼴의 넓이)$=(14+9)\times6\div2=69$ (m^2)

❸ 전략 (다각형의 넓이)=(삼각형의 넓이)+(사다리꼴의 넓이)

(다각형의 넓이)$=10+69=79$ (m^2)

답 79 m²

선행 문제 4

(1) 10

(2) 12

실행 문제 4

❶ 10, 90

❷ 90, 90, 15

답 15 cm

쌍둥이 문제 4-1

❶ 전략 밑변을 선분 ㄷㄹ이라 할 때 높이는 선분 ㄹㅁ이다.

(평행사변형 ㄱㄴㄷㄹ의 넓이)

$=18\times8=144$ (cm^2)

❷ 전략 밑변을 선분 ㄴㄷ이라 할 때 높이는 선분 ㄱㅂ이다.

넓이를 이용하여 선분 ㄴㄷ의 길이 구하기:

(선분 ㄴㄷ)$\times16=144$,

(선분 ㄴㄷ)$=144\div16=9$ (cm)

답 9 cm

선행 문제 5

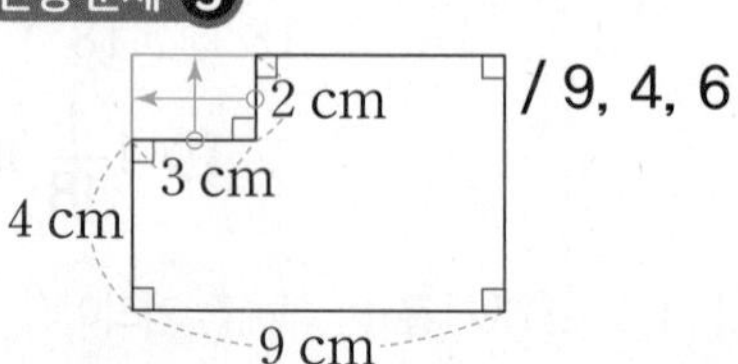

/ 9, 4, 6

실행 문제 5

❶
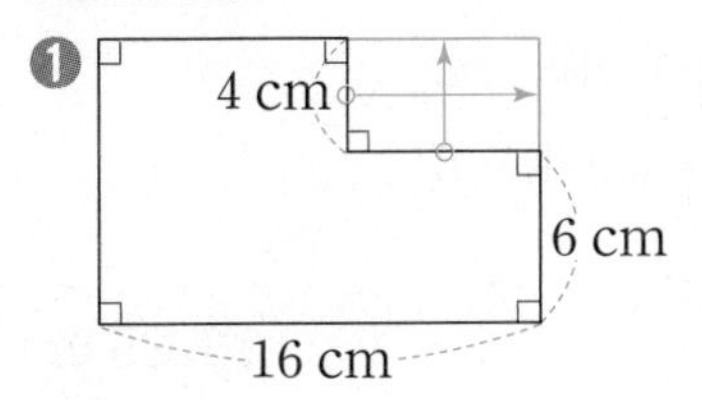

❷ 6, 10

❸ 16, 10, 16, 10, 52

답 52 cm

쌍둥이 문제 5-1

❶ 도형의 변을 이동하여 직사각형을 만드는 선 긋기

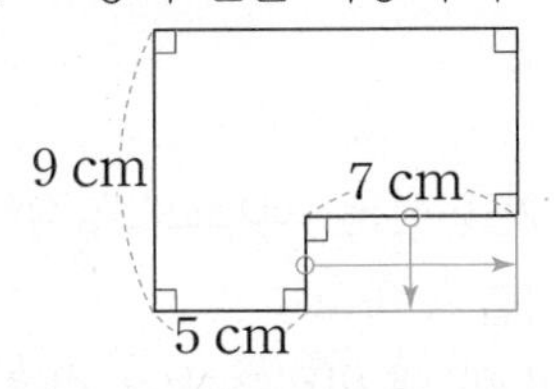

❷ (직사각형의 가로)$=5+7=12$ (cm)

❸ 전략 도형의 둘레는 ❶에서 변을 이동하여 만든 직사각형의 둘레와 같음을 이용하자.

(도형의 둘레)

$=$(가로가 12 cm, 세로가 9 cm인 직사각형의 둘레)

$=(12+9)\times 2$

$=42$ (cm)

답 42 cm

선행 문제 6

6, 5 / 2, 3

실행 문제 6

❶ 4, 14

❷ 3, 10

❸ 14, 10, 140

답 140 cm^2

쌍둥이 문제 6-1

❶ 전략 색칠한 부분을 붙여서 넓이를 구하기 쉬운 도형으로 만들자.

(색칠한 부분을 붙여서 만든 도형의 가로)

$=11-3=8$ (cm)

❷ (색칠한 부분을 붙여서 만든 도형의 세로)

$=20-6=14$ (cm)

❸ 전략 (색칠한 부분의 넓이)$=$(가로)$\times$(세로)

(색칠한 부분의 넓이)$=8\times 14=112$ (cm^2)

답 112 cm^2

2 STEP 수학 사고력 키우기 142~147쪽

대표 문제 1

구 넓이

주 58, 14

해 ❶ (직사각형의 가로와 세로의 합)

$=$(직사각형의 둘레)$\div 2$

$=58\div 2$

$=29$ (cm)

답 29 cm

❷ (가로)$=$(가로와 세로의 합)$-$(세로)

$=29-14$

$=15$ (cm)

답 15 cm

❸ $15\times 14=210$ (cm^2)

답 210 cm^2

쌍둥이 문제 1-1

구 직사각형의 넓이

주 • 직사각형의 둘레: 66 cm

• 직사각형의 가로: 13 cm

❶ 전략 (직사각형의 가로와 세로의 합)$=$(둘레)$\div 2$

직사각형의 가로와 세로의 합: $66\div 2=33$ (cm)

❷ 전략 ❶에서 구한 길이에서 가로를 빼자.

세로: $33-13=20$ (cm)

❸ 직사각형의 넓이: $13\times 20=260$ (cm^2)

답 260 cm^2

대표 문제 2

주 12, 8

해 ❶ (정사각형의 넓이)

$=$(한 변의 길이)$\times$(한 변의 길이)

$=12\times 12$

$=144$ (cm^2)

답 144 cm^2

❷ (가로)$=$(직사각형의 넓이)$\div$(세로)

$=144\div 8$

$=18$ (cm)

답 18 cm

❸ (직사각형의 둘레)$=$((가로)$+$(세로))$\times 2$

$=(18+8)\times 2$

$=52$ (cm)

답 52 cm

참고 직사각형의 넓이도 144 cm^2이다.

쌍둥이 문제 2-1

구 정사각형의 둘레

주 • 직사각형의 가로: 28 cm
• 직사각형의 세로: 7 cm
• (직사각형의 넓이)=(정사각형의 넓이)

❶ 전략 (직사각형의 넓이)=(가로)×(세로)
직사각형의 넓이: $28\times7=196\ (cm^2)$

❷ $14\times14=196$이므로
정사각형의 한 변의 길이: 14 cm

참고 정사각형의 넓이도 196 cm^2이다.

❸ 정사각형의 둘레: $14\times4=56\ (cm)$

답 56 cm

대표 문제 3

해 ❶ (사다리꼴 ㄱㄴㄷㄹ의 높이)$=4+5=9$ (cm)
(사다리꼴 ㄱㄴㄷㄹ의 넓이)
=((윗변의 길이)+(아랫변의 길이))×(높이)÷2
$=(10+24)\times9\div2$
$=153\ (cm^2)$

답 153 cm^2

❷ (삼각형 ㄴㄷㅁ의 넓이)
=(밑변의 길이)×(높이)÷2
$=24\times5\div2$
$=60\ (cm^2)$

답 60 cm^2

❸ (사다리꼴 ㄱㄴㄷㄹ의 넓이)
−(삼각형 ㄴㄷㅁ의 넓이)
$=153-60$
$=93\ (cm^2)$

답 93 cm^2

쌍둥이 문제 3-1

구 색칠한 부분의 넓이

어 큰 직사각형의 넓이에서 비어 있는 직사각형의 넓이를 빼자.

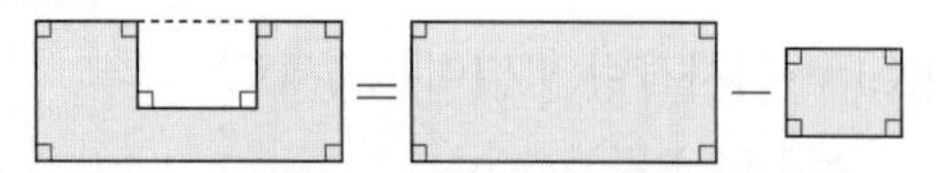

❶ 큰 직사각형의 넓이: $18\times8=144\ (m^2)$

❷ 전략 비어 있는 직사각형의 가로의 길이를 먼저 구하자.
비어 있는 직사각형의 넓이:
$(18-6-5)\times5=35\ (m^2)$

❸ 전략 (❶에서 구한 넓이)−(❷에서 구한 넓이)
색칠한 부분의 넓이: $144-35=109\ (m^2)$

답 109 m^2

대표 문제 4

해 ❶ (삼각형 ㄱㄴㄷ의 넓이)
=(밑변의 길이)×(높이)÷2
$=14\times5\div2$
$=35\ (cm^2)$

답 35 cm^2

❷ 답 7 cm

❸ (선분 ㄴㄷ)×7÷2=35,
(선분 ㄴㄷ)=35×2÷7
=10 (cm)

답 10 cm

쌍둥이 문제 4-1

구 선분 ㄱㄷ의 길이

어 1 밑변을 선분 ㄱㄹ, 높이를 선분 ㄴㅁ으로 생각하여 삼각형 ㄱㄴㄹ의 넓이를 구하고
2 높이를 선분 ㄱㄷ이라 할 때 밑변을 찾은 다음,
3 삼각형 ㄱㄴㄹ의 넓이를 이용하여 선분 ㄱㄷ의 길이를 구하자.

❶ 전략 밑변을 선분 ㄱㄹ이라 할 때 높이는 선분 ㄴㅁ이다.
삼각형 ㄱㄴㄹ의 넓이: $18\times9\div2=81\ (cm^2)$

❷ 높이를 선분 ㄱㄷ이라 할 때 밑변의 길이는 27 cm이다.

❸ 전략 ❶에서 구한 삼각형 ㄱㄴㄹ의 넓이를 이용하여 식을 세워 구하자.
27×(선분 ㄱㄷ)÷2=81,
(선분 ㄱㄷ)=81×2÷27
=6 (cm)

답 6 cm

대표 문제 5

해 ❶

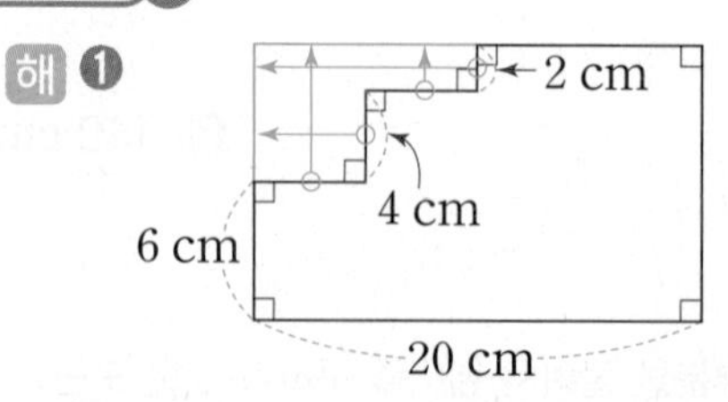

❷ (세로)$=2+4+6=12$ (cm)

답 20 cm, 12 cm

❸ 도형의 둘레는 가로가 20 cm, 세로가 12 cm인 직사각형의 둘레와 같다.
(도형의 둘레)=((가로)+(세로))×2
$=(20+12)\times2$
$=64$ (cm)

답 64 cm

쌍둥이 문제 5-1

어 1 주어진 도형의 변을 이동하여 직사각형을 만드는 선을 긋고

2 1에서 만든 직사각형의 가로와 세로의 길이를 구한 다음, 도형의 둘레를 구하자.

❶ 도형의 변을 이동하여 직사각형을 만드는 선 긋기

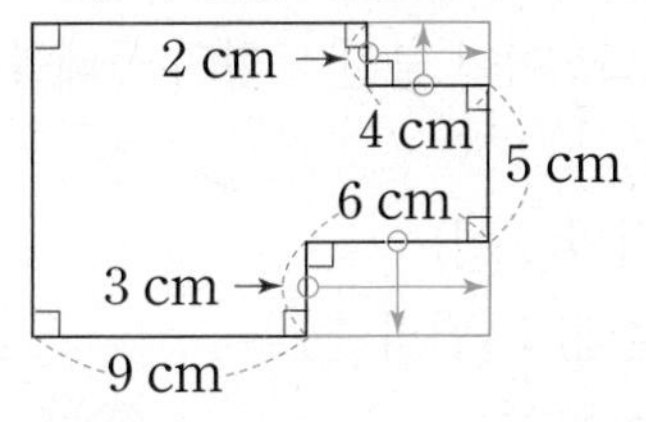

❷ ❶에서 만든 직사각형의 가로: $9+6=15$ (cm), 세로: $2+5+3=10$ (cm)

❸ 전략 ❶에서 만든 직사각형의 둘레와 같다.

도형의 둘레: $(15+10)\times2=50$ (cm)

답 50 cm

대표 문제 6

해 ❶ $15-5=10$ (cm)

답 10 cm

❷ $20-5=15$ (cm)

답 15 cm

❸ (색칠한 부분의 넓이)

$=10\times15=150$ (cm^2)

답 150 cm^2

참고

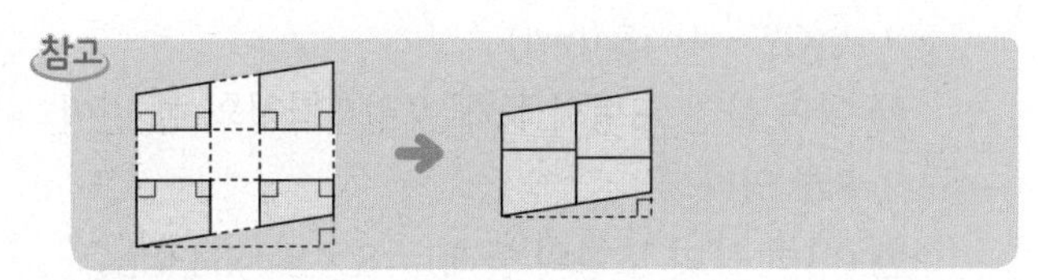

쌍둥이 문제 6-1

어 색칠한 부분을 붙여서 만든 도형의 넓이를 구하자.

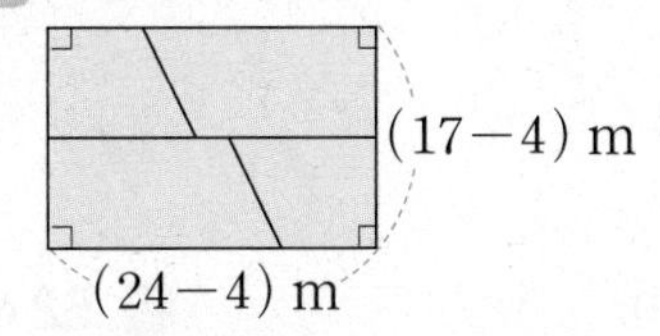

❶ 색칠한 부분을 붙여서 만든 도형의 가로: $24-4=20$ (m)

❷ 색칠한 부분을 붙여서 만든 도형의 세로: $17-4=13$ (m)

❸ 색칠한 부분의 넓이: $20\times13=260$ (m^2)

답 260 m^2

STEP 3 수학 독해력 완성하기 148~151쪽

독해 문제 1

구 정오각형의 둘레

주 •(정삼각형의 한 변의 길이) =(정오각형의 한 변의 길이)

•정삼각형의 둘레: 15 cm

어 1 정삼각형의 둘레를 이용하여 정삼각형의 한 변의 길이를 구하고

2 1에서 구한 길이를 이용하여 정오각형의 둘레를 구하자.

해 ❶ (정삼각형의 둘레)÷(변의 수)

$=15\div3=5$ (cm)

답 5 cm

❷ 정오각형의 한 변의 길이도 5 cm이므로

(정오각형의 둘레)=(한 변의 길이)×(변의 수)

$=5\times5=25$ (cm)

답 25 cm

독해 문제 1-1 정답에서 제공하는 쌍둥이 문제

정육각형과 정팔각형의 한 변의 길이가 같을 때/ 정팔각형의 둘레는 몇 cm인가요?

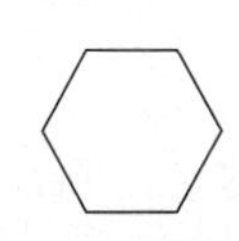

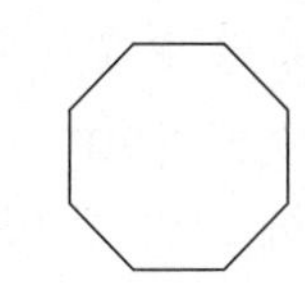

둘레: 48 cm

구 정팔각형의 둘레

주 •(정육각형의 한 변의 길이) =(정팔각형의 한 변의 길이)

•정육각형의 둘레: 48 cm

어 1 정육각형의 둘레를 이용하여 정육각형의 한 변의 길이를 구하고

2 1에서 구한 길이를 이용하여 정팔각형의 둘레를 구하자.

해 ❶ (정육각형의 한 변의 길이)

$=48\div6=8$ (cm)

❷ 정팔각형의 한 변의 길이도 8 cm이므로

(정팔각형의 둘레)

$=8\times8=64$ (cm)

답 64 cm

독해 문제 | 2

구 마름모의 다른 대각선의 길이

주 •(사다리꼴의 넓이)=(마름모의 넓이)
•사다리꼴의 윗변의 길이: 7 cm
•사다리꼴의 아랫변의 길이: 11 cm
•사다리꼴의 높이: 8 cm
•마름모의 한 대각선의 길이: 12 cm

어 1 사다리꼴의 넓이를 구하고
2 1에서 구한 넓이를 이용하여 마름모의 다른 대각선의 길이를 구하자.

해 ❶ (사다리꼴의 넓이)
=((윗변의 길이)+(아랫변의 길이))×(높이)÷2
=(7+11)×8÷2
=72 (cm^2)
답 72 cm^2

❷ 마름모의 넓이도 72 cm^2이므로
12×□÷2=72,
□=72×2÷12=12

참고 (마름모의 넓이)
=(한 대각선의 길이)×(다른 대각선의 길이)÷2

답 12 cm

독해 문제 | 3

구 원 안에 그릴 수 있는 가장 큰 마름모의 넓이

주 원의 반지름: 6 cm

어 1 원 안에 그릴 수 있는 가장 큰 마름모의 두 대각선의 길이를 구하고
2 1에서 구한 길이를 이용하여 마름모의 넓이를 구하자.

해 ❶ 원 안에 그릴 수 있는 가장 큰 마름모는 두 대각선의 길이가 모두 원의 지름과 같다.

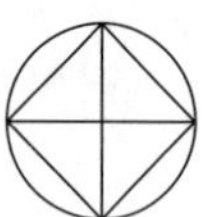

(마름모의 한 대각선의 길이)
=(원의 지름)
=6×2
=12 (cm)
답 12 cm, 12 cm

❷ (마름모의 넓이)
=(한 대각선의 길이)×(다른 대각선의 길이)÷2
=12×12÷2
=72 (cm^2)
답 72 cm^2

독해 문제 | 4

구 이어 붙인 도형의 둘레

주 정사각형 한 개의 둘레: 20 cm

어 1 정사각형의 둘레를 이용하여 정사각형의 한 변의 길이를 구하고
2 이어 붙인 도형의 둘레에 정사각형의 한 변이 몇 개 있는지 알아보고 이어 붙인 도형의 둘레를 구하자.

해 ❶ (정사각형의 한 변의 길이)
=(정사각형의 둘레)÷(변의 수)
=20÷4=5 (cm)
답 5 cm

❷ 답 8개

❸ 5 cm인 변이 8개 있다.
➔ 5×8=40 (cm)
답 40 cm

독해 문제 | 4-1 정답에서 제공하는 쌍둥이 문제

한 개의 둘레가 32 cm인 정사각형 3개를/
그림과 같이 겹치지 않게 이어 붙였습니다./
이어 붙인 도형의 둘레는 몇 cm인가요?

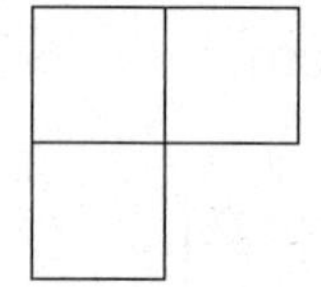

해 ❶ (정사각형의 한 변의 길이)
=32÷4=8 (cm)

❷ 이어 붙인 도형의 둘레는 정사각형의 한 변이 8개 있다.

❸ (이어 붙인 도형의 둘레)=8×8=64 (cm)
답 64 cm

독해 문제 | 5

구 넓이

주 13, 11

해 ❶ 13×4=52 (cm)
답 52 cm

❷ 직사각형의 둘레도 52 cm이므로
(가로)+(세로)=(직사각형의 둘레)÷2
=52÷2=26 (cm)
(가로)=((가로)+(세로))−(세로)
=26−11=15 (cm)
답 15 cm

❸ 15×11=165 (cm^2)
답 165 cm^2

독해 문제 | 5-1 정답에서 제공하는 쌍둥이 문제

한 변의 길이가 17 cm인 마름모와 둘레가 같은 직사각형이 있습니다./
이 직사각형의 가로가 14 cm일 때 넓이는 몇 cm^2인가요?

구 직사각형의 넓이

주 •마름모의 한 변의 길이: 17 cm
•(마름모의 둘레)=(직사각형의 둘레)
•직사각형의 가로: 14 cm

어 1 마름모의 둘레를 구하고
2 마름모의 둘레와 직사각형의 둘레가 같음을 이용하여 직사각형의 세로의 길이를 구한 다음,
3 직사각형의 가로와 세로의 길이를 이용하여 넓이를 구하자.

해 ❶ (마름모의 둘레)=(한 변의 길이)$\times$4
=17$\times$4=68 (cm)
❷ (직사각형의 둘레)=(마름모의 둘레)=68 cm
(직사각형의 가로와 세로의 합)
=68$\div$2=34 (cm)
(세로)=(가로와 세로의 합)−(가로)
=34−14=20 (cm)
❸ (직사각형의 넓이)
=(가로)$\times$(세로)=14$\times$20=280 (cm^2)

답 280 cm^2

독해 문제 | 6

주 24, 6

해 ❶ (삼각형 ㄱㄷㄹ의 넓이)
=(밑변의 길이)$\times$(높이)$\div$2
=30$\times$6$\div$2=90 (cm^2) 답 90 cm^2
❷ 삼각형 ㄱㄷㄹ의 밑변의 길이를 10 cm라 할 때 높이는 선분 ㄱㄴ이다.
10$\times$(선분 ㄱㄴ)$\div$2=90,
(선분 ㄱㄴ)=90$\times$2$\div$10=18 (cm)

답 18 cm

❸ (사다리꼴 ㄱㄴㄷㄹ의 넓이)
=((윗변의 길이)+(아랫변의 길이))$\times$(높이)$\div$2
=(10+24)$\times$18$\div$2=306 (cm^2)

답 306 cm^2

STEP 4 창의·융합·코딩 체험하기 152~155쪽

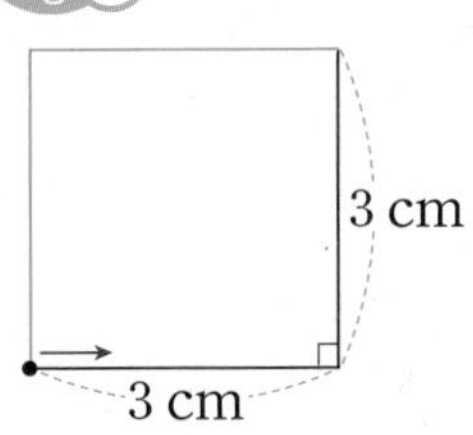

답 3 / 3, 12

코딩 2

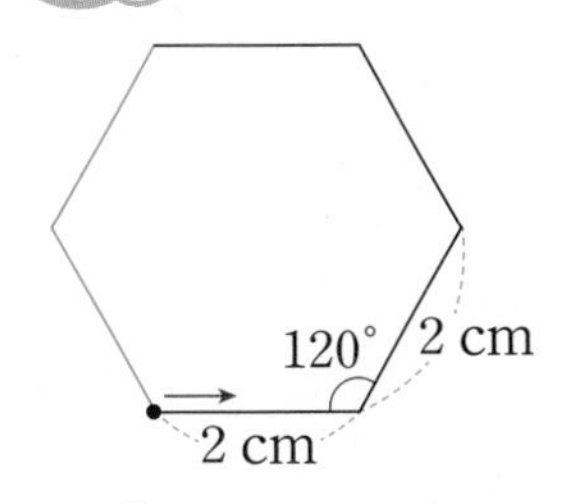

답 2 / 2, 12

창의 3

(새로 만든 직사각형의 가로)=15−6=9 (cm)
➔ (새로 만든 직사각형의 둘레)
=((가로)+(세로))$\times$2
=(9+15)$\times$2=48 (cm)

답 48 cm

융합 4

(서아 방의 가로)=9−(3+2)=4 (m)
(서아 방의 넓이)=(가로)$\times$(세로)=4$\times$5=20 (m^2)

답 20 m^2

창의 5

색칠하지 않은 부분은 사다리꼴이다.
(색칠하지 않은 부분의 높이)=16−8=8 (cm)
(파란색과 빨간색으로 색칠한 부분의 넓이의 합)
=(직사각형의 넓이)−(색칠하지 않은 부분의 넓이)
=32$\times$16−(32+16)$\times$8$\div$2
=512−192
=320 (cm^2)

답 320 cm^2

참고 (사다리꼴의 넓이)
=((윗변의 길이)+(아랫변의 길이))$\times$(높이)$\div$2

창의 6

가로가 5 m, 세로가 2 m인 직사각형의 둘레와 같다.
(빨간색으로 둘러싸인 부분의 둘레)
=((가로)+(세로))$\times$2
=(5+2)$\times$2=14 (m)

답 14 m

융합 7

(빨간색으로 색칠한 정사각형의 한 변의 길이)
$=20-11$
$=9$ (cm)
(빨간색으로 색칠한 부분의 넓이)
=(한 변의 길이)×(한 변의 길이)
$=9\times9$
$=81$ (cm^2)

답 81 cm^2

융합 8

(삼각형의 넓이)
=(밑변의 길이)×(높이)÷2
$=5\times8\div2=20$ (m^2)
밑변을 10 m라 할 때 높이는 ㉠이다.
$10\times$㉠$\div2=20$,
㉠$=20\times2\div10=4$ (m)

답 4 m

종합평가 실전 마무리 하기 156~159쪽

1 ❶ 정육각형의 변의 수: 6개
❷ 만든 정육각형의 한 변의 길이를 □cm라 하면
□×6=90, □=90÷6=15

답 15 cm

2 ❶ 그린 마름모의 두 대각선의 길이: 각각 10 m
❷ 마름모의 넓이: $10\times10\div2=50$ (m^2)

답 50 m^2

3 ❶ 직사각형의 가로와 세로의 합: $58\div2=29$ (cm)
❷ 세로: $29-12=17$ (cm)
❸ 직사각형의 넓이: $12\times17=204$ (cm^2)

답 204 cm^2

4 ❶ 삼각형의 넓이: $20\times7\div2=70$ (cm^2)
❷ 평행사변형의 넓이도 70 cm^{2}이므로
(평행사변형의 밑변의 길이)$=70\div5=14$ (cm)

답 14 cm

5 ❶ 직사각형의 넓이: $25\times4=100$ (cm^2)
❷ $10\times10=100$이므로
정사각형의 한 변의 길이: 10 cm
❸ 정사각형의 둘레: $10\times4=40$ (cm)

답 40 cm

6 ❶ 도형의 변을 이동하여 직사각형을 만드는 선 긋기

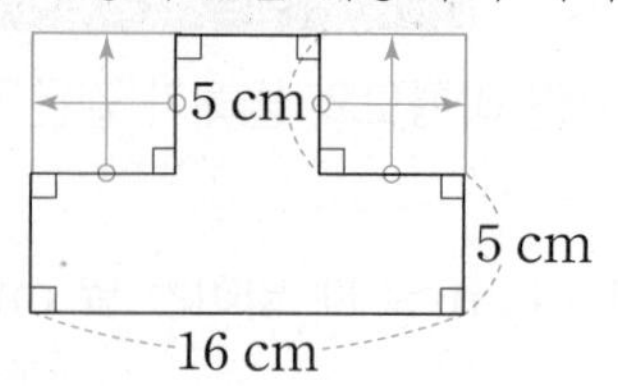

❷ ❶에서 만든 직사각형의 가로: 16 cm,
세로: $5+5=10$ (cm)
❸ 도형의 둘레: $(16+10)\times2=52$ (cm)

답 52 cm

7 ❶ 정사각형의 한 변의 길이: $28\div4=7$ (cm)
❷ 이어 붙인 도형의 둘레는 정사각형의 한 변이 12개 있다.
❸ 이어 붙인 도형의 둘레: $7\times12=84$ (cm)

답 84 cm

8 ❶ (삼각형 ㄱㄷㄹ의 넓이)$=20\times9\div2=90$ (cm^2)
❷ 삼각형 ㄱㄷㄹ의 밑변의 길이를 15 cm로 하면
$15\times$(선분 ㄱㅁ)$\div2=90$,
(선분 ㄱㅁ)$=90\times2\div15=12$ (cm)

답 12 cm

9 ❶ 사각형을 2개의 삼각형으로 나누는 선 긋기

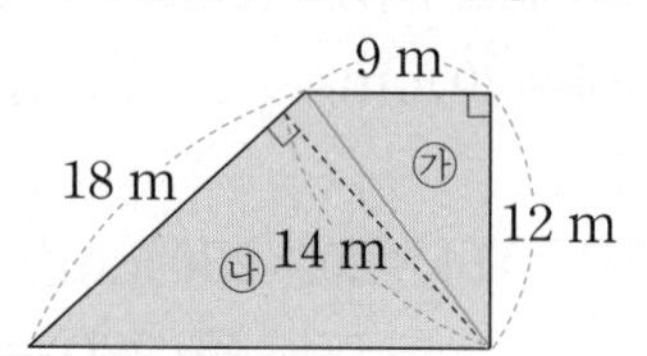

❷ (㉮의 넓이)$=9\times12\div2=54$ (m^2)
❸ (㉯의 넓이)$=18\times14 : 2=126$ (m^2)
❹ (사각형의 넓이)=(㉮의 넓이)+(㉯의 넓이)
$=54+126=180$ (m^2)

답 180 m^2

10 ❶ 색칠한 부분을 붙여서 만든 도형의 가로:
$27-7=20$ (cm)
❷ 색칠한 부분을 붙여서 만든 도형의 세로:
$19-7=12$ (cm)
❸ 색칠한 부분의 넓이: $20\times12=240$ (cm^2)

답 240 cm^2

참고 색칠한 부분을 붙여서 만든 도형:

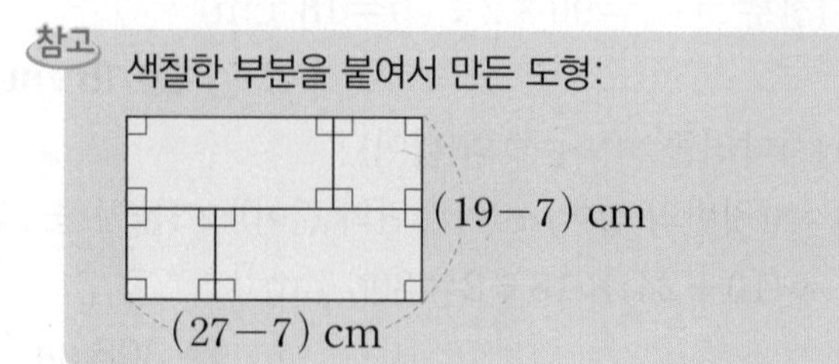

◀ 정답은
이안에
있어.!

난이도 별점
쉬움 ★
보통 ★★★
어려움 ★★★★★
최상위 ★★★★★★★

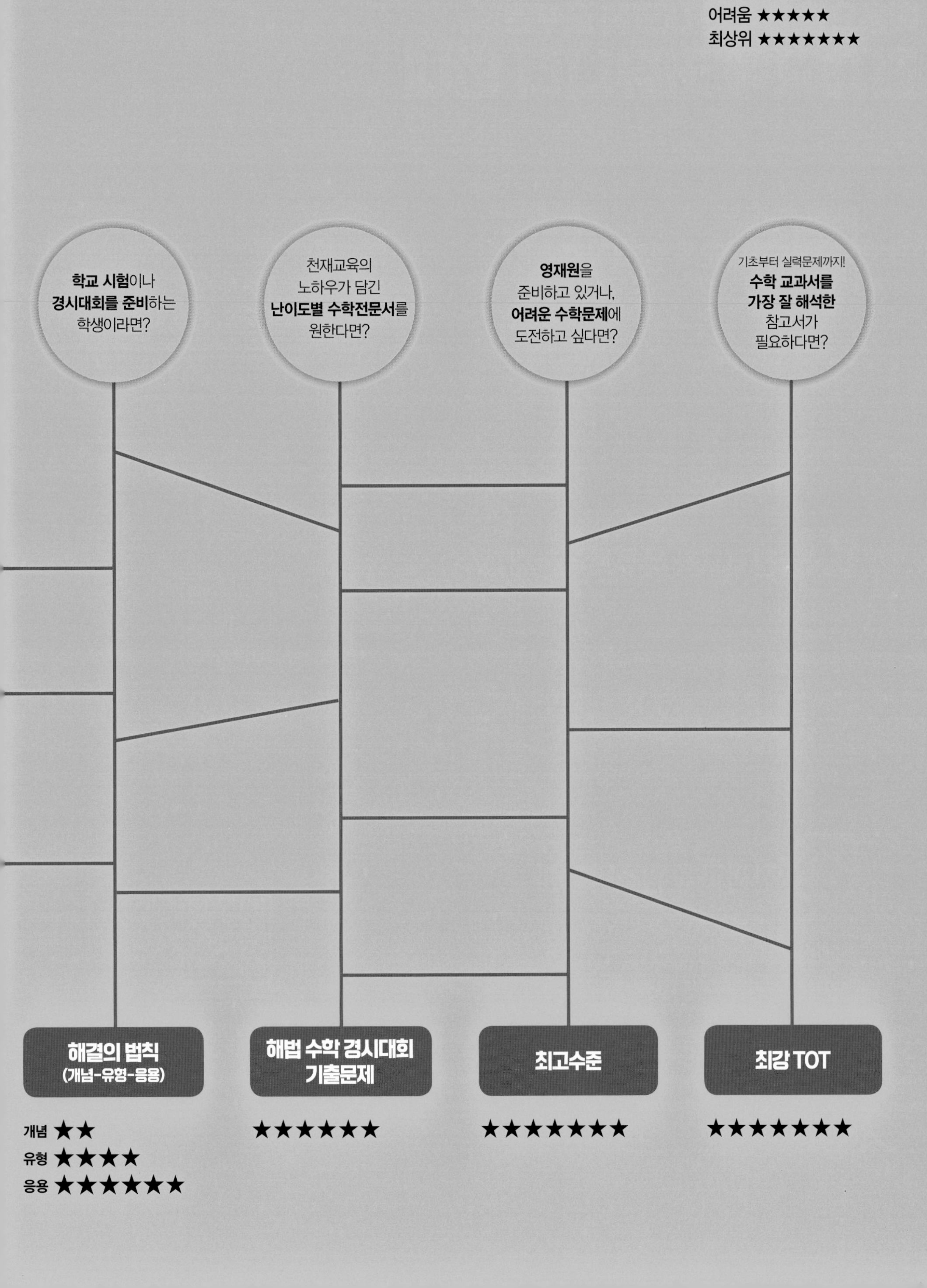

개념 ★★
유형 ★★★★
응용 ★★★★★★

★★★★★★

★★★★★★★

★★★★★★★

배움으로 행복한 내일을 꿈꾸는

천재교육 커뮤니티 안내

교재 안내부터 구매까지 한 번에!

천재교육 홈페이지

천재교육 홈페이지에서는 자사가 발행하는 참고서,
교과서에 대한 소개는 물론 도서 구매도 할 수 있습니다.
회원에게 지급되는 별을 모아 다양한 상품 응모에도
도전해 보세요.

구독, 좋아요는 필수! 핵유용 정보 가득한

천재교육 유튜브 <천재TV>

신간에 대한 자세한 정보가 궁금하세요?
참고서를 어떻게 활용해야 할지 고민인가요?
공부 외 다양한 고민을 해결해 줄 채널이 필요한가요?
학생들에게 꼭 필요한 콘텐츠로 가득한 천재TV로 놀러오세요!

다양한 교육 꿀팁에 깜짝 이벤트는 덤!

천재교육 인스타그램

천재교육의 새롭고 중요한 소식을 가장 먼저 접하고 싶다면?
천재교육 인스타그램 팔로우가 필수!
누구보다 빠르고 재미있게 천재교육의 소식을 전달합니다.
깜짝 이벤트도 수시로 진행되니 놓치지 마세요!